СЛЕДСТВИЕ ВЕДЕТ
ПРОФЕССИОНАЛ

ТАТЬЯНА СТЕПАНОВА

Падший ангел за левым плечом

Москва

2015

УДК 821.161.1-312.4
ББК 84(2Рос=Рус)6-44
С79

Оформление серии *С. Груздева*

Степанова, Татьяна Юрьевна.

С79   Падший ангел за левым плечом : [роман] / Татьяна Степанова. — Москва : Издательство «Э», 2015. — 320 с. — (Следствие ведет профессионал. Детективы Т. Степановой).

ISBN 978-5-699-84161-5

Месть — блюдо холодное. И хотя в том гараже, на месте преступления все дышало яростью — ярость тоже была холодная. Убийца не проявлял ни паники, ни торопливости — он действовал. Шеф криминальной полиции области полковник Гущин уверен: смерть Полины Вавиловой связана с тем, чем занимался ее муж полковник Вавилов пять лет назад, когда служил начальником уголовного розыска в подмосковном Рождественске. В то время Вавилов вел три громких дела. Только какое из них дало о себе знать сейчас? Катя Петровская, капитан полиции, сотрудница Пресс-службы ГУВД Московской области недоумевала: зачем снова разбираться в этих старых несвязанных друг с другом историях?.. Тогда еще никто и предположить не мог, какой неожиданный оборот примет расследование убийства юной жены полковника Вавилова...

УДК 821.161.1-312.4
ББК 84(2Рос=Рус)6-44

ISBN 978-5-699-84161-5

Глава 1
ТО, ЧТО ЛУЧШЕ НЕ ВИДЕТЬ

«Во всем этом есть что-то нечеловеческое».

«Не пускайте его сюда! Слышите, не пускайте его сюда!»

Никогда прежде Катя — Екатерина Петровская, обозреватель Пресс-центра ГУВД Московской области — не слышала, чтобы шеф криминальной полиции полковник Гущин кричал вот так — фистулой, придушенно и одновременно громко. На истеричной вибрирующей ноте, рискующей вот-вот сорваться и крайне болезненной для барабанных перепонок всех, кто был в эту минуту с ним рядом.

Во всем этом есть что-то нечеловеческое...

Это произнес эксперт ЭКУ Сиваков, видевший за свою многолетнюю работу столько всего...

Но только не... *Не то, что открылось их взору в этом доме и в этом гараже.*

Дом — новенький коттедж из силикатного кирпича, построенный на окраине микрорайона Деево на участке, выделенном под коттеджное строительство. Дом такой светлый, с окнами до пола на террасе, с винтовой лестницей из лиственницы на второй этаж, с просторным холлом, откуда можно пройти на большую кухню, а также в гараж, пристроенный прямо к дому.

Дом, полный света и воздуха, несмотря на то что за окнами — ненастный, ветреный и холодный апрельский день.

Дом, пахнущий ремонтом, краской, клеем для обоев, струганым деревом.

Дом, где все эти мирные ароматы подавлены запахом крови.

Крови так много...

Есть вещи, которые лучше не видеть. Это Катя как мантру повторяла сейчас сама себе. Лучше не видеть, не знать. Но вместе с полковником Гущиным и оперативной группой Главка она находилась тут, в этом самом месте.

И все это было перед ее глазами.

И она не могла их закрыть, потому что — закрывай, не закрывай, ничего бы не изменилось, не исчезло.

И смех этот — ужасный, похожий на лай, доносившийся из гостиной, не стих. Этот смех, в котором истерика, ярость и слезы.

И еще как бы удивление, что такое — вот такое возможно.

Это... Как у бабы этой в музее, у Венеры Таврической... хи-хи... Нет, Милосской... хи-хи-хи...

Смеялся Игорь Петрович Вавилов — человек, которого Катя отлично знала, полковник полиции, начальник оперативно-аналитического управления. По факту — третий человек в руководстве Главка и коллега Гущина.

Как у бабы у этой из музея... у Венеры.... Ха-ха-ха-хаха!

— Игорь Петрович, пожалуйста, перестаньте. Надо взять себя в руки. Игорь Петрович, пожалуйста! — Голос помощника Вавилова.

— Дай ему что-то или вколи, чтобы прекратил, успокоился, — попросил Гущин.

— У меня ничего такого нет. — Эксперт Сиваков покачал головой. — Паренек этот, Артем, ему «Скорую» вызвал — так они ехать отказались, узнав, что это истерика на почве шока. Не психиатричку же вызывать. Ничего, уж как-нибудь опомнится. Возьмет себя в руки. Он мужик сильный. Опер бывший.

— Сюда его ни в коем случае не пускайте, — Гущин, только что кричавший, снизил голос до шепота, — сюда ни-ни!

— Не поможет. — Сиваков оглядел то, что лучше не видеть. — Он же ее обнаружил. Они с помощником. Парень сразу в дежурную часть сообщил. А Игорь Петрович...

Ха-Ха! Хи-хи-хи! Обрубил...

Безумный хохот не стихал ни на минуту.

Помощник полковника уже умолял:

— Игорь Петрович, пожалуйста... Нате вот, выпейте...

Звон чашки, сброшенной на пол.

Вдребезги!

Ха-ха-ха!

Катя попала сюда, в этот жуткий дом в Деево, не по своей воле. Даже жажда сенсации для интернет-страницы «Криминального вестника Подмосковья», что она вела как обозреватель и сотрудник пресс-службы, не заставила бы ее заниматься расследованием этого дела.

Она поняла это сразу, едва лишь узрела *то, что лучше не видеть*. И едва при этом самым позорным образом на глазах у всей опергруппы, экспертов и следователя не грохнулась в обморок.

Она никогда бы не поехала в Деево, сюда, в этот чертов дом. Если бы не приказ полковника Гущина. Нет, просьба, нет, определенно приказ. Или все вместе, потому что сотрудники Пресс-центра обязаны по инструкции и по распоряжению руководства Главка выезжать на все преступления, совершенные в отношении своих коллег — полицейских.

В эту субботу Катя планировала для себя праздник. У Анфисы Берг — закадычной подруги — день рождения. И она собирала девичник в кафе на Гоголевском бульваре. Катя купила в подарок Анфисе крутую новую кофеварку и ехала в такси с родной Фрунзенской набережной — нарядная, веселая, с подарком для подруги.

Как вдруг этот звонок от полковника Гущина, а потом и от начальника Пресс-центра ГУВД, от своего шефа.

Гущин приказал, нет, попросил — приезжай сейчас же, у нас небывалое ЧП!

Начальник Пресс-центра был сух и лаконичен — выезжайте в район, в Деево. Там зверски убита жена начальника оперативно-аналитического управления полковника Вавилова. По итогам осмотра места подготовите самый скупой комментарий для массмедиа, который только возможен.

Самый скупой комментарий для прессы и телевидения — вот об этом?!

Подарок — кофеварка — остался в кабинете в Главке на Никитском. Анфисе Катя позвонила и сказала, что в кафе она, увы, приехать не сможет.

Но тогда, звоня подруге Анфисе, она еще не знала, что ее ждет в этом доме в Деево. И представить не могла, какие жуткие, пугающие, запутанные и странные события впереди.

Хи-хи-хи! Как этой бабе мраморной в музее... Венере... обрубил... Ха-ха-ха-ха!

— Не обрубил, — сказал эксперт Сиваков, наклоняясь над трупом, — отрезал. Убийца использовал электропилу тут в гараже. Ее руки отпилены по самые плечи.

Во всем этом есть что-то нечеловеческое...

Но это лишь первый абзац. Мы только начали наш осмотр. Многое еще впереди.

Тут, вот тут.

— Меня интересует время совершения убийства. Когда наступила смерть, — тихо, опять же шепотом сказал полковник Гущин. — Ты понимаешь, в каком мы все сейчас положении. Он сотрудник полиции, он — один из начальников Главка. Я хочу, чтобы хотя бы в вопросе давности смерти нас не ждали безумные сюрпризы. С меня этого его смеха хватает. Волосы дыбом. Итак, что скажешь?

Они с Сиваковым переглянулись.

Катя ждала, что ответит эксперт.

То, что лучше не видеть, уже диктовало свои, собственные условия расследования.

Бригада ЭКУ проводила в доме и в гараже полный, тотальный осмотр с изъятием всех улик, которые лишь предстояло еще найти.

Глава 2
МАЛЕНЬКОЕ СЧАСТЬЕ

А в это самое время, когда в страшном доме в Дееве только начинался осмотр места убийства, в соседнем с поселком городе Рождественске Виктория Одинцова — вдова средних лет, потерявшая любимого мужа, — размышляла о счастье.

Муж Виктории скончался от инфаркта скоропостижно. И боль утраты, тяжкая в первые годы, утихла. Словно посветлела как-то эта боль, истончилась, оставив горьковатое послевкусие невыплаканных слез.

Но жизнь есть жизнь, и Виктория Одинцова смирилась. С ней шагать дальше по жизни без мужа остались сын и свекровь. Сын окончил школу и поступил на первый курс МАИ. Свекровь постоянно путешествовала по поликлиникам и аптекам в ажиотаже получения бесплатных лекарств. Стуча клюкой, костерила почем зря врачей, районные власти, ругала государство, не стесняясь в выражениях, и, что интересно, все рецепты и направления от врачей всегда получала. И даже без очереди.

Они жили после смерти мужа, отца и кормильца, в квартире свекрови. И со временем Виктория научилась подлаживаться к ее непростому характеру. Общая потеря сплотила их, а также необходимость заботиться друг о друге.

А что, собственно, конфликтовать у плиты по пустякам? Разве в этом смысл жизни, кто лучше готовит молочную лапшу и тушит курицу с черносливом? Если все время ругаться и горевать, то так можно и стресс заработать. И счастье, маленькое такое, свое, домашнее, теплое, как шерстяной носок, счастье пустить по ветру.

Утратить.

Сохранить, постараться сохранить во что бы то ни стало счастье свое — лучик света — Виктория Одинцова всегда старалась.

Поначалу-то, после смерти мужа, было делать это ой как непросто. Небо с овчинку казалось. В те времена, оставшись одна, чтобы как-то прокормить семью и выплатить кредиты, которые брал муж, Виктории приходилось работать в двух местах. Практически без выходных и праздников. На сон и то времени не хватало, потому что в разных местах имелся разный график: где сутки — трое, где сутки — двое, а порой и через день, а порой и в ночную смену.

О счастье ли тут думать, когда с ног валишься и засыпаешь на сиденье автобуса, рискуя проспать свою остановку?

Но даже в те времена Виктория думала, мечтала о счастье. Вот выплачу кредит... Станет полегче. Потом, может, как-то все устроится, обойдется.

Когда случилось то происшествие в отеле «Сказка интернешнл» — роскошном, с крытыми бассейнами и аквапарком, где она работала ночным сменным администратором, призрак маленького индивидуального счастья опять словно померк.

Ну как же, ее ведь тогда затаскали на допросы сначала в уголовный розыск, потом к следователю, а затем, когда дело в суд перекочевало, и туда. Как свидетеля.

Прокурор ей все в суде внушал — вы свидетель обвинения. От ваших показаний многое зависит. От ваших показаний зависит практически все со стороны обвинения.

Каково это слышать, а? Это и крепкий, здоровый человек слышит с трепетом сердечным, с этаким мандражом. А она в то время в горе великом была, только мужа потеряла — вся на нервах, на успокоительном.

Но и эта полоса черная сгинула. Суд закончился обвинительным приговором. Ну тому... типу, которого обвиняли в таких ужасных вещах...

Виктория постаралась со временем выбросить все это из головы.

А потом — вот чудеса в решете — и прокурора того посадили, который ей все внушал, как важны ее показания.

Ну жизнь, вот жизнь, а!

Про прокурора она тогда услышала в местных новостях по телевизору. Ну посадили и посадили. Кто о прокуроре из нормальных людей заплачет?

Нет, Виктория не хотела ерничать. Она вообще была доброй женщиной. Она заботилась о сыне-студенте. Боялась, что он, такой влюбчивый и бесхребетный, еще женится ни свет ни заря. А что им тогда со свекровью, с бабкой, делать? Квартира хоть и трешка, но стандартная, со смежными комнатами. А если приведет жену да дети пойдут? Где всем ютиться?

Когда муж был жив, вроде и не ютились, а просто жили. Это сейчас, что ли, у страха глаза велики?

А с другой стороны — семья у сына, дети — это же внуки. Так, значит — вот оно, счастье. Один из его основных элементов.

Тут Виктория всегда вздыхала.

Вздохнула она и сейчас и улыбнулась.

Она только-только закончила гладить выстиранное постельное белье и убрала гладильную доску. Пора что-то к ужину готовить. Скоро сын явится. Хоть сегодня и суббота, он клятвенно обещал, что приедет домой, а не зависнет в каком-то студенческом клубе на Спартаковской.

Свекровь, громыхая клюкой, прокандехала по коридору из своей комнаты в туалет. И угнездилась там надолго. Запоры мучили старуху.

Ей к ужину надо бы морковки сырой потереть — Виктория бросила взгляд на кухонный комбайн. Или дать слабительного? Нет, уж потружусь для нее. Подумаешь, кнопку нажать в комбайне — раз, и готова морковка тертая.

Вот в этом как раз счастье-то и заключается. В радении за близких, в заботе о них. Пусть и не очень ценят они это из-за сварливости характера и рассеянного старческого склероза.

Счастье — это сиюминутное, очень хрупкое ощущение: я счастлива... я почти счастлива... нет, не почти, а я просто счастлива... я живу...

Дома тепло — несмотря на весну, на начало апреля, в доме хорошо топят батареи. А в прошлый год топили плохо. А в этом году — хорошо, и это счастье.

У нас теперь свое дело — да, да, несмотря на экономический кризис, мы сложились компанией и держим крохотную булочную-кондитерскую в Рождественске. Семь человек сложились — прежние знакомые мужа и их жены взяли ее в долю, что называется. А свое дело есть свое дело, бизнес, пусть и не малый даже, а крохотный!

Но все же это не прежние ее мытарства на нескольких работах сразу.

Тут — счастье: чистая витрина, стойка, кофеварка, чтобы «кофе с собой». И выпечка сдобная с корицей — ее пекут сами, и хлеб разный, и плюшки, и круассаны.

А еще пасту делают «живую» и равиоли сами лепят с тыквой, со шпинатом и рикотой. Народ покупает. Немного, денег-то не ахти у народа, потому что кризис. Но молодежь и разные там модные, продвинутые, которых, правда, в Рождественске кот наплакал, покупают равиоли и «живую пасту». И это все — доход бизнесу.

Доход ей в том числе, Виктории. И это тоже счастье.

Счастье, когда деньги есть и не надо побираться по знакомым, прося в долг на срочное погашение кредита.

Счастье вот так стоять на теплой кухне у окна, заставленного фиалками и геранью, и смотреть на сумерки — серые, раздуваемые всеми весенними ветрами.

Какого, собственно, рожна еще чего-то хотеть? Вот сын учится, поступил сам, на бюджетное место, и платить за учебу не надо.

Это счастье по нынешним временам.

Свекровь на своих ногах — бродит, таскается к врачу, до туалета сама доходит. И это счастье. Вот не дай бог сляжет...

Может, умрет. Не станет колодой лежать. Создавать проблемы...

Тут Виктория устыдилась своих мыслей. Нет, нет, смерти желать не годится. Это плохо.

Она ведь добрая, сердечная. Она всегда все по совести. И тогда, во время дачи показаний, она ведь не солгала, не прибавила, не убавила. Рассказала чистую правду о том, что слышала в ту ночь в отеле «Сказка интернешнл».

Так что этот, которого упекли... ну, насильник-то... он не должен быть к ней в претензии.

Она не солгала ни следователю, ни суду. И тому сыщику, начальнику местного уголовного розыска, который насильника задержал, она тоже не солгала.

Правду сказать — это ведь тоже счастье.

Хотя такого бы счастья-то поменьше — не правды сказанной, а следствия и суда...

Виктория с охапкой выглаженного белья прошла в комнату сына. Кавардак какой тут вечно. Белье надо поменять...

Она бросила взгляд на стол сына — пыли, пыли, но он запрещает ей дотрагиваться до стола. Тут компьютер, тут какие-то диски. А то она с компьютерами не умеет обращаться! Виктория хмыкнула. Она компьютеров-то побольше видела, чем он в свои восемнадцать.

— Викуся, эй, Викуся! — громогласно воззвала с толчка из-за закрытой двери туалета свекровь.

— Да, мама, скоро ужинать будем.

— Замочи мне чернослив в кипятке в кружке. Подашь опять морковь тертую, так я ее в помойное ведро!

Виктория покачала головой — свекруха в своем репертуаре, блажит бабка. Но... это ведь тоже счастье, вот такое маленькое семейное... этакий семейный смешной раздолбайчик.

Надо ко всему относиться спокойно. Самое главное — они живут, никого не трогают.

И батареи в этом сезоне в районе топят нормально.

И в доме тепло.

И в холодильнике есть что на стол поставить и что поесть.

И у них теперь свое дело — крошечный бизнес.

А желать чего-то еще — по нынешним-то временам — иллюзия.

Маленькое счастье — вот оно: тепленькое такое. Виктория погладила простыни, и правда еще хранящие тепло утюга.

Весна — скоро расцветут фиалки на подоконнике в горшках.

Завтра — воскресенье и у нее выходной, потому что у них в булочной — график.

А потом она всю неделю работает.

Булочки с корицей, ватрушки с творогом, кофе с собой — это для молодежи.

Сын попросит, как всегда, денег — на какие-то прибамбасы к компьютеру.

И она ему даст. Потому что это ей сейчас по силам.

И в этом тоже — счастье.

Видите, как много счастья в этой жизни? Так чего же унывать?

Глава 3
ЭЛЕКТРОПИЛА

— Когда наступила смерть? — повторил свой вопрос полковник Гущин.

— Более пяти часов назад, — ответил эксперт Сиваков.

— А конкретнее?

— Ну, судя по трупному окоченению... Я бы предположил, что ее убили где-то между одиннадцатью и часом дня. — Сиваков начал осмотр. — Более детально скажу после вскрытия.

Катя через силу подошла ближе. Мертвая молодая женщина.

У трупа отсутствовали руки.

— Полина Вавилова. По паспорту ей всего-то двадцать лет. Она и выглядит на этот **возраст, хотя сейчас** трудно сказать. — Сиваков говорил тихо. — **Молодая жена...** Давно они женаты?

— Недавно, — ответил Гущин, — это у него второй брак.

— На теле две раны. Глубокое проникающее ножевое ранение в области боковой поверхности живота. Наверняка внутренние органы задеты. А также резаная рана на горле. Убийца нанес ей первый удар ножом в живот. А когда она упала, он перерезал ей горло. Но убивал не здесь, не в гараже. Судя по следам крови, что есть в холле, нападение произошло именно там, у входной двери. Виден четкий след волочения по полу. Убийца поволок труп из холла в гараж. И тут сотворил все остальное.

Остальное...

Кате хотелось уйти. Она просто физически уже не могла выносить...

— Значит, убийство произошло утром? — спросил Гущин.

— Для тебя одиннадцать часов — утро? — Сиваков не хмыкал, не улыбался, продолжал осмотр. — Итак, дальше... На лице жертвы какие-либо повреждения отсутствуют. Кроме двух ножевых ран — ни синяков, ни ссадин. Ничто не указывает на то, что между Полиной Вавиловой и ее убийцей происходила борьба. Одета она по-домашнему — спортивные брюки из фланели, фланелевый топ и кроссовки. Домашний, дачный стиль.

— Она сама впустила убийцу, — сказал Гущин. — Дверь мы тщательно осмотрели. Никаких следов взлома. Там уйма замков. Вавилов — опер, знает, как от взломщиков дом обезопасить. А вот жену молодую не уберег. Так, значит, убили ее между одиннадцатью и часом дня?

Сиваков глянул на Гущина. Тот достал мобильный и начал звонить. Через минуту Катя поняла, что он разговаривает с приемной начальника Главка, с адъютантом начальника.

И тогда, улучив момент, Катя на ватных ногах буквально выползла вон. Хоть краткая передышка, хоть глоток иного воздуха — пусть тут, в этом чертовом доме, но...

Она вернется, конечно, через минуту вернется в гараж, потому что должна, но сейчас она возьмет паузу.

То, что лучше не видеть, смотрело ей вслед со стены гаража. Хотя у него и не было глаз.

На кухне полковник Игорь Петрович Вавилов все еще заходился истеричным смехом, смешанным с плачем.

Вавилов — крупный мужчина под сорок с внешностью боксера. С тяжелым подбородком и увесистыми кулаками, широкоплечий — весь такой большой и мощный. Сейчас мускулистое спортивное тело его трепетало как осиновый лист на ветру.

Ха-ха-ха-ха-ха!

— Игорь Петрович, так нельзя! Надо успокоиться! Пожалуйста!

Помощник Вавилова — молодой, в штатском — уговаривал, почти умолял своего шефа. Катя встречала его в Главке — новый, недавно заступивший на должность секретаря, перешедший из отдела по борьбе с компьютерными преступлениями. Кстати — не сотрудник полиции, а вольнонаемный. Фамилия его, кажется, Ладейников.

— Игорь Петрович! Возьмите себя в руки!

— Хи-хи-хи-хи... без рук... только без рук... ха-ха-ха-ха!

— Я прошу вас, ну... ох, что же делать-то мне с вами!

Воскликнув это в отчаянии, помощник Вавилова внезапно размахнулся и залепил заходящемуся безумным смехом полковнику звонкую пощечину.

Катя видела это своими глазами.

Несмотря на истерику и шок, реакция бывшего опера Вавилова была мгновенной — он поймал парня за руку, стиснул, крутанул, выворачивая в болевом приеме кисть и...

Ладейников скрипнул зубами от боли. И тут лицо Вавилова изменилось — словно пелена безумия спала, словно занавес какой-то открылся.

Он разжал свою мертвую хватку. Его смех-вой оборвался разом.

Наступила тишина.

Кругом было столько людей в этом доме — в холле сосредоточенно работали эксперты-криминалисты, следователь составлял протокол. Но в этой звенящей тишине, пропитанной запахом крови, все словно спрессовывалось воедино. И над всем этим превалировало общее чувство страха и потрясения.

Ну, бывали убийства, но чтобы такое...

Во всем этом есть что-то нечеловеческое...

— Я в норме. — Голос Вавилова охрип. — Артем...

— Да, Игорь Петрович. — Ладейников наклонился к нему.

— Я не хотел, извини.

— Ничего. Я тоже ведь вас ударил.

— Я в норме. У меня только что-то вот здесь... — Вавилов дотронулся до груди слева. — Побудь со мной.

— Я здесь, я с вами, — сказал Ладейников.

Катя смотрела на них из холла. Пройти дальше она не могла. Двое экспертов-криминалистов как раз в это время осматривали и замеряли следы волочения на светлом ламинате под дуб — кровавая дорожка.

Полину Вавилову, двадцатилетнюю жену полковника, убили здесь, в холле. Никто не слышал ее криков.

Только этот дом — светлый, новый, комфортабельный и стильный — знал о том, что случилось дальше.

Катя через силу вернулась в гараж.

Полковник Гущин уже закончил свой разговор с адъютантом начальника Главка.

— Вавилов с десяти тридцати и до двух находился на расширенном совещании у губернатора области вместе с начальником Главка и коллегами, — сказал Гущин. — Адъютант генерала мне только что это подтвердил. Вавилов там выступал по вопросам технического обеспечения территориальных органов полиции. Они выделение денег и транспорта полдня обсуждали. Такие совещания традиционно проводятся по субботам два раза в месяц.

— Федор Матвеевич, а зачем вы звонили? — спросила Катя. — Вы что же, думали, что это он сам? Сам убил жену?!

— Я не хочу никаких сюрпризов, — ответил ей Гущин. — Итак, на момент совершения убийства у Вавилова — твердое алиби.

— Работа адова — все должны проверять. И это даже. — Сиваков покачал головой. — И такие вот вещи.

— У Вавилова — твердое алиби, — повторил Гущин и вытер вспотевшую лысину ладонью.

— Итак, я продолжаю осмотр трупа. — Сиваков снова включил диктофон, покоившийся в кармане его экспертного водонепроницаемого комбинезона. — Следов изнасилования визуально не отмечено. Нижняя одежда — в порядке. На внутренней стороне бедер нет никаких повреждений. Это не сексуальная мотивация.

— Следов ограбления тоже нет, — буркнул Гущин. — В доме порядок, если учесть, что они лишь недавно сюда переехали после строительства и ремонта.

— Теперь о том, что отсутствует. Обе руки потерпевшей удалены... скажем так — отрезаны, отпилены с помощью электропилы. Вон она там, в углу гаража возле ее машины валяется. Я пилу позже осмотрю, уже в лаборатории. Ее сейчас эксперты упакуют как вещдок. Руки Полины Вавиловой удалены по самый плечевой сустав. На коже — повреждения, характерные по времени, распил кости с наклоном. Убийца работал пилой здесь, в гараже. Тело лежало на полу. Вот тут, на цементе пола, глубокие отметины, когда лезвие пилы входило с цементом в контакт. Тут все надо сфотографировать и замерить. Убийца тело приволок в гараж из холла и больше не перемещал. Он воспользовался теми инструментами, которые нашел здесь. Подручные средства. Пила и...

— Подожди, с остальным позже, — попросил Гущин. — Что еще по ранам на предплечьях?

— Раны — посмертного характера.

— То есть он уродовал ее уже мертвую?

— Да, хоть в этом проявил милосердие, — сухо сказал Сиваков. — Нанести повреждения трупу — это не самоцель убийцы. Ему нужен был просто материал. Я же сказал — подручные средства.

— ЕЕ РУКИ?? — Катя не выдержала этого тихого бесстрастного профессионального разговора.

У нее нервы и так на пределе, а они — эти двое — Гущин и Сиваков — словно ведут между собой какую-то компьютерную игру. Или ей так кажется, потому что она сама готова свихнуться в этом чертовом доме, как почти в одночасье свихнулся полковник Вавилов, обнаруживший свою молодую жену вот такой.

— Убийца оставил нам четкое указание на свой мотив, — сказал Сиваков. — И ему понадобился для этого подручный материал, который он и получил с помощью электропилы. Вполне конкретное, осмысленное и, я бы сказал, логичное действие. Совершенное с определенной целью.

— С какой целью? — спросила Катя.

— Вселить ужас, — ответил Сиваков. — И ему это удалось.

Полковник Гущин повернулся к стене.

К тому, что лучше не видеть.

Лишь на мгновение его широкая спина заслонила это от Кати.

Глава 4
ГРИБОВ

Когда Алексей Грибов — менеджер фольклорного ансамбля «Гармонь и балалайка» — вошел в спальню Леокадии Пыжовой, та удивленно подняла тоненькие, как ниточка, выщипанные брови.

Леокадия Пыжова — шестидесятипятилетняя хозяйка и солистка фольклорного ансамбля — отдыхала в своей огромной, как футбольное поле, постели после субботнего визита к косметологу и массажисту.

— Ты где это пропадал целый день? — спросила она недовольно. — Я тебе звонила, ты не отвечал.

— Я в Ногинск ездил, смотрел концертную площадку, — ответил Алексей Грибов.

— Так Ногинск что, тайга? Связь, что ли, мобильная не работает там?

— Я потом в шиномонтаж еще заскочил.

— Ох, крутишь ты что-то, милый. — Леокадия Пыжова погрозила наманикюренным пальчиком. — Разлюбил, что ли?

У них была связь и длилась она вот уже год. Двадцатишестилетний Алексей Грибов почти каждую ночь проводил тут, в этой спальне. Леокадия Пыжова платила ему зарплату из своего кармана и старалась получить максимум удовольствия.

— Ты мое сокровище, — ответил Алексей, — я по тебе скучал весь день.

— Так прыгай сюда. — Пыжова царским жестом откинула покрывало.

Она была абсолютно голой, тело лоснилось от крема. Алексей начал послушно раздеваться, стараясь не глядеть на обвислые груди и дряблый живот своей любовницы-хозяйки.

Фольклорный ансамбль «Гармонь и балалайка» переживал кризис. Столичный зритель воротил от шоу нос. Выручали гастроли по периферии, в основном по малым городам. Да разные профессиональные праздники типа Дня железнодорожника и Дня чекиста. Леокадию Пыжову по старой памяти приглашали на ведомственные концерты. И сидевшие в зале скрепя сердце терпели весь этот залихватский фольклор с гиком и присвистом, с тренканьем балалаек и с эффектным появлением на сцене самой Леокадии: она выплывала павой под россыпь гармоний — старое чучело с фальшивыми золотыми косами и в расшитом аляпистой тесьмой и пайетками сарафане. «Лапти, ох, лапти, ох, лаптииииии моиииииии!» — выдавала она визгливо и начинала тяжеловесно плясать, махая платочком и топоча алым сапожком, улыбаясь хмурому залу и игриво подмигивая.

Леокадия Пыжова помнила о своей бурной юности и брала себе только молодых любовников из числа танцоров и менеджеров ансамбля.

«Мои поррррррррррродистые жеррррррррребчики» — называла она их.

В «жеребчиках» Алексей Грибов ходил уже год.

— Манкировать мной стал. — Леокадия потянула его к себе в постель за брючный ремень.

— Я сейчас разденусь.

— Сначала мой сок мне подай. — Она указала на столик у кресла, где стоял хрустальный графин с коньяком.

Алексей Грибов налил коньяк в хрустальную рюмку.

— А себе?

Он налил в рюмку и себе.

— За любовь, сладенький, — провозгласила Леокадия и хлопнула коньяк одним махом.

Пьянела она быстро. Но признаки опьянения проявлялись лишь в бледности морщинистого ее лица, которому уже мало помогали косметические процедуры и сценический грим.

— Нос воротишь от меня, сладенький. — Она снова погрозила Грибову пальчиком. — Все адвокатом себя мнишь, все о прошлом думаешь. А кто ты такой сейчас? Никто. Ноль. Выперли тебя отовсюду. А я вот взяла тебя в шоу, бабки тебе плачу из своего кармана. Папашка-то кто твой был? Прокурор? Так посадили его. Наследственность — тяжелая, Лешенька... Папашка-то в тюрьме. Так что нечем гордиться-то. Нечего нос от людей, которые к тебе всем сердцем, воротить.

— Да что ты в самом деле? Я же по твоим делам ездил, насчет концерта хотел договориться.

— Весь день пропадал. На звонки не отвечал. — Леокадия сверлила его взглядом. — И чего концерт?

— Ничего. У них там все закрыто оказалось. Офис закрыт.

— Врешь ты мне все. — Леокадия хмыкнула. — Ну да сердце-то у меня доброе, проверять не стану. Ложись, что ли.

Алексей Грибов послушно лег в постель рядом с ней. Она тут же жарко его обняла и, дыша коньяком в лицо, начала ласкать, возбуждать.

Они возились в постели. Потом Леокадия разочарованно отпихнула его от себя.

— Чего ты как ледышка-то?

— Я просто устал. — Алексей Грибов закрыл глаза.

— С чегой-то ты устал? Уж я и так стараюсь, и этак. А ты как мертвый.

— Подожди немного.

— А чего ждать-годить? Само встанет, что ли? — Леокадия села в подушках. — Целый день где-то шатался. Сейчас кабачок вялый.

Алексей Грибов повернулся на бок.

— Лешенька, я ведь и рассердиться могу, — елейным зловещим тоном пообещала Леокадия.

Тогда он обернулся к ней. Улыбнулся натянуто и покорно.

— Ты потрясающая женщина, — сказал он, — я весь твой. Я просто устал немножко. Дорога скверная — сплошные пробки.

Леокадия снова сунула руку под одеяло.

— Ну вот уже лучше, процесс пошел. — Она протянула вторую руку и взяла Алексея Грибова за подбородок. — Адвокатик ты мой неудавшийся. По нынешним-то временам кому ты нужен? Никому, кроме меня. Ты это цени, Лешенька.

— Я ценю.

— И все же, где тебя носило сегодня?

Алексей Грибов приподнялся и сграбастал ее в объятия, заглушая все эти ненужные любопытные, ревнивые вопросы поцелуем в старческие, пахнущие коньяком и помадой губы.

Глава 5
«М»

Только на мгновение полковник Гущин закрыл собой от Кати стену гаража. Потом отступил на шаг.

— Прибито гвоздями, — сказал он хрипло.

— Убийца воспользовался пневматическим молотком. Вон он тоже на полу. — Эксперт Сиваков не касался вещдоков до работы своей команды криминалистов. — Гараж не кирпичный, а из блоков. Гвозди вошли как в масло.

На стене большая буква «М» — с нее начиналось короткое слово, написанное кровью широкими мазками.

Но букву «М» образовывали человеческие руки, отрезанные электропилой, прибитые гвоздями.

Руки были неестественно вывернуты. Пальцы мертвых ладоней переплетались. И все это крепилось гвоздями к стене.

— Локтевые суставы, судя во всему, повреждены электропилой, чтобы сделать всю эту чудовищную конструкцию более гибкой, податливой. — Сиваков смотрел на стену. — Чтобы снять все это, извлечь гвозди, нам потребуется время. По мне, так я бы забрал все это как есть, чтобы уже в лаборатории детально исследовать. Но не выламывать же нам часть стены в гараже... Абсурд... Тот, кто это сделал, добился своего. Оторопь берет. Не знаешь, с чего осмотр начинать.

— Со слова, которое написано. — Гущин подошел к стене вплотную.

Страшная буква «М», составленная из рук Полины Вавиловой — жены полковника Вавилова, — была заглавной буквой в слове «Мщу».

Буквы «щ» и «у» написаны кровью. Они складывались из широких, угловатых линий-мазков.

— Тут должно быть что-то в ее крови, какой-то предмет, которым он писал, — сказал Гущин.

— Нет, судя по ширине мазка, — Сиваков тоже подошел вплотную к стене, — и по частичкам блоковой крошки в распилах предплечий, на костях и на кожных покровах, убийца написал обе буквы ее руками. Сначала он написал «щ» и «у». А затем уже составил свою инсталляцию из буквы заглавной.

— «Мщу»... не «месть», как пишут обычно, не «Я мщу», а просто коротко, лаконично. — Гущин обернулся к помертвевшей Кате. — Какие мысли?

— Я не знаю, Федор Матвеевич. Ужас.

— А еще что? Что первое на ум приходит?

— Ярость. Он был в ярости, этот убийца. За что он мстит?

— С этим придется разбираться, долго разбираться. — Гущин констатировал факт. — Меня сейчас интересует — как он в дом попал? Следов взлома нет. Значит, Полина Вавилова сама его впустила, открыв все замки.

— Выходит, она знала убийцу? Была с ним знакома?

Полковник Гущин пошел к двери гаража, поманил одного из оперативников и спросил тихо:

— Ну, что вы нашли?

Глава 6
ВЕЩИ И ОКРЕСТНОСТИ

— Много отпечатков пальцев. Экспертам работы — непочатый край. — Оперативник повел полковника Гущина в холл.

Катя устремилась за ними. Она хотела слышать все, что скажут члены оперативно-следственной группы на этом первичном этапе осмотра.

Лишь бы не видеть то, что лучше не видеть...

— Нам предстоит выяснить, чьи отпечатки где — Вавилова, ее... Не сейчас же откатывать, когда ЭТО там на стене висит. А потом дом только что построен, тут бригада рабочих трудилась — отопление налаживали, кухню монтировали, нагреватели для воды. Все захвачено — двери, косяки, поверхности. Определение давности следов пальцев рук — вещь ненадежная, сами знаете, Федор Матвеевич.

Гущин осторожно двигался — боком, как краб, чтобы ненароком не наступить на кровавый след волочения на полу — его обрабатывали эксперты, ползавшие на корточках.

В кухне, проходя мимо, Катя увидела врача в белом халате.

— Откуда он тут взялся? — спросила она шепотом.

— Наши вызвали через отдел полиции, привезли на машине из горбольницы. Не психолог. Просто терапевт дежурный. Игорю Петровичу психологическая помощь требуется, но психолог когда еще из Главка приедет. А этот укол успокоительного ему сейчас сделает.

Гущин кивком позвал из кухни помощника Вавилова Артема Ладейникова. Тот подошел.

— Ну как он там?

— Неважно.

— Я с его допросом погожу. А вы... ты нам расскажешь, что тут было, когда вы с ним приехали.

— Конечно. — Артем Ладейников кивнул.

— Еще что кроме отпечатков? — спросил Гущин оперативников.

— Вот смотрите сами в холле у двери, у вешалки — полно коробок. Судя по всему, это доставлено из интернет-магазинов. Часть коробок вскрыта, но товары внутри. А часть коробок пустые, видно к выбросу приготовленные.

— У них есть во дворе мусорный бак?

— Нет, мусор тут они копят, — сказал Артем. — Вынуждены копить. Игорь Петрович как-то жаловался — мол, по нескольку дней не может выбросить, набивал мешки и сам на машине отвозил на свалку. Здесь у них новое все в поселке. Еще не отлажено.

— А он что, сам товары в Интернете заказывал?

— Не знаю, вряд ли. Скорее всего это она, его жена.

Гущин подошел к входной двери — тяжелой, железной, обитой искусственной зеленой кожей, со множеством замков, с задвижкой и цепочкой.

— Полина Вавилова впустила убийцу в дом. Сама, — сказал он. — Никаких следов постороннего проникновения. И подбором ключа эту дверь снаружи не откроешь, такая конструкция. Я же говорю — бывший опер знает, как обезопасить дом от воров. Но убийца сюда вошел. Если Полина его не знала, значит, она открыла дверь по звонку и при этом не испытала никаких подозрений.

— Доставка товаров на дом? Курьер интернет-магазина? — спросила Катя. — Убийца прикинулся курьером?

Гущин попросил эксперта в перчатках открыть входную дверь. Но тут внезапно к нему подбежал другой эксперт:

— Сиваков просит вас в гараж вернуться, срочно!

Гущин повернул назад. Его грузное, полное тело вытянулось в струнку, когда он проходил по узкой полосе ламината, там, где не было на полу кровавого следа. Катя тоже шла осторожно, балансируя как на жердочке.

— Что еще у тебя? — спросил он Сивакова в гараже.

Тут уже было полно экспертов. Один из них с помощью пульта открывал подъемную дверь, чтобы выгнать из гаража серебристый «Ниссан» Полины Вавиловой, освобождая место для тотального осмотра.

Сиваков указал на валявшийся у стены деревянный ящик:

— Вот здесь могут быть следы убийцы.

— Как на пиле и на пневматическом молотке?

— Там мы с тобой ничего не найдем. — Сиваков не строил иллюзий. — Он не такой идиот, чтобы оставлять свою визитку на подручных инструментах. Я не о пальчиках говорю. Я говорю о следах других — почва, микрочастицы, пыль с подошв его чертовых ног.

— Как на полу?

— С пола мы тоже ничего не соберем. Пол бетонный, это дохлый номер. А ящик деревянный. Это другое. Он на этот ящик вставал.

— Почему ты так решил?

Сиваков повернулся к страшной «инсталляции» на стене.

— Люди обычно пишут на уровне своих глаз. Это непроизвольно получается — во многих случаях так удобнее. А по этой детали мы можем установить рост убийцы. Только не в этом случае. Он и это предусмотрел. С определением роста не получится, потому что надпись — я сразу это увидел — слишком высоко.

— Да, высоковата. Не то чтобы очень, но...

— Убийца вставал на ящик, когда все тут прибивал и писал. Потом отшвырнул его подальше за машину.

— Ты хочешь сказать, что убийца мог быть и небольшого роста?

Сиваков молчал.

— А как насчет физической силы?

— Пила — электрическая, молоток пневматический. Инструменты полдела сами делают, облегчают задачу. —

Сиваков говорил все это цинично, но на стену... на стену он смотрел, не отводя глаз. — Труп он из холла не перенес, а волоком приволок. Может, и надпись столь короткая «Мщу», потому что ему рукой отрезанной тяжеловато было орудовать. Кость у нее, у Полины, широкая. Так что не могу я сказать, что тут большая физическая сила потребовалась. Но и опровергнуть это мне пока нечем.

Гущин молча созерцал участок, открывшийся им из-за поднятой двери гаража.

Катя пыталась составить себе о доме полковника Вавилова цельное представление. Двухэтажный дом, новый. Сам построил его себе, взял кредит, ипотеку? Внизу — просторный холл, переходящий в гостиную с диваном и телевизором, и кухня. Супружеская спальня и другие комнаты наверху.

Тело Полины Вавиловой до сих пор лежало в гараже. Эксперты делали свою работу.

Такая молодая...

Она такая молодая...

Крашеные светлые волосы...

Эта рана на ее горле как алый цветок...

Ноги согнуты, неестественно подвернуты...

Ну да, ОН же «работал» тут с ее телом, орудовал электропилой... Это называется манипуляция. ОН манипулировал с трупом, потому что хотел, как сказал Сиваков, получить «подручный материал» для надписи.

Чтобы оставить нам указание на ясный и недвусмысленный мотив.

И чтобы вселить ужас в наши сердца.

Катя видела женские руки — там, на стене.

И женское тело, лишенное рук.

Хорошо, что полковник Вавилов больше не смеется там, за стеной... И не называет ЕЕ Венерой Милосской...

Когда бывшие начальники уголовного розыска бьются вот так в истерике, в бессильном отчаянии, потеряв самое дорогое...

Какая же она молодая — эта Полина, его жена. Ей всего двадцать лет.

— Во всем этом есть что-то нечеловеческое. — Эксперт Сиваков в который раз повторил эту фразу. — Я никак не могу отделаться от этой мысли. Но это не проявление маниакального психоза.

— А что это, по-твоему? — спросил Гущин.

— Демонстрация и торжество.

— Над чем?

— А над чем, по-твоему, торжествует месть?

— Мы сейчас попытаемся все это снять, — сказал эксперт-криминалист Сивакову.

Гущин как-то неприлично быстро повернул к двери — назад в холл. Катя, чувствуя, как к горлу подкатывает ком тошноты, заспешила за ним.

Прочь, прочь, прочь! Прочь отсюда.

Дверь в кухню закрыта. Там врач с Вавиловым. У распахнутой входной двери Артем Ладейников разговаривал с экспертами.

В холле пахло кровью и свежим, холодным ветром. Кате хотелось, чтобы это был просто ветер. И она безмерно обрадовалась, когда Гущин кивнул Ладейникову:

— Пойдемте пройдемся.

Они вышли, их окутали вечерние сумерки. Катя поежилась от холода, застегнула молнию стеганого пальто-дутика до подбородка. Апрель, а тут в низинах в окрестных рощах еще лежит снег. Красивое здесь место, озеро недалеко. И не скажешь, что под самым боком с одной стороны подмосковный город Рождественск, а с другой — Москва подступает.

А тут — поля в вечерней дымке. Дорога, к федеральному шоссе. У шоссе — кондоминимум, напоминающий слепившиеся друг с другом птичьи гнезда. А здесь — простор. Новые дома стоят отдельно друг от друга.

— Нет никакого забора. Доступ на участок открыт, — сказал Гущин.

— Это экопоселок. Тут такие правила. — Артем Ладейников огляделся. — Они сами так захотели — жители, владельцы коттеджей. Игорь Петрович говорил — современный экоурбанистический стиль. Как в Европе.

— Или на Рублевке, — хмыкнул Гущин. — И здесь тоже все чертовски дорогое. И земля, и участки. И дома.

— Тут у них ветряки для электричества. — Артем махнул куда-то в сумерки. — С дороги видно.

— А въезжать как сюда, в поселок? Я ехал — здесь уже наши везде, ГИБДД, все перекрыли. А вы как въезжали с Вавиловым? Там у них КПП, сторож?

— Никакого сторожа. Они поставили шлагбаум. И у них пульты у каждого. Они сами въезд открывают.

— А как же экстренные службы сюда попадают?

— Я не знаю. — Артем пожал плечами. — Это надо у Игоря Петровича спросить.

— Как только он адекватным станет. А пока что вы можете сказать?

— Мы приехали, а тут это. — Артем Ладейников умолк, потом продолжил: — Мы как вошли... А она — в гараже... А на стене... Он как это увидел... Честное слово, я больше за него в тот миг испугался. Думал, если у него табельный в кобуре, он застрелится прямо там. Но вроде с табельным на совещание к губернатору не ездят. А он на совещании был. Потом мне позвонил, мол, собирайся, я тебя у метро захвачу.

Полковник Гущин слушал, а сам осматривал участок. Катя глядела себе под ноги — все заасфальтировано тут, и плитка везде от самой подъездной дороги. Вавилов, видно, грязь дорожную не терпит. А в результате — каменный дворик, и никаких следов убийцы. Деревья тоже повырублены, пни выкорчеваны. Вон соседние дома — там старые деревья постарались сохранить. А Вавилов сделал «место пусто».

Окна двух соседних домов закрыты металлическими жалюзи изнутри. Наверное, никто не живет там.

— Что, еще не купили дома? — спросил Гущин.

— Я не знаю, — ответил Ладейников.

— А вы, Артем... на «ты» буду к тебе обращаться, хорошо?

— Хорошо, Федор Матвеевич.

— А ты бывал тут прежде — у него дома?

— Однажды. Мы из Шатуры ехали. Игорь Петрович там информационно-аналитическую работу проверял. Обычно я в приемной у него сижу, я же фактически секретарь-помощник. А в тот раз он меня с собой взял. И на обратном пути заехали к нему домой обедать, то есть ужинать уже.

— Ты Полину видел?

— Да, видел в тот день. — Артем вздохнул. — Она ничего не умеет готовить. Сделала нам омлет. Игорь Петрович ел и хвалил. Мы с его водителем тоже ели, потом меня водитель домой отвез.

— А сегодня Вавилов водителя не брал и служебную машину тоже? — спросил Гущин, бросая взор на стоящий у дома серебристый внедорожник Вавилова.

— Сегодня нет. Он в выходные старается водителям дать отдых.

— А тебя что же на работу выдернул?

— Не на работу. — Артем покачал головой. — Он меня помочь попросил. Вчера сказал: не окажешь услугу? У жены Полины, мол, что-то там с ноутбуком. То ли зависает, то ли что-то с программой. Я согласился, конечно, посмотрю, сделаю что могу. Он сказал, что во второй половине дня, после совещания позвонит. И позвонил.

— Во сколько?

— Около половины четвертого. Мы у метро встретились, он из центра ехал, а я от себя. Забрал меня.

— Сам за рулем на этой машине?

— Да.

— И что дальше?

— Мы сюда приехали.

— Он там, на дороге, пультом открыл шлагбаум?

— Ну да, я же сказал, а это важно?

— Нет. И что тут у дома?

— Ничего, он позвонил. Никто не открывает. Он сказал: дом большой, Полина наверху. И полез за ключами.

— Он ключом открыл дверь?

— Да.

— Так у них же там задвижка, цепочка изнутри. Он что же, знал, что на задвижку не закрыто?

— Я понятия не имею.

Катя слушала Гущина. Вот о чем он сейчас спрашивает этого парня, секретаря? Ведь он уже выяснил, что у Вавилова на момент убийства — алиби. Тот находился на совещании у губернатора вместе с начальством Главка. К чему все эти вопросы?

Или Гущин до конца Вавилову, что ли, не верит? Что тот организовал себе алиби и нанял киллера — жену убить?

— Значит, дверь открытой оказалась? — уточнил Гущин.

— Нет, закрытой, он ключом открывал.

— Я имею в виду не на задвижку и цепочку.

— Так она же мертвая уже была к тому времени. — Артем всплеснул руками. — Кто же там задвижку задвинул бы изнутри?

— Я имею в виду то, что Вавилов открыл дверь своим ключом. А не стал дальше громко звонить в дверь. И по мобильному он ей, кстати... звонил с дороги?

— Нет, при мне в машине нет.

— Ладно. И что дальше?

— Мы вошли, а там кровища на полу. Он сразу по следу этому — в гараж. А там... — Артем Ладейников умолк. — Я поначалу растерялся. Потом стал в Главк звонить дежурному.

— А Вавилов?

— Он к жене бросился. И стал словно помешанный. Когда увидел... ее и то, что там на стене. Руки... эту жуть... и то, что там намалевано. Потом из ОВД приехали — им из дежурной Главка сообщили. Когда много народа — легче. А то я не знал, что мне с ним, когда он в таком шоке, делать.

К дому со стороны дороги двигалась «Скорая». Нет, не «Скорая», а «труповозка». Сейчас там, в доме, тело Полины Вавиловой упакуют в черный пластиковый мешок и повезут в бюро судебных экспертиз.

Катя не желала возвращаться в этот страшный дом, где жил бывший начальник уголовного розыска.

Где-то в голых, лишенных листвы кустах тенькала птаха-невидимка, провожая стремительно заканчивающийся день.

Птица что-то вещала тоненьким надтреснутым, как мертвый колокольчик, голоском.

Катя не желала прислушиваться. Она чувствовала, как ее колотит дрожь.

Глава 7
МИМОЗА

Это в прежней жизни ее называли Мимоза. Имя ей нравилось — эти желтые мартовские цветы с насыщенным ароматом, неказистые, но такие стильные, где сама природа, а не цветочная селекция говорит сама за себя.

— Марина Сергеевна, мы можем закрываться, ни одного клиента за весь вечер.

Она стояла у окна и смотрела на Садовое кольцо — машины, машины, огни, огни, весенний вечер.

Раньше жизнь ее активная с вечерними сумерками только начиналась — лимузины, дорогие рестораны, корпоративные вечеринки. Там ее все знали под именем Мимоза. Эти желтые цветы, дешевка, их никто уже почти не дарил на мартовские праздники, предпочитая розы и тюльпаны. Но она никогда не слыла дешевкой. Напротив, она была дорогой.

И в какой-то момент взвинтила на себя цену до предела.

Этот вот салон красоты на Садовом кольце у Курского вокзала, которым она теперь владеет. Ведь так прекрасно все начиналось три года назад. Она получила уже раскрученный бизнес с клиентской базой, с завсегдатаями салона и налаженными связями.

А потом наступил экономический кризис. Аренда взлетела до небес. Клиенты куда-то все сразу подевались, и вот...

Например, за сегодня по записи пришла только одна клиентка. Вчера было, правда, три клиента. А позавчера — ни одного. Салон пустовал.

— Так что, маникюршу мы увольняем? — спросила Мимозу менеджер, сидевшая на рецепции и отвечающая за... раньше только за запись клиентов и расчеты, а теперь за все — по совместительству. — Массажистку в прошлом месяце уволили. Значит, и маникюршу тоже — того?

Того — не того... Мимоза не ответила. Она села в вертящееся парикмахерское кресло, положила ногу на ногу и достала из сумки пачку сигарет. Закурила, глядя в окно.

Курить никому не позволялось в салоне красоты, но сейчас все равно никого нет, и никто не придет. Окна до пола, дорогое оборудование, стильный дизайн. И она всему этому стала хозяйкой. Только вот удача, деловая удача покинула ее в тот самый момент, когда она думала, что ухватила синюю птицу счастья и достатка не за хвост, а за горло.

Мимоза рассматривала свои длинные стройные ноги, обтянутые рваными джинсами. Дорогая стильная рванина из Стокгольма. Она одевалась модно. Но в оные времена многие, ох многие предпочитали видеть ее раздетой, а не одетой.

Что ж, природа не поскупилась, создавая ее, — великолепная фигура, высокий рост. Пусть лицо не столь миловидное, с резкими чертами и тяжеловатым подбородком, носом-уточкой, зато волосы — как лен. Длинные, густые. Что ж, Ума Турман тоже не писаная красотка, а стильная баба. Как цветок мимоза, что так мил сердцу.

Есть некая тайная прелесть...

Вроде и не на что смотреть, а глаз отвести невозможно. И забыть невозможно тоже.

Черт, она ведь думала, что в ту ночь он покалечил ее! Изуродовал. Он ведь сломал ей нос, когда ударил...

Там, в номере загородного отеля «Сказка интернешнл», где они всей фирмой собрались на корпоратив, сняв и аквапарк, и бассейны. Да что там — весь отель.

Но с лицом как-то все обошлось. Нос поправил хирург. А на суде, где она выступала в роли потерпевшей, фигурировали телесные повреждения средней тяжести.

И еще там фигурировало «изнасилование».

Но об этом Мимоза сейчас думать не хотела. Она курила сигарету и созерцала Садовое кольцо.

Она ведь и не мечтала устроиться в Москве вот так. Но устроилась. И подумала, что жизнь обретает вкус и смысл.

Но кризис разрушил все мечты и надежды.

Может, зря она старалась?

Может, вообще все было зря?

Сколько еще продержится ее салон тут, на Садовом, в центре Москвы? Когда аренда сожрет весь доход? Что, продавать бизнес и перебираться куда-то на окраину, в спальный район, открывать там эконом-парикмахерскую, как делают сейчас многие из ее коллег?

Но она не умела этого. Она не умела ничего организовывать. Все эти новые «старты» бизнеса... Она не знала, как это делается, с чего начинается. Она ведь стала хозяйкой фактически готового, раскрученного бизнеса и думала, что так будет вечно, что салон красоты — это надежно, это станет приносить солидный доход. И можно будет забить на все и развлекаться, получать наконец все удовольствие от жизни — наряжаться, путешествовать, спать лишь с теми мужиками, которые по сердцу и...

Она ведь прошла через весь этот ад — через следствие, через суд.

Она ведь прошла через это.

И вот все надежды теперь разбиваются о банальный быт — о непосильную арендную плату и отсутствие клиентов.

Что, теперь все дома, что ли, красят себе волосы? И ногти сами, что ли, себе покрывают лаком и стригут? И делают педикюр? Почему они стали экономить именно на этом? Разве в кризис женщина должна забывать о том, что она — женщина?

Или правда, что ли, денег ни у кого нет?

Лишней копейки, лишнего рубля...

— Так как с маникюршей, увольнять? — спросила ее менеджер на рецепции. — Марина Сергеевна, ваше слово.

Мимоза потушила сигарету о мраморную столешницу перед зеркалом, потерла нос — некогда сломанный там, в номере отеля «Сказка», и потом заботливо поправленный пластическим хирургом.

Она не знала, что ответить. Она глянула в окно.

Возле салона остановилась машина. Водитель вышел и...

Он запрокинул голову, читая вывеску, сверяясь с какой-то бумажкой. Он не открыл дверь салона и не вошел внутрь.

Он вернулся к машине.

Но всех этих кратких мгновений было достаточно — Мимоза его узнала. Даже в вечерних сумерках — вот так, когда фонари горят тускло. Даже через столько лет.

Она узнала его.

Потому что до этого они встречались и...

Это было как удар.

Мимоза ощутила ужас в своем сердце — черный липкий первобытный ужас.

Все сразу померкло перед этим чувством. И даже крах бизнеса, потеря салона показались ей несущественным пустяком.

Как он очутился здесь? Как он выбрался на свободу? Он что, сбежал?!

Глава 8
НОЧЬЮ В КАБИНЕТЕ ОКНАМИ НА ЗООЛОГИЧЕСКИЙ МУЗЕЙ

— Федор Матвеевич, то, что вы у Ладейникова спрашивали — про ключи, про задвижку на двери, про то, что Вавилов жене по дороге домой не звонил, это зачем? — прямо спросила Катя. — Вы все равно его подозреваете в убийстве жены?

Разговор этот происходил много времени спустя после осмотра места убийства. В Главке в Никитском переулке, в кабинете Гущина окнами в переулок, на Зоологический музей.

Они все — вся опергруппа — вернулись в Главк ночью. Игорь Вавилов тоже приехал в Главк — вместе с главковским психологом. Вавилов не собирался ночевать в доме. А мысль остановиться у кого-то из друзей или родственников или снять номер в отеле... видно, об этом он даже не думал. Он приехал «на работу», в Главк.

Начальник ГУВД тоже приехал на ночь глядя, и они беседовали с Вавиловым.

Полковник Гущин ждал, когда они закончат свой разговор, потому что у него с Вавиловым тоже должна была состояться беседа.

— А нельзя утром? — спросила Катя. Она тоже не отправилась домой. Решила сидеть, слушать, наблюдать до конца. В этом кабинете окнами на Зоомузей.

— Я Игорю предложил, он ответил — нет, сегодня. Следствие не может ждать.

— Значит, он все же немного успокоился, — решила Катя и задала тот свой вопрос про ключи и задвижку.

Полковник Гущин сидел за письменным столом — без пиджака, в одной рубашке, из белой и крахмальной ставшей серой после многочасового осмотра дома и гаража. Под мышками — пятна пота. Никакой дурацкой кобуры «наискосок». Лысина блестит как зеркало, отражая огни люстры.

Кабинет окнами на Зоомузей залит светом. Ночь. Чайник на чайном столике холодный. Не время сейчас пить чай.

— Так все-таки вы его подозреваете в убийстве жены? — повторила Катя. — Одна из версий, да? Сам себе алиби подготовил, а киллера нанял. Поэтому знал, что дверь изнутри на задвижку не закрыта, и жене с мобильного не звонил? Может, и парня, своего помощника, для этого с собой взял? Лишний свидетель, мол, подтвердит, что, когда они приехали туда, Полина уже была мертва.

— Это и так ясно. Сиваков сказал, что ее убили днем между одиннадцатью и часом.

— Нанятый Вавиловым киллер? — гнула свое Катя. — Вы Вавилову не верите. Подозреваете его. Оттого вы сейчас такой...

— Какой? — спросил полковник Гущин.

Катя хотела сказать «как в воду опущенный», но прикусила язык. Нет, это не точные слова. И не «печальный» он, и не «разочарованный». И не «испуганный», и не «сбитый с толку».

Гущин сейчас какой-то бесцветный. Несмотря на то что лысина блестит...

Полковник Гущин здорово постарел. Он и в отпуске был, и в госпитале потом лежал. Вообще слухи бродили, что он на пенсию уходит. Катю эти слухи пугали. За то время, пока Гущин отсутствовал, многое изменилось.

Но вот он вышел на работу. Вот он опять сидит в своем большом кабинете шефа криминальной полиции.

И окна кабинета смотрят на Зоомузей.

— Вавилов опять в министерство уходит. И на этот раз снова на повышение. На генеральскую должность в Штаб. Дело уже решенное, а потом и выше пойдет, на замминистра, — ответил Гущин. — И есть информация... слухи, если хочешь знать, что этим он во многом обязан связям своего тестя. Отца Полины. Тот в Торгово-промышленной палате состоит и в Союзе предпринимателей. Ему эта женитьба очень помогла и дальше бы помогала. А теперь не знаю уж как. Тесть обвинять зятя начнет, что не уберег сокровище — молодую жену. Нужные деловые связи порвутся. Есть резон убивать жену?

— Нет, но вы же...

— Ему сорок один. Ей двадцать. Не красавица. Но из очень богатой семьи. Дом этот — фактически ее приданое. Подарок ее отца к свадьбе. Есть резон убивать?

— Наследство.

— Там всем семья владеет, тесть. Влиятельный тесть. А теперь они врагами станут с Вавиловым.

— То есть вы считаете, что у Вавилова не было причин нанимать киллера и убивать жену?

— В материальном, карьерном и деловом плане он многое потеряет. А насчет их отношений... как он к жене относился, мы сегодня его послушаем. Что он сам скажет.

— Да, послушаем, если только...

— Если только что?

— У меня сложилось впечатление, что вы его подозреваете, — сказала Катя. — По обязанности — должны.

— Ты видела, что там, на стене, написано?

— Да.

— И слышала, что Сиваков об этом сказал?

— Да, но...

— Убийца оставил нам ясный, недвусмысленный знак о причинах, о мотивах этого убийства.

— Месть?

— Сотрудникам полиции иногда мстят.

— Да, но...

— За их профессиональную деятельность.

— Я знаю, но...

— И мстят жестоко. — Гущин откинулся на спинку кресла. — Правда, такого, как в доме, я еще за всю свою службу не встречал.

— Кто-то вот так убил его жену, чтобы отомстить ему за... За что? За какое-то дело? За арест?

— Это и станем выяснять.

— Но он же работал с вами долгое время. То есть не здесь, в Главке, а «на земле», в районе, вы можете предположить, что это за дело?

— Вавилов сам из Рождественска. У него выслуги, кажется, лет восемнадцать уже. Почти все время в уголовном розыске он работал. Сначала опер, потом старший опер, затем начальник уголовного розыска ОВД Рождественска. И вот уже пять лет, как он не в розыске. Он поменял службу. Сначала ушел в министерство, в кураторский отдел его взяли. На повышение. И потом два года учился в академии на курсах для высшего руководящего состава. Затем сюда в Главк его назначили на эту должность. Он тут у нас почти год без малого. Фактически он — один из моих начальников теперь, а когда-то... когда-то... — Гущин покачал головой. — Он пять лет никакими уголовными делами не занимался — рос по карьере, учился, связями обрастал. Вот женился на этой девушке из богатой, очень богатой семьи. Отец Полины сообразил — Вавилов перспективный зять, с амбициями, может и до министра МВД дослужиться. Так что там интерес у них был обоюдный породниться. А теперь все рухнуло.

— Это дело из его прошлого, да? — Катя... она все говорила, говорила, спрашивала, спрашивала.

Лучше уж говорить, обсуждать. Не молчать. Иначе сразу перед глазами всплывала та картина — руки, прибитые к стене. Руки, отрезанные электропилой. И уложенные в причудливую букву «М».

Мщу...

— Что же это за дело?

Гущин молчал. Нет, он не раздумывал над Катиным вопросом и ничего не вспоминал. Он просто хранил молчание.

— В фильмах всегда показывают, если у полицейского убивают жену или кого-то из семьи, тот сразу плюет на закон, на все... и начинает мстить в ответ, мочить всех без разбора, — сказала Катя. — По-вашему, тут у нас будет так же?

— Мы сейчас с ним побеседуем, — тихо ответил полковник Гущин. — Ты мне поможешь, если он... если он снова вдруг впадет... ну, станет неадекватным с горя. Начальник Главка его, конечно, от работы освободит на какое-то время — в связи с похоронами и вообще с расследованием. Но без Вавилова мы не справимся. Потому что он для нас сейчас — один из самых главных свидетелей.

— Свидетель, значит, не подозреваемый?

— Свидетель, — повторил Гущин. — Это дело связано с тем, чем он занимался пять лет назад, будучи начальником уголовного розыска в Рождественске.

Он произнес это как раз вовремя.

В дверь кабинета постучали.

А потом вошел полковник Игорь Вавилов. Гущин встал ему навстречу.

Катя съежилась в комок на своем стуле. Ей хотелось и уйти, и остаться. Все сразу и одновременно. Вавилов ее даже, кажется, не заметил.

Они с Гущиным сели рядом на дальнем конце совещательного стола.

— Переночуешь в Главке? — спросил Гущин.

Вавилов кивнул.

— А утром?

— Поеду домой.

— Может, не надо туда? Домой-то?

— Тесть днем прилетает из Гонконга. Он там на бизнес-форуме. Все сразу прервал, всю программу. Похороны ведь надо готовить.

— Сиваков с медэкспертизой не задержит, — сказал Гущин. — Он обещал.

— Пусть делает, что нужно. Что необходимо.

Катя слушала Вавилова. Спокойно говорит сейчас. И взгляд... взгляд тоже — ничего. Не безумный.

Видно лекарство подействовало. И вообще. Он взял себя в руки. Он смог.

Это ли не подвиг в такой ситуации?

— Вопросы есть, Игорь Петрович. — Гущин медлил, ждал его реакцию.

— На все отвечу. Если ответ смогу найти.

— Где вы с женой познакомились?

— На дне рождения ее отца. В ресторане на банкете. Нас рядом посадили, — ответил Вавилов. — Тесть — приятель Бубнова, замминистра.

«Шишки, большие шишки», — подумала Катя.

— Красиво ухаживал? — спросил Гущин.

— Я ее водить машину начал учить. Она так хотела права и за руль сама. Храбрая, как чертенок. А я в роли учителя автошколы. А потом как-то все само собой вышло. Мы поженились.

Катя разглядывала Вавилова — конечно, разница у них в возрасте была большая. Но он мог понравиться юной девушке из богатой семьи. Без пяти минут генерал, в прошлом — геройский супермен, начальник уголовного розыска. Хотя был ли он суперменом? Внешность приятная, мужественная, сила в фигуре. Ее отец не возражал, видно, предполагал, что Вавилов — человек состоявшийся и еще сделает блестящую карьеру в министерстве на большой должности. Для юной Полины — это лучшая партия, чем какой-то там сверстник-оболдуй пусть из тоже богатой семьи.

— Я с ней был очень счастлив. Я ни с кем не был так счастлив, как с ней. — Вавилов говорил тихо. — И она тоже. Она влюбилась в меня. Мы на той неделе хотели годовщину отмечать, год брака, год счастья. Я ресторан заказал, этот, как его — кайтеринг. Недели Полина до нашей годовщины не дожила.

— А твоя бывшая где сейчас? — осторожно спросил Гущин. — С ней вы как? С детьми?

— Я ей алименты плачу аккуратно. Она устроилась, у нее хахаль есть — тоже, кстати, из нашей системы. Там все нормально. С детьми я вижусь. Если ты, Федор Матвеевич, думаешь, что...

— Нет, просто спросил. Вынужден спрашивать о таких вещах.

— Я понимаю. Моя бывшая не имеет к этому никакого отношения. Мы мирно расстались. Она этого сама хотела. А сейчас она вполне удовлетворена своим новым мужем.

— А Полина? — спросил Гущин.

— Что Полина?

— Может, пацан какой-то был до тебя у нее? Не перенес ее замужества, приревновал к тебе. Может, это ей месть, не тебе?

— У нее никого не было, — ответил Вавилов. — Я у нее первый.

— Она могла не сказать.

— Она мне все говорила. Мы любили друг друга. Я любил ее больше жизни. — Вавилов сжал кулаки. — Мы хотели детей. Троих.

— А в ночь накануне убийства вы...

— Да, да, занимались любовью. — Вавилов смотрел на стиснутые кулаки. — Сиваков меня об этом уже спрашивал. Я понимаю, что это нужно вам выяснить перед судмедэкспертизой.

Катя старалась совсем съежиться, уменьшиться на своем стуле. Очень личный допрос. И в качестве допрашиваемого — коллега, полицейский. Такие вопросы обычно полицейские задают другим. А отвечают на такие вопросы неохотно.

— Полина сама впустила убийцу, — сказал Гущин. — Оттого я все это и уточняю. Предположил, может, это ее прежний приятель, студент-ревнивец.

— Не было никаких ревнивцев, Федор Матвеевич. Она была домашняя, чистая девочка. Правда, очень современная и продвинутая.

— Она в институте училась?

— Мы решили на первый год брака взять академотпуск. Зачем ей было учиться, когда мы хотели троих детей?

— Расскажи, как все было утром, — попросил Гущин.

— Как обычно. Это совещание в субботу у губернатора, я обязан был ехать. Полина еще спала. Но потом проснулась. Проводила меня до двери. Обычное утро.

— Завтрак не готовила?

— Я сам себе и ей часто готовил. И ужин тоже. — Вавилов не улыбался. — Я любил готовить для нее.

— У вас там в холле очень много коробок из интернет-магазинов. Кто был главным покупателем?

— Она. Я в этом не спец совсем. Она дом обустраивала. Садилась в машину, ехала по магазинам — она это обожала. Надо же как-то развлекаться? Я целый день на работе. По выходным мы вместе ездили. Покупали. Она доставку на дом оформляла. Но многое она заказывала в Интернете, это правда.

— Она, например, не упоминала, что в этот день ждет доставку из магазина?

— Не упоминала, хотя... Доставки очень часто приезжали. Мы вообще об этом не говорили, я в это не вникал. Это женское дело — шопинг. Это развлечение, хобби. Отдых ее. Она и денег особо не просила. Ей тесть на карточку клал. Они там... семья считала, что лучше, если Полина будет первое время абсолютно независимой финансово.

— Мы коробки, ярлыки, ценники изъяли. Мусор тоже. Станем разбираться. Ноутбук ее посмотрим.

— Смотрите. Все, что может помочь. Ладейникова, моего секретаря, возьмите в группу. Я его попрошу. Он парень сообразительный. И в компьютерах хорошо соображает. Я его в министерство с собой возьму, если согласится аттестоваться.

— Ты сам ему предложил приехать починить компьютер Полины?

— Там скайп зависал и программа. Она с отцом постоянно общалась — он в Гонконг улетел. Сейчас вот обратно летит — на похороны. Я Артема попросил помочь разобраться с проблемой. Мы Полину вместе с ним обнаружили там, в доме.

Спроси его, почему он дверь своим ключом открыл и отчего из машины Полины не звонил.

Но Гущин не стал этого спрашивать. Он, видно, для себя многое уже решил.

— Ну вот, теперь мы и подошли к самому главному, — сказал он.

Вавилов посмотрел на него.

— Из-за какого дела, из-за какого расследования с тобой могли поступить вот так? — спросил Гущин.

— Я все думаю об этом. Сначала даже сконцентрироваться не мог.

— Ты пять лет уже ничего не расследовал, никого не сажал. — Гущин наклонился к нему. — Это старая история с длинным концом. Какое из дел, по-твоему?

— Их много было, Федор Матвеевич, ты сам знаешь.

— Рождественск не Чикаго. Дела должны быть пятилетней давности или около того.

Вавилов сосредоточенно молчал. На лбу его вздулась вена.

— Грибов, прокурор, — сказал за него Гущин. — Вот что первое приходит на ум и мне, и тебе. Мне, когда я думаю о вашем районе и городе Рождественске. Но были и другие дела.

— Начальник Главка сказал, что вы поднимете архив. Но я... я не смогу в этом участвовать лично. Он меня не отстраняет, но... он запретил в общем. По правилам и по инструкции не положено. Но я все равно стану помогать. Федор Матвеевич, ты ведь не откажешь мне в этом?

Гущин обнял его за плечи.

Они сидели рядом — двое мужчин, двое коллег.

Катя чувствовала себя абсолютно лишней. Но ее они оба не замечали.

Глава 9
ЖИЗНЬ В СОРТИРЕ

Если бы где-то когда-то кем-то проводился конкурс на звание лучшего бесплатного общественного туалета, то туалет на втором этаже огромного торгово-развлекательного комплекса «Товары и услуги» занял бы, наверное, четвертое место, не попав в тройку лидеров.

Огромное помещение, отделанное искусственным мрамором, напоминало вокзал. Тут было так же многолюдно, как и у билетных касс.

Наталья Грачковская, чья жизнь вот уже несколько лет проходила тут, в сортире, чувствовала себя на своем рабочем месте как на вокзале перед дальней дорогой.

Вот сейчас свистнет гудок тепловоза, и поезд с пассажирами, среди которых сплошь одни женщины, тронется...

Но вместо гудков вокзальных включались лишь новейшей системы автоматические сушилки для рук да журчала вода в унитазах.

Наталья Грачковская вышла на работу в сортир в воскресенье утром. Тем, как она провела субботу — свой законный выходной, она осталась вполне довольна.

Суббота принадлежала полностью ей. И осталась в памяти.

А в воскресенье, как обычно, Наталья явилась в торговый центр за час до официального открытия, прошла через служебный вход, поднялась на второй этаж и открыла своим ключом подсобку возле туалета, где хранились моющие средства, швабры, тряпки для протирки и полировки кафеля. Тут же стоял колченогий стул и приткнулся крохотный столик с электрическим чайником.

Пить чай возле сортира — не самое милое дело. Но Наталья вынуждена была экономить деньги. И никогда за весь свой рабочий день не ходила в так называемый ресторанный дворик торгового центра и не покупала бургеры, кофе и жареную картошку в коробочках.

Еду она обычно готовила дома и приносила с собой. Быстро украдкой ела, чтобы не заметил досужий менеджер. И потом снова ныряла в сортир, вооружившись шваброй.

Она работала уборщицей туалета в торговом центре вот уже несколько лет. И о прошлой жизни своей старалась... забыть? Нет, как тут забудешь. Просто думать поменьше.

Но и это не получалось.

В прошлой жизни сверкали звезды и небо сияло алмазами. В прошлой жизни остался педагогический институт, который она окончила когда-то с красным дипломом. Школа в Рождественске, где она долгие годы работала учительницей географии, а потом стала по совместительству завучем. И выиграла профессиональный конкурс, став лучшим учителем года Подмосковья.

Как раз в том году это было...

В том году после всех успехов она все потеряла.

Жизнь, что развеялась в мгновение ока как дым по ветру.

Старуха-мать, заработавшая жестокий инсульт, парализованная, прикованная к кровати на годы.

Разбившиеся вдребезги мечты о замужестве.

И...

И вообще все.

Чтобы как-то прокормиться, Наталья перепробовала множество профессий. Но она ничего не умела, кроме как преподавать, быть педагогом. Даже ее профессиональные навыки не смогли ей помочь, когда она сначала пыталась устроиться в торговлю. У нее сразу как-то образовалась недостача. И хозяин магазина вычел из ее жалованья. А потом вообще пришлось возмещать.

В конце концов, после долгих мыканий и поисков работы в кризис, она нашла это вот вакантное место — «без материальной ответственности». Как ей объяснили — вам еще повезло. Тут стабильная зарплата.

Уборщица туалетов...

Зарплата и точно стабильная, и это плюс, большой плюс.

И еще выходные по графику.

Сначала казалось — ну вот, жизнь достигла своего вонючего дна.

Но Наталья вспоминала через что ей пришлось пройти и все же выйти сухой из воды. И по сравнению с теми временами «жизнь в сортире» могла показаться почти что курортом.

Мой курорт...

Я тут почти как барыня...

Как сыр в масле катаюсь...

Вот это самое Наталья Грачковская внушала себе каждый раз, вздыхая, натягивая на руки резиновые перчатки и беря в руки скребок для придания раковинам блеска.

Я тут сама себе хозяйка, а черной работы я не боюсь...

Они тут только ссут...

До всего остального им нет никакого дела.

Тут меня не замечают — есть я, нет меня, и это хорошо, просто отлично.

Когда надо, я исчезну, а потом появлюсь...

Все эти мысли роились в голове Натальи Грачковской, когда она начинала свою воскресную уборку.

В туалеты заходили дамы из числа покупательниц. Хлопали двери кабинок. Наталья драила мраморный пол и поглядывала по сторонам.

Сортир — это зеркало жизни, это ее изнанка. Многие дамы входили сюда с серьезными, озабоченными лицами. Ныряли в кабинку. И выходили оттуда потом радостные, сияли словно солнышко красное.

Это оттого, что наступило облегчение.

Физическое облегчение.

Будто внутри разжимаются медленно-медленно какие-то тугие страшные тиски.

В таких вот тисках Наталья ощущала себя все последние годы.

Чувство ненависти зрело там, в глубине души, словно гной.

Когда Наталья выходила во внешний мир, что когда-то вытолкнул, исторг ее из себя, отняв все, она чувствовала, что ненависть — внутренний гной — захлестывает ее до предела.

И только тут, в этих стенах, в сортире, что стал ее прибежищем, ее маленьким мирком, этот вздувшийся гнойник ненависти как-то опадал.

Не рассасывался, нет. Но на короткие мгновения утихал.

В своей прошлой жизни школьной учительницы Наталья Грачковская славилась аккуратностью и методичностью во всем. Эти навыки помогали и здесь, в сортире, в борьбе за чистоту.

Да, если бы кто-то когда-то где-то проводил конкурс на лучший туалет, то сортир торгового центра занял бы четвертое место — Наталья Грачковская при этом бы постаралась ввести его хотя бы в первую тройку. Как она когда-то старалась, чтобы ее ученики — школьницы в особенности и школьники — всегда входили в тройку лучших по всем показателям.

Но в сортире была иная система ценностей, чем школьные баллы и показатели успеваемости. Тут все зависело от того, как быстро в кабинках меняются рулоны туалетной бумаги и как быстро опорожняются от грязи урны. Как чисто моются унитазы и кафель пола. Как работает слив на фотоэлементах. И на этих же фотоэлементах как отрегулирована подача воды в кранах над раковинами.

Есть ли бумажные полотенца в держателях и что делать, когда все кабинки заняты, а в очереди переминаются с ноги на ногу клиентки, жаждущие...

О! Эта жажда!

Это сродни пьянству, только наоборот. И тут все естественно, как мать-природа приговорила.

Это как на суде перед присяжными...

В своем прошлом Наталья Грачковская до суда не дошла.

Она сидела в изоляторе временного содержания — это было, это пришлось испытать.

Но суд ее миновал.

В туалете торгового центра шумела вода, когда нажимали в кабинках кнопки на слив. То и дело включались роботы — сушилки для рук. И их свист и гул напоминал Наталье Грачковской свист тепловозов на вокзале.

Лучше уж думать о вокзальной суете и поездах, уносящих тебя в даль, в никуда.

А мысли о школьной суете, о школьных коридорах, полных визга и смеха на переменах, о школьных звонках — такие мысли опасны.

Они — лишний повод для воспаления гноя ненависти, что копится, копится там, внутри.

Когда вы потеряли в жизни все одномоментно и оказались на дне...

Когда вокруг вас — сплошной вечный сортир...

Кто в этом виноват?

Кто-то ведь есть виновный?

Только не вы.

Вам ведь тогда, на следствии, ничего не доказали.

А это значит только одно...

Наталья Грачковская терла шваброй мраморный пол и улыбалась. Дамы, заскочившие в туалет «по маленькому», рассеянно улыбались в ответ невзрачной, но приветливой уборщице в рабочей одежде и резиновых перчатках.

Они и не подозревали, что когда-то Наталья Грачковская была гордостью школы подмосковного Рождественска. И все в ее семье — от прадеда до парализованной матери, умершей три месяца назад — были потомственные педагоги.

И сама мысль, что в жизни можно заниматься еще чем-то, работать «не в школе, не в системе образования», казалась дикой, невообразимой.

Наталья Грачковская щедро поливала пол моющим средством. В это воскресенье после прекрасно проведенной субботы она чувствовала в себе силы и желание вывести и этот сортир, как когда-то свой школьный класс, в тройку лидеров.

Глава 10
ЯЗЫК ПО-СОВЕТСКИ

Павел Мазуров поставил три небольшие бутылочки в шкаф для кухонной техники — на самую нижнюю полку, задвинул в самый дальний угол за сломанную электрическую мясорубку. Три бутылочки — две из-под бальзамического уксуса и одну из-под оливкового масла. Закрыл двери шкафа и прошел на кухню ресторана «Кисель».

— Банкет отменяется, заказ сняли, — объявил ему шеф-повар Валера, — соответственно кайтеринг тоже. Так что часть поставки нам не нужна, отвезешь продукты обратно.

По воскресеньям ресторан «Кисель», расположенный в Доме на набережной рядом с Театром эстрады, открывался в десять, предлагая меню «поздних завтраков и бранчей». Правда, на эти завтраки по выходным сюда мало кто приезжал. Дом на набережной — Серый дом — завтраки тоже игнорировал. Его обитатели ели дома и в «Кисель» не спускались.

Но шеф-повар Валера предоставлял владельцам ресторана подсчитывать убытки, а сам не унывал. Кряжистый, пятидесятилетний, похожий на орангутанга, татуированный и громогласный, он напоминал Павлу Мазурову тех немолодых уже пацанов, что обитали в местах не столь отдаленных, в которых Павел волей судьбы провел свои последние годы.

Пять лет из тридцати восьми.

Но шеф-повар Валера в тюрьме не сидел, просто играл под приблатненного, считая, что так он себе поднимает цену в глазах владельцев «Киселя».

— Екнулся банкет, — резюмировал он, — а потом позвонили и сказали, что позже будет заказ на поминки. Но у тебя же свежак в заказе. Так что мы только половину заберем, остальное вези назад.

Они с Павлом были одни в огромной новой кухне ресторана. Время восемь тридцать, и так рано повара на работу не выходили. Павел же, устроившись в фирму, занимавшуюся логистикой и снабжением ресторанов, уже с шести утра был на ногах и успел посетить и рынок, и базу. Фирма тоже принадлежала владельцам «Киселя». Она охватывала своей деятельностью много ресторанов, кафе и баров, и Павел считал свою новую работу в фирме крупной удачей.

Ничего, что он номинально менеджер-логист, а фактически разнорабочий, снабженец и грузчик одновременно. Ничего, что платят гроши. Главное — цель впереди. И она ясная.

Значит, банкет в «Киселе» отменили. Он должен был состояться на следующей неделе.

Ну что ж, так тому и быть.

Пока...

— Жрать стали все дома, деньги экономят, — с грустью продолжал шеф-повар Валера. — Раньше-то ой-ей-ей то и дело шастали — чего-нибудь повкуснее пожрать. А сейчас жмутся. Я тут новое меню составлял, кумекал как бы того, оптимизировать — хозяйский приказ. А чего оптимизировать-то, куда уж дешевле делать? И так уж использую то, что раньше люди приличные и в рот не брали. Вроде как на новинке пытаюсь выскочить, на этом, как его, на психологическом факторе. Кто в ресторанах прежде паренную капусту заказывал? Никто. А теперь делаем салат из отваренного на пару кочана. А требуха? Сейчас все в ход идет — сердце, легкое, почки, весь, как говорится, сбой, вся рванинка. Это называется на грош пятаков. Потому как мясо, стейк нормальный, он ого-го сколько стоит. А это — требуха, стоит копейки. А в меню называют все это сейчас «мусс из печени» или же «паштет», ставят цену такую, чтоб у клиента глаза на лоб не лезли. Или та же вермишель... У меня тут, в «Киселе», и ее начнут жрать, потому как в новинку. Раньше-то во времена моего советского детства помню эту самую вермишель — комья липкие. Но сейчас — смотря как подать, точнее, с чем.

— И как же? С чем? — машинально спросил Павел Мазуров. Он налил себе в чашку кофе из кофемашины и прихлебывал. Думал о том, что нашел бутылочкам своим из-под масла и уксуса вполне надежное место. В шкаф в подсобке возле кухни на нижнюю полку мало кто совал нос. Туда складывали всякое барахло. Держать бутылочки дома он не хотел. Во-первых, тюремная привычка. Во-вторых, не знаешь, когда что понадобится. Из «Киселя» забрать проще, потому что ресторан в городе и в самом центре, а дом Павла в Куркине, в Химках.

— Это уж как фантазия припрет, как мысль осенит, — ухмыльнулся повар Валера. — Я вот типа открытой кухни в зале хочу организовать. Не настоящая, конечно, цех-то наш пищевой тут основной. А там так, для понта. С чем вермишель подать, спрашиваешь? А вот с этим, например, — бифштекс по-сталински.

Он повернулся и бросил на разделочную доску шмат размороженного мяса самой дешевой категории. Потом взял в руки два поварских страшных ножа и...

Ножи замелькали как молнии, во все стороны полетели кровавые брызги мяса.

— Не мясорубку использовать, а вот так по старинке «рубкой» — рубленый бифштекс по-сталински. Эхххххх ма! Лес рубим — щепки летят. — Повар Валера орудовал ножами, рубя мясо в крошку. — Или другой аттракцион — почки а-ля Лубянка. Чем не название, а? Как их там при папе-чекисте, а? А? — Он подмигивал Павлу. — Ты-то вот сидел, я знаю. Как почки-то на допросах отбивают, небось сам испытал.

Павел Мазуров пил свой кофе. Он думал о том, что ему надо поехать еще по одному адресу. Проверить. И желательно сегодня.

— Я в меню поставил язык по-советски, — продолжал повар Валера. — Главный деликатес в «совке», как не помнить. И чего? Язык-то закажут, возьмут. Тут в Сером доме — у них память генетическая, они не сердцем — жопой те времена помнят. И дети и внуки их, так что... Я еще покумекаю, что им в меню предложить в «Киселе».

— Спасибо за кофе, — поблагодарил Павел Мазуров.

От горячего крепкого кофе он вспотел. Сердце забилось. Тридцать восемь лет, а выглядит он на все сорок. Плешь на макушке, зубы, что он потерял там, в местах не столь отдаленных. Надо вставлять. Но это потом. Сначала...

Странно, о некоторых вещах он в прежней своей жизни до тюрьмы даже не задумывался. Например, о визитах к дантисту. Или о счетах за электричество, за водоотвод и газ, которыми завален его дом в Куркине сейчас.

— Ты вот интеллигент, Паша. Раньше-то кем ты был — банкиром или брокером? — спросил повар Валера. —

А сейчас на побегушках. Харч возишь. Но голова-то у тебя по-прежнему как этот, как компьютер небось — тик-так. Так что ты мою инициативу с «почками» и «языком» оценишь.

— Я ценю, это ты здорово придумал, — сказал Павел. — А чего ты там говорил про поминки?

— Я сказал — банкет отбили назад.

— Да, я понял.

— Но вроде как там замена. Не банкетный стол, а поминальный. Мне сказали насчет блинов подумать на большое количество гостей.

— И на когда все намечается? — самым невинным тоном поинтересовался Павел.

— Пока не знаю. Но ты мне в следующий раз привези муки, дрожжей, риса, изюма. Вот тебе новый список. — Повар повернулся и достал из ящика кухонного стола, забрызганного следами бифштекса по-сталински, файл с документами.

Отдал Павлу. Затем взял губку с мойки и начал аккуратно протирать кухонную стойку, напевая: «Мы рождены, чтоб сказку сделать былью...»

В местах не столь отдаленных такие, как Валера, никогда никакой уборкой не занимались. Они делегировали это право другим. Павел Мазуров это хорошо усвоил. Он покинул кухню и пошел назад к машине, припаркованной во дворе Дома на набережной.

Проходя мимо раздевалки персонала, он заметил стоявшую рядом с дверью корзину для грязного белья. Туда официанты и повара складывали запачканную форменную одежду. Оглянувшись по сторонам и никого не увидев, Павел Мазуров вытащил из корзины куртку официанта, скомкал и зажал под мышкой.

Он никогда в своей жизни не воровал — это первый случай.

Свой срок в местах не столь отдаленных он отбывал не за воровство и не за мошенничество. Совсем даже не за «экономику». А за вещи гораздо, гораздо более серьезные.

Но куртка официанта при удачном стечении обстоятельств могла пригодиться.

Глава 11
УХО К ЗЕМЛЕ

На следующий день, в воскресенье, Катя решила взять паузу и предоставить эту самую паузу полковнику Гущину, хотя точно знала, что он этой паузой не воспользуется.

Она проснулась поздно и позвонила подружке Анфисе — надо все же повидаться, поздравить ее с прошедшим днем рождения и отвезти подарок. Они встретились в тихом кафе на Патриарших прудах.

«С днем рождения, Анфиса!»

«Что там у вас случилось вчера?»

Анфиса спросила это, заглядывая Кате в глаза, — что-то серьезное, очень серьезное? Раз ты не приехала на день моего варенья.

Катя не стала ей ничего рассказывать. Это дело внутреннее, полицейское — преступление, совершенное в отношение коллеги по работе. А способ убийства может Анфису сейчас лишь напугать.

О том, что в воскресенье появятся какие-то важные новости, она не надеялась. Их и не было.

Катя моментально это поняла по лицу полковника Гущина, едва лишь утром в понедельник после оперативки осторожно заглянула к нему в его большой начальственный кабинет.

Гущин один за девственно чистым столом. Если и состоялись какие-то совещания с руководством Главка, Следственным комитетом и прокуратурой, то все это произошло вчера.

А сегодня...

— Никаких подробностей для прессы, — объявил Гущин.

— Я не за подробностями, Федор Матвеевич.

— Тебе, я считаю, надо ограничиться событиями субботы. Пресс-центру никто никогда не разрешит что-то опубликовать из материалов этого расследования.

— То есть вы меня отшиваете? — Катя вздохнула. — А зачем же привезли в тот дом, позволили весь этот ужас увидеть?

— Я не знал, как Вавилов себя поведет. А ты это умеешь — разряжать ситуацию.

— Но я и слова Вавилову не сказала. Федор Матвеевич, он ведь тут тогда просил вас помочь.

— Я делаю что могу.

— Но и я при этом присутствовала. Я тоже хочу ему помочь.

— Полину Вавилову уже не вернешь.

— Я хочу быть полезной в этом деле. Вавилов мой коллега, как и ваш. Если существует хоть какое-то полицейское братство, то мы...

— Ты в это веришь? В полицейское братство? — Полковник Гущин как-то невесело улыбнулся.

— Да, я верю, — ответила Катя.

— И я верил когда-то. — Гущин потер переносицу. — И дело не в том, что в те времена я служил в милиции, а теперь в полиции.

— Вы разочарованы и опустошены, — сказала Катя. — Причина — не это дело. А то, что нас окружает, все эти перемены. Я же вижу. Мы столько времени с вами работали вместе, Федор Матвеевич. Я не только Вавилову хочу помочь. Я вам хочу помочь. Не отвергайте мою помощь. Я не стану ничего писать об этом деле, на этот счет можете быть спокойны.

— Да я спокоен. — Гущин грузно, устало поднялся из-за стола. — Ладно. Чтобы не было никаких иллюзий у тебя. Поедешь сейчас со мной.

— Куда? — кротко спросила Катя.

— В Рождественск. В ОВД, где Игорь Вавилов столько лет работал, где он стал начальником уголовного розыска.

— Вы установили дело, за которое ему могли так отомстить?

— Дел несколько, я послал сотрудников в архив, материалы поднять. Они там как кроты среди бумаг. Вавилов чуть позже свои предположения нам озвучит. Но прежде чем я его буду слушать, я... знаешь старую оперативную привычку?

— Их не счесть, Федор Матвеевич.

— Одна из самых полезных — преклонить ухо к «земле».

— Ухо к земле?

— Слухи, сплетни, злые разговоры. Ты что, разве не знала, что полицейские, особенно мужики из старослужащих, кого жизнь должностью обошла, — страшные сплетники насчет... ну, скажем так, более успешных коллег. Кто сделал карьеру, кому светят большие погоны. Кто вроде начинал вровень со всеми, а потом вырвался далеко вперед.

— У Вавилова зверским способом убили жену. Ничего, кроме сочувствия, сейчас не...

— Убедишься сама. Сочувствие — да. Сначала сочувствуют, соболезнуют. Потом начинают молоть языком. Мне это сейчас вполне подходит. Цинично звучит, но именно слухи и сплетни мы с тобой поедем собирать в Рождественск. Не городские слухи, а слухи от «своих» внутри отдела.

— Вы же сами сказали, Вавилов уже пять лет как там не работает.

— Это еще лучше — он для них отрезанный ломоть, залетевший далеко-высоко. С такими вообще не церемонятся. Выкладывают всю подноготную обо всех делах. Мы послушаем. Приложим ухо к «земле». Там, на «земле», у них все уже в курсе. Пусть коттеджный поселок, где находится дом жены Вавилова — а это ведь дом этой девушки, не его, приданое к свадьбе, — так вот, пусть это место и не в юрисдикции Рождественска, но это совсем недалеко. Рождественск формально в расследовании участвовать не будет, а это значит, что слухи и сплетни — все, что им там, в отделе, остается. Вот мы и послушаем их там, на месте.

— Всех? Весь ОВД?

— Самых рьяных. Тех, с кем Вавилов, скажем так, когда-то не сработался.

— Я только захвачу сумку и диктофон. Вы же сами все потом прокручивать на диктофоне станете.

Катя поднялась в кабинет Пресс-центра. Забрала вещи. Вот так... вот так и разлетаются вдребезги хрустальные мечты о профессиональном полицейском братстве.

Она вспомнила дом, кровавый след на полу, букву «М».

Там, в Рождественском ОВД, это уже обсуждают. Не видели всего этого кошмара, но говорят.

Если рассматривать сотрудников полиции не как ангелов с крыльями из проплаченных МВД телесериалов и не как злодеев с большой дороги, а просто как обычных людей — а они ведь обычные люди, то...

Интересно, какая будет первая фраза там, в отделе? По этой первой фразе о многом можно будет судить.

Жаль Игоря Петровича. Несладко поди ему сейчас, ох как несладко...

Такой была первая фраза, первая реакция первого сотрудника Рождественского ОВД, с которым полковник Гущин и Катя начали свою беседу.

Допрос? Нет. Слухи и сплетни не выкристаллизовываются так ярко и выпукло на официальных допросах, а лишь в неспешных, неторопливых беседах с «оглядочкой».

В Рождественске Гущин попросил дежурного — солидного и с виду весьма уравновешенного майора в летах — посадить «на пульт» помощника, а самому пройти в комнату отдыха.

Они там с наслаждением закурили, вопреки всем грозным запретам, открыв забранное решетками окно.

— Насчет Вавилова к нам приехали? — мудро угадал опытный дежурный. — Жаль Игоря Петровича. Несладко поди ему сейчас, ох как несладко.

— Он ведь при тебе тут еще в оперуполномоченных ходил? — спросил Гущин.

— При мне и потом тоже. Он в начальники. А я из участковых сюда в дежурную часть.

— Насчет субботнего убийства что говорят?

— Да разное. — Дежурный дымил. — Отомстили, мол, ему кроваво. На жене отыгрались.

— Мы дела сейчас смотрим, архив поднимаем, — сообщил Гущин. — А твое какое мнение?

— Мы с Вавиловым не слишком-то ладили. — Дежурный пожал плечами. — Лучше уж я помолчу.

— Нет уж, не молчи. — Гущин хмурился. — Я из Главка приехал специально твое мнение выслушать.

— Вы большой начальник, товарищ полковник, уважаемая личность. А кто я? Уйду на пенсию, и не вспомнят про меня родные органы. У нас тут часто — берут человека и сминают как промокашку.

— Кого Вавилов смял?

— А через кого он так сразу вдруг взлетел? — вопросом на вопрос ответил дежурный. — Был тут начальником розыска в районе — и вдруг в министерство, а потом в Главк почти в генералы. И выше метить начал. Через кого он все это получил?

— Слухи ходят — через тестя влиятельного. — Гущин и сам не собирался церемониться.

— Черта с два. Началось-то все тут у нас в отделе, когда прокурора нашего Грибова он сюда в наручниках привез.

Катя слушала дежурного очень внимательно. Про прокурора Грибова уже упоминалось. Что это за история?

— Через такие вот дела люди большие должности обретают. Кто-то на такое способен, а кто-то — нет. На такое вот... гадство. — Дежурный поморщился.

— Там было дело о коррупции. О крупной взятке, — сказал Гущин.

И Катя поняла — что в случае с прокурором Грибовым он в курсе и знает много чего.

— Да кто спорит? Но если такое дело вдруг... Если прежде ты с человеком сто лет общался, работал. Если человек этот тебя учил, тянул по службе, помогал во всем. Что мы, не знаем, что ли, тут ничего в отделе, как все было? Прокурор Грибов Вавилову помогал с самого начала, они по всем делам вместе работали, преступления раскрывали. Грибов опытный был, он Вавилова много старше. Вавилов сколько от него почерпнул. Он и начальником розыска стал, потому что это Грибов перед вами, Федор Матвеевич, на этом настаивал. Что, не просил он вас за него разве?

Гущин не ответил.

— И после всего добра, которое он Вавилову сделал... — Дежурный покачал головой. — Этот наш его же сюда в отдел в наручниках привез! Это как? При мне тогда в тот вечер все было. Я дежурил. Они явились — вся группа. Эти из министерства, из управления по борьбе с коррупцией. И Вавилов. Поймали Грибова на взятке.

— А как же он должен был поступить? — спросил Гущин. — Там суд состоялся. Грибова виновным признали во взяточничестве.

— Я не знаю как. Но смотреть на всю эту комедию тошно было. — Дежурный снова поморщился. — Эти приехали из управления по борьбе с коррупцией. У них работа, это их дело. Чего Вавилов-то туда сунулся? Пусть они задерживают, раз они там все с этой взяткой как по нотам разыграли. А Вавилов поучаствовать решил. Они Грибова сюда в отдел из прокуратуры привезли. Того бизнесмена, который деньги ему сунул помеченные, тоже. У меня та сцена до сих пор перед глазами стоит. Они его в министерство не повезли на ночь глядя. А сюда к нам в изолятор пихнули. Вавилов все по отделу как на крыльях летал —

такой деловой весь из себя. А утром сюда в дежурку сын Грибова приехал.

— Сын Грибова? — спросил Гущин.

— Он у него адвокат. Он с другим адвокатом явился. Тот-то старый, опытный. А этот молодой. Да что говорить? На глазах Вавилова рос этот парень. Они ж дружили домами — Вавилов тогда еще на своей прежней жене был женат. На шашлыки вместе ездили, парень этот, Алешка, он... он Вавилова как родного человека уважал, слушался. А в то утро — прокурора в автозак сажают, а этот Алешка просит Вавилова: Игорь Петрович, разреши мне с отцом поговорить. А тот ему грубо так — мол, пошел ты. Я всему свидетель, всех их разговоров тут. Сколько лет уж с тех пор минуло, а я все помню, и тошно мне все это вспоминать.

— Не мог Вавилов парню разрешить разговор с отцом в тот момент. Не положено это, сам знаешь.

— Я-то знаю, а вот кто-то на моих глазах разом обличье людское потерял. Но и приобрел за это немало. В министерстве смекнули — раз жалости не имеет к людям, даже к тем, с кем дружил, кому обязан, значит, далеко пойдет. Будет служить, как пес цепной.

— Ты несправедлив к Вавилову, — сказал Гущин.

— А вы меня сейчас не о справедливости спрашиваете, — отрезал дежурный, — вы моим мнением интересуетесь.

— Что, по-твоему, Вавилову вот так из-за дела прокурора могли отомстить?

— Только не нужно, не нужно мне приписывать того, чего я не говорил.

— Я не приписываю.

— Когда люди старых друзей предают ради должностей и погон, что они ожидают? — спросил дежурный. — Я помню, как парень этот Алешка на Вавилова тогда тут в дежурке нашей смотрел. Словно угли глаза, так и жгут. Он вежливый весь из себя, интеллигент, адвокат в дорогом костюме. Так что в руках себя крепко держал. Не хамил.

Только смотрел на «дядю Игоря». Так он его звал, и все мы это тут в отделе хорошо знали.

— Слышала? — спросил Гущин, когда они, покинув комнату отдыха и дежурного, шли по второму этажу в направлении кабинета начальника уголовного розыска.

— Я на диктофон записала, — ответила Катя.

— Дежурного этого, Михалева, Вавилов отказался рассматривать в качестве возможного кандидата на должность начальника отделения полиции в Вахрамеевке. Он старшим участковым работал долгое время, и его хотели начальником отделения местного назначать. А Вавилов категорически воспротивился. В результате, чтобы майорскую должность получить, тот вынужден был перевестись в дежурную часть. У него зуб на Вавилова, так что очень ты его словам не доверяй.

Катя вздохнула.

Начальник уголовного розыска Рождественска — лысый, небольшого росточка, усталый человечек, занимавший ту же должность, что когда-то и Вавилов, — встретил полковника Гущина с почтением, если не сказать подобострастно.

— Мне из Главка позвонили, что вы едете. Чаю, кофе?

— Сделай кофейку нам, — вполне барственно распорядился Гущин. — Слухи я приехал собирать тут у вас. Занятие — малопочтенное. Так что кофе — в самый раз для укрепления духа.

Начальник розыска у чайного стола начал собственноручно готовить растворимый кофе для Гущина и Кати.

Та оглядывала кабинет. Здесь, значит, сидел когда-то Вавилов. Тут он раскрывал уголовные дела, за которые ему могли так страшно отомстить. Что слышали эти стены? Что они знают? Мебель здесь новая, компьютер на столе, кипы бумаг, сейф. В этих провинциальных отделах годами ничего не меняется.

Она попыталась вспомнить Рождественск — ведь только что проезжали его на машине. Но впечатление осталось какое-то смазанное, безликое.

Только что шла Москва, потом МКАД, потом большое строительство за МКАД, затем какие-то поля-пустыри, рощи, перелески и снова хаотичное строительство. Многоэтажки, рядом убогий частный сектор, за ним отличные добротные дома, коттеджи и центральная часть — опять старые многоэтажки и какая-то обширная промзона.

Рождественск еще предстояло изучить: если сюда ведут все нити, то... А если не сюда?

— Слухи по поводу причин убийства жены Игоря Петровича? — сразу уточнил начальник местного розыска.

— Угу.

— Так там же вроде маньяк? Вся картина на маньяка указывает, налицо с психическими отклонениями.

— Нет, картина на это как раз не указывает.

— Но он ей руки отрубил, то есть пилой отрезал и прибил...

— Вы тут в курсе, хотя я приказал детали осмотра в тайне держать. Какая уж тут тайна. — Гущин передал чашку крепкого кофе притихшей Кате. — Я версию рассматриваю — убийство с целью мести за профессиональную деятельность. Хочу ваше мнение услышать. Что за дела здесь у вас были пять-шесть лет назад?

— Дело о взятке прокурора Грибова.

— Об этом я уже слышал. А что еще тут у вас было громкого или... не знаю, тихого, но необычного?

— Насчет необычного я затрудняюсь сказать. В основном рутина — кражи, грабежи. Было несколько разбойных нападений на фуры и на коттеджи. Мы тогда группу задержали. И потом еще одну группу.

— Вавилов задерживал?

— Он же до меня здесь всем руководил. Конечно. Только это, я повторяю, — рутина. Часть задержанных были гастарбайтеры. Правда, воры тоже попадались. Но воры так полицейским не мстят.

— Речь не о ворах, — сказал Гущин.

— Было дело нашумевшее — убийство школьницы. — Начальник розыска подошел к двери, открыл ее и позвал: — Светлана Николаевна, зайдите ко мне! Девочка училась в девятом классе. Там не столько сам факт убийства город всколыхнул, сколько обвиняемая по этому делу, то есть подозреваемая — обвинение не было предъявлено.

В кабинет с пакетом сахара в руках зашла очень полная женщина в брючном костюме.

— Спасибо, Светлана Николаевна, а то у меня сахар закончился, — буднично поблагодарил начальник розыска. — Светлана Николаевна, вы помните старое дело об убийстве той ученицы?

— Аглаи? — спросила вошедшая. — Не только помню, но и вспоминаю часто. Я ведь сколько карточек розыскных для банка данных по нему заполнила.

Катя поняла, что дама работает в отделе учета и регистрации преступлений.

— Моя дочь в той же школе училась, — продолжала Светлана Николаевна. — А что вдруг речь зашла о нем?

— Вавилов это дело раскрыл? — спросил Гущин.

— Ничего он не раскрыл, не смог, — жестко ответил начальник розыска, — все улики, все козыри на руках имелись против подозреваемой... А он...

— Такой скандалище. — Светлана-учетчица махнула рукой. — Она же завуч была в школе, ну та, которая убила Аглаю. Учительница со стажем. В школе потом все перетряхнули. Я даже дочку свою хотела оттуда забрать, да больно сильная школа, хорошо преподают там. Считалась до этого убийства лучшей не только в городе, но и по области славилась.

— Вавилов, кстати, совместно с прокурором Грибовым то дело расследовал. Он подозреваемую задержал. Там надо было улики собирать, доказывать.

— А что, не смогли доказать вину? — поинтересовался Гущин.

— Нет. Обвинение даже не сумели предъявить. Вавилову следовало лучше работать. Он вообще столько лет тут из себя аса изображал. — Начальник розыска хмыкнул. — Но знаете, между нами... самонадеянность — это еще не все в оперативной работе. Знаниями надо обладать — в криминалистике, в психологии, в праве уголовном, в законодательстве. Помнить нужно, что адвокаты спуску не дадут ни на следствии, ни в суде. В том, другом деле он ведь тоже себя не слишком профессионально повел.

— В каком другом деле? — Гущин пил кофе.

— Если еще одно громкое вспомнить — так это происшествие в отеле «Сказка интернешнл». — Начальник розыска прищурился. — Тоже такой скандалище. Там побои были и изнасилование. И люди вроде все приличные — консалтинговая компания тогда проводила корпоратив. И один из ведущих менеджеров напал на женщину — избил жестоко и изнасиловал. Фамилия его Мазуров. Я это дело помню, сам тогда в опергруппу входил. Вавилов всем распоряжался. И Грибов в расследовании тоже участвовал. Там все со скрипом шло, хотя факты абсолютно очевидные. Но все же до суда дело довели. Вавилов хоть в этом не напортачил.

Хоть в этом не напортачил. Вот так нынешний начальник розыска отзывается о работе своего предшественника, ушедшего на повышение, — подумала Катя.

— А еще какие дела? — спросил Гущин.

— Остальное, я повторяю, — кражи, грабежи, бытовуха, разбой. Там криминальная публика. А эти дела не то что необычные, но, так сказать, яркие.

— И Вавилову могли за них отомстить?

Начальник розыска пожал плечами — кто его знает.

— Вы о давности в пять-шесть лет спрашиваете. На тот период это все.

— Ну а какое дело, по вашему мнению, может...

Гущин не договорил. Учетчица Светлана вышла из кабинета. А начальник розыска поднял руки.

— Нет, нет, я в этих вопросах вам не консультант, — сказал он, — вы у Вавилова спрашивайте, за что ему отомстить могли.

— Спрошу, — кивнул Гущин послушно. — Я ведь тут у вас слухи приехал собирать.

— А тут не гуляет никаких слухов. — Начальник розыска сухо улыбнулся. — Мы работаем, зашиваемся с текучкой. Нам не до слухов. И это дело не в нашей территориальной подследственности.

— Экий вы крючкотвор — законник, коллега, — усмехнулся Гущин. Он и бровью не повел на выпад начальника розыска, хотя... мог бы распорядиться судьбой строптивца вплоть до увольнения. — Материалы есть какие-то у вас по этим делам?

— Два дела в суд ушли, одно приостановлено. Материалы все у вас в Главке в архиве и в сейфе у следователя в Следственном комитете. У нас ничего по старым делам не остается. Мы справки еще в компьютерный банк данных направляли. А встречный вопрос можно, Федор Матвеевич?

Гущин кивнул — валяй.

— А что Вавилов сам говорит? Кого он подозревает?

— Он пока никак оправиться не может от потрясения.

— А, ну-ну, я понимаю. — Начальник розыска кивнул. — Самые искренние и глубокие ему наши соболезнования. От всего ОВД.

Он произнес эти дежурные слова тоном, каким обычно произносят все дежурные фразы.

— У него с Вавиловым тоже был конфликт? — уточнила Катя, когда они с Гущиным шли к машине, стоявшей во дворе отдела.

— Нет, просто он — новая метла. — Гущин смотрел на приземистое двухэтажное здание полиции. — Новая метла тщательно и скрупулезно выметает все соринки, все пылинки предшествующего руководства. И всегда настроена критично. — Он глянул на часы. — Время обеденное, но мы обед пропустим. Поедем в морг. Что там интересного для нас Сиваков приготовил?

— Надо сначала заехать в аптеку, — сказала Катя, — купим нашатырь. Ваш водитель в аптечке нашатырь не возит. А у Сивакова клянчить совестно каждый раз.

Полковник Гущин покосился на Катю и, кряхтя, полез в машину. В трех случаях из пяти ему становилось плохо, когда он присутствовал по обязанности на вскрытиях. Природа... поделать с этим ничего нельзя. И Катя всегда впрок запасалась нашатырем.

Глава 12

НАШАТЫРЬ

— Ох, не могу, в глазах темно.

— Вдохни, сейчас полегчает. Давай, давай, долго мне нянчиться с тобой?

Все эти разговоры Катя слышала по громкой связи — они доносились из прозекторской морга бюро судебно-медицинских экспертиз, где эксперт Сиваков трудился над телом Полины Вавиловой.

Полковнику Гущину, как всегда, в прозекторской стало плохо. Катя предусмотрительно извлекла из сумки пузырек нашатыря, купленного по дороге в аптеке, но он не понадобился. Эксперт Сиваков по случаю приезда Гущина запасся своим. И сейчас активно пичкал им коллегу.

Катя внутрь прозекторской не пошла, сидела в коридоре на банкетке. Они там все на виду перед ней за стеклянной стеной — Сиваков в маске и комбинезоне эксперта и Гущин.

На то, что лежало перед ними на столе, Катя не смотрела. Она глядела в пол, не поднимая головы.

— Кофе с молоком, до чего же я ненавижу кофе с молоком, — бурчал Сиваков. — Вскрываешь, а там... Короче, она только-только позавтракала перед смертью. Учесть, что она еще спала, когда Вавилов из дома уезжал, то... Абсолютно точно можно уже подтвердить сейчас время наступления смерти — между одиннадцатью и часом дня.

— По ранениям есть что нового? — хрипел Гущин.

Он сунул ватку с нашатырем в ноздрю и крепко держался за поручень железной каталки с инструментами.

Катя глянула и... снова уткнулась в пол.

— Ножевое проникающее в брюшную полость и резаная рана горла. Нет. Ничего нового, на костях предплечий следы воздействия лезвия электропилы.

— А эти, как их... ДНК, микрочастицы?

— Образцы ДНК мы забрали у Вавилова. Там много совпадений я жду. Чего ты хочешь — они супруги. Спали в одной постели, жили бок о бок. У нее в волосах следы шампуня, она душ утром принимала. Но никаким душем это не смоешь. У них был половой контакт ночью, Вавилов это мне подтвердил. А признаков какого-либо насилия со стороны преступника в области бедер, в области половых органов нет. — Сиваков орудовал хирургическими инструментами.

Катя не вдавалась в подробности, как все эти инструменты называются.

— Насчет микрочастиц — ничего особенного, — продолжал Сиваков. — Следы пыли на шее и в волосах, а также на ее одежде. Это результат волочения тела по полу из холла в гараж. Там еще бетонная крошка и следы машинного масла. Это уже в гараже наслоилось, когда орудовали электропилой.

— Насчет пилы этой треклятой и пневматического молотка что?

Сиваков сквозь свою маску космического типа воззрился на Гущина:

— А что я говорил? И надеяться нечего, и ждать нечего. Никаких следов на инструментах экспертиза наша не выявила.

— Предусмотрительный.

— Это азбука, сам понимаешь.

— Я-то понимаю, — хрипел Гущин сквозь нашатырный плен, — но по всему их дому полно отпечатков пальцев.

— Мы Вавилова откатали и помощника его Ладейникова. Вавилова отпечатки по всему дому — он же жил там. И ее, Полины тоже. С остальными будем по ходу дела разбираться. Какие там строители оставили, какие рабочие. Как только предъявите мне какого-нибудь подозреваемого, и этого проверим, сравним. Сейчас компьютерная программа в минуты все это выдает — тождество или отсутствие тождества.

— Там на коробках, что по Интернету покупали, заказывали, тоже есть следы.

— Абсолютно точно, но это не мой вопрос. — Сиваков покачал головой. — Вы сначала установите — откуда, кто доставлял. Затем я его проверю.

— А та подставка из гаража, на которую убийца, по-твоему, ногами вставал, чтобы писать на стене? — Полковник Гущин хватался за последнюю соломинку.

— Четких следов подошв там нет, — сказал Сиваков. — Я зафиксировал наличие частиц почвы — предположительно суглинок. Но это должна еще прояснить химико-почвоведческая экспертиза.

— Да там кругом везде суглинок, — захрипел Гущин совсем придушенно. — Все Подмосковье на суглинке. Убийца, по-твоему, долгое время шел пешком?

— Как они въезжают в этот свой экопоселок, вы выяснили? — вопросом на вопрос ответил Сиваков.

Катя насторожилась — может, сейчас выдаст что-то интересное?

— Выяснили. Шлагбаум электронный с пультом — фикция сплошная со стороны федеральной трассы. У них въезд свободный через Макинтошево — там частный сектор, строительство. Никаких там нет камер, и поселок этот обычный — никем не охраняется. Все экстренные службы — МЧС, «Скорая» — в случае чего заезжают оттуда, и все остальные — строители, доставка — тоже этим путем пользуются для въезда в экопоселок.

— Зачем же они тогда тратили деньги, ставили шлагбаум со стороны шоссе?

Гущин махнул рукой.

— А у нас всегда так. Я послал сотрудников в офис компании-застройщика. Они там объясняют — мол, вроде для того, чтобы чужие машины с шоссе не ездили, не срезали путь из Москвы до Рождественска через их экопоселок и через Макинтошево. Чтобы их новую дорогу не портили.

— Все-то не огородишь и на шлагбаум не запрешь, только видимость можно создать да деньги оприходовать, — согласился Сиваков. — Если убийца явился к Полине Вавиловой под видом курьера с доставкой товаров, он мог оставить машину где-то и какой-то путь пройти до дома пешком. Но это лишь предположение. Он мог и на машине подъехать — соседей там у них нет. И почва суглинок на деревянной подставке в гараже — это свидетельство не того, какой путь убийца проделал, а я повторяю — это важный факт о его характере, очень осторожном — он не хотел, чтобы мы какими-то данными о его росте располагали.

— То есть рост его может быть как высоким, так и маленьким?

— Он мог встать на подставку и приподняться на цыпочках, а мог встать и согнуться.

— А это могла быть женщина? — спросил Гущин.

— Могла. Экспертиза не выявила каких-либо фактов того, что для убийства и дальнейших манипуляций с телом потребовалась бы исключительно мужская физическая сила.

— Еще что скажешь хорошего? — просипел сквозь нашатырь полковник Гущин.

— Биохимический анализ ее крови не выявил никаких следов приема противозачаточных средств, — объявил Сиваков, — она не предохранялась. Я всегда расцениваю это как факт того, что между супругами были очень близкие, нежные, доверительные отношения.

— Вавилов сказал, что они хотели детей, — ответил Гущин. — Они строили планы на будущее, на совместную жизнь. Но вот судьба распорядилась иначе.

Глава 13
ВЕРСИИ ПОТЕРПЕВШЕГО

На следующее утро Катя предприняла то, от чего обычно воздерживалась. Она посетила оперативку, проводимую полковником Гущиным у себя в кабинете. Приехала на работу к половине девятого утра и вместе с массой сотрудников, собравшихся в приемной, проскользнула внутрь.

Гущин узрел «чужака», однако не указал грозно перстом на дверь — зайдите позже!

Катя сидела у окна и слушала, как оперативники докладывали шефу свои наработки по делу Вавилова. Атмосфера витала в кабинете странная. Ведь Вавилов был их общий непосредственный начальник, заместитель начальника Главка, и копаться в его «грязном белье» предстояло лейтенантам и капитанам розыска.

Гущин слушал, изредка задавая уточняющие вопросы. Катя поняла — это не то дело, когда он станет подгонять сотрудников и требовать быстрых результатов. Несмотря на чудовищный способ убийства, дело станут «копать» медленно и скрупулезно, никуда не торопясь. И начнут с самой что ни на есть обычной оперативной рутины.

В этом она не ошиблась. Доклады сотрудников полиции оригинальностью не блистали.

Опрос жителей экопоселка и поиск свидетелей...

Проверка регистрационных камер на ближайшем к поселку посту ДПС.

Обход соседних участков, беседы с соседями Вавилова.

Беседа с секретарем тестя Вавилова, который вместе с боссом прилетел срочно из Гонконга.

Работа в архиве по проверке уголовных дел пяти-, шестилетней давности, в раскрытии которых Игорь Вавилов принимал активное участие.

Вот тут флегматичный до этого полковник Гущин слегка оживился и начал детально уточнять. Катя тоже насторожилась. «Слухи» из Рождественского ОВД в принципе нашли свое подтверждение. Действительно, как докладывали оперативники, лопатившие в архиве банк данных, из крупных, значимых для города дел в тот период было три происшествия. Самое масштабное — это арест местного прокурора Алексея Грибова за взятку. И два весьма резонансных дела — убийство школьницы Аглаи Чистяковой, по которому подозреваемой проходила учительница географии и по совместительству завуч школы Наталья Грачковская, и еще более громкое дело в отеле «Сказка интернешнл», где во время корпоративной вечеринки один из ведущих менеджеров консалтинговой компании «Транс-Интер» Павел Мазуров изнасиловал и жестоко избил модель Марину Приходько. Полковник Гущин уточнил — были на тот период какие-то другие дела в Рождественске, например, связанные с организованной преступностью или ворами в законе?

Никаких воров в законе в городке в жизни не арестовывали. А вот дело с ОПГ, и довольно крупное, велось, однако это случилось три года назад, но в этот период Игорь Вавилов уже проходил стажировку для высшего руководящего состава и никакого отношения к этому делу не имел.

Полковник Гущин распорядился поднять уголовные и оперативно-розыскные дела по взятке, убийству и изнасилованию из архива. И начал щедро раздавать ЦУ, его подчиненные только успевали записывать в блокноты.

Под конец оперативки в дверь постучали, и в кабинет кто-то заглянул осторожно. Гущин нетерпеливо махнул ему рукой — мол, входи, не тушуйся.

Катя увидела Артема Ладейникова — помощника-секретаря Игоря Вавилова. Вместе с ним в кабинет зашли еще двое — такие же молодые, хипстерского вида, причем один в рваных джинсах — такой дресс-код в Главке категорически не приветствовался, но, видно, для кого-то делали исключения.

И Катя вскоре поняла для кого — для сотрудников управления «К» — по расследованию компьютерных преступлений.

Полковник Гущин отпустил с оперативки подчиненных, а троице и Кате велел остаться.

— Игорь Петрович скоро приедет, — известил Артем Ладейников. — Он мне только что звонил. И вчера вечером звонил — просил, чтобы я оказывал вам любое возможное содействие, если что-то понадобится. Вот я с управлением «К» связался, мы все готовы помочь.

И Катя поняла — даже будучи фактически потерпевшим по делу об убийстве и отстраненным от расследования, Игорь Вавилов все равно остается «боссом»: заместитель начальника Главка — это величина. Он по-прежнему отдает распоряжения, он может командовать даже полковником Гущиным, если пожелает.

— Надо установить, в каких фирмах и в каких магазинах в Интернете Полина Вавилова делала свои покупки. В частности, меня очень интересует — была ей назначена доставка курьером на день убийства или нет? Там коробок полно с отпечатками, есть и невскрытые. Убийца мог проникнуть под видом курьера с доставкой. Она ведь дверь кому-то открыла. — Гущин чесал переносицу. — Можно это установить через Интернет или нет?

— Можно, и очень легко, — ответил за всех Артем Ладейников. — Вы ведь изъяли ее ноутбук и мобильный?

— Да, конечно, вот они у меня в сейфе, уже обработанные экспертами. — Гущин достал из сейфа ноутбук и мобильный телефон в пластиковых мешках. — Телефон ее мы на звонки проверили, там никаких звонков в период с раннего утра и фактически до трех дня нет. Игорь Петрович жене не звонил.

— Я же вам говорю — он был на совещании у губернатора, — заступился за шефа Артем Ладейников. — Они там вообще порой телефоны отключают или делают переадресацию вызова, чтобы звонки не отвлекали, губернатора не раздражали. И при мне по пути домой он жене тоже не звонил.

— Федор Матвеевич, а кто же звонил Полине? — поинтересовалась Катя.

— Номер определился, это номер ее отца — звонок, вероятно, из Гонконга.

— Ну да, там же разница во времени, — сказал Артем.

— Звонок отмечен как «неотвеченный вызов», — сообщил Гущин. — Я сам проверил. Больше никаких звонков.

— А входящие СМС вы смотрели? — спросил Артем.

— Руки не дошли.

— Сейчас глянем, интернет-магазины часто рассылают сообщения о состоянии заказа клиенту и времени доставки. Но сначала проверим ее электронную почту. — Артем расчехлил ноутбук Полины и включил его. — Тут у нее какие-то неполадки, меня ведь Игорь Петрович просил починить, сейчас посмотрим, что здесь...

Он включил ноутбук, и вместе с прежними коллегами из управления «К» они, тихо переговариваясь, занялись делом.

— Сообщения как информационные, так и рекламные для клиента из интернет-магазинов приходят и оседают в электронной почте, — сказал Артем. — Это очень просто. Но у нее тут какой-то сбой. Точно... Вирус... Троянец...

Это тоже обычное дело. Игорь Петрович сказал, что-то со скайпом, но здесь не только скайп, здесь программа заражена. Видите, электронная почта не открывается. Ладно, это не страшно, мы тут сейчас все полечим, почистим. Это минут сорок займет, ничего?

Гущин благосклонно кивнул. Артем и его коллеги забрали ноутбук и сели на дальний край совещательного стола. Затем один из «хипстеров» куда-то отчалил и явился через четверть часа с пачкой дисков и своим ноутбуком.

Катя терпеливо ждала. Рутина... Даже если они сейчас все найдут, все установят... Не курьер из Интернета убил Полину. Если кто-то представился им и она доверчиво открыла дверь дома, то ни электронная почта, ни компьютер ее в этом не помогут. Это просто очередная отработка очередного оперативного материала.

Полковник Гущин, разговаривая по мобильному, удалился в дежурную часть управления уголовного розыска. Он о чем-то договаривался и одновременно спорил, как поняла Катя, со следователем Следственного комитета.

Наконец троица что-то там в компьютере наладила и оповестила всех придушенными радостными восклицаниями. Полковник Гущин вернулся:

— Ну что?

— Вирус, — подтвердил Артем Ладейников. — Мы его убрали. Так, открываем почту. Ого, сколько входящих...

Гущин подошел к ним, подошла и Катя, заглянула в ноутбук. Столько же непрочитанных входящих, сколько и у нее обычно в ящике. Артем Ладейников «листал».

— А чего ты ищешь? — спросил Гущин, обращаясь к молодому сотруднику снова на «ты». — Ты давай каждый свой шаг поясняй мне. Я — человек отсталый, прошловековой. С компьютерами — видишь, совсем не дружу. Никак.

— Многого себя лишаете, Федор Матвеевич, — дерзко ответил Артем Ладейников. — И хвастаться тут нечем. Это все равно что безграмотностью щеголять.

— Ты не учи меня. — Гущин сел на стул, кряхтя. — Чего вы установили-то, давай объясняй. Чего ищешь сейчас?

— Я ищу... то есть мы ищем электронное сообщение о том, что... Вот видите?

— Ничего я не вижу. Тут какое-то постельное белье на фото.

— Жена Игоря Петровича заказывала в интернет-магазине два комплекта постельного белья из жаккарда. — Артем открыл письмо. — Вот они сообщают номер заказа: вот дата, за три дня до убийства, и... еще письмо — читайте! Тут написано «ваш заказ в стадии обработки» — это они всегда так пишут. И вот то, что нужно: «заказ будет доставлен по указанному вами адресу в период с 10 до 18». Тут и дата.

— Это не в день убийства, — сказал Гущин, — это накануне.

— Сейчас я еще проверю, все ответы с этого электронного адреса интернет-магазина. — Пальцы Артема Ладейникова замелькали по клавиатуре. — Вот, вот... «Ваш заказ еще в стадии обработки». Это письмо пришло утром как раз в тот день.

— Утром?

— Она все равно не могла его прочесть, потому что вирус нарушил программу и почта не открывалась.

— То есть если она читала предыдущее письмо, то могла решить, раз доставку не привезли в тот день, значит, перенесли на следующий? — спросил Гущин.

— А не факт, что она и то письмо читала, — возразил Артем. — Мы же не знаем, когда возникли неполадки с программой. Надо посмотреть, что в СМС у нее на телефоне.

Один из его коллег взял мобильный Полины и «пролистал».

— Тут только рекламные сообщения из банка и от «Билайн», — сказал он.

— А не получала она писем с угрозами? — предположила Катя.

— Она бы Игорю Петровичу обязательно сказала, если бы такие пришли, но все равно надо смотреть, — ответил Ладейников.

Однако полковник Гущин, видимо, в «компьютерных играх» уже разочаровался.

— Ладно, смотрите, работайте. Возьмите этот агрегат к себе и изучайте. Потом доложите.

— Мы будем в приемной Игоря Петровича, — сказал Артем. — Я сейчас, пока его нет на работе, ничем не занят. Он распорядился, чтобы я вам помогал.

— Вон составишь Екатерине компанию. — Гущин прищурился. — Так когда Вавилов приедет?

— Он сказал — скоро. — Артем закрыл и забрал ноутбук.

Троица двинулась восвояси. Катя тоже покинула кабинет. На этот раз Гущину предстояло беседовать с Вавиловым с глазу на глаз.

Они должны были поговорить о конкретных уголовных делах.

Игорь Вавилов приехал в Главк через два часа. И сразу, не заходя к себе, отправился в уголовный розыск к Гущину.

А тот, едва завидев гостя в дверях, включил в ящике стола портативный диктофон.

Уголовное дело диктовало свои правила поведения.

— Извини, что опять побеспокоил в такое время, — сказал Гущин.

— Ничего. Я понимаю. — Вавилов сел напротив него.

— За Ладейникова спасибо.

— А, да, он толковый парень, смышленый. Будет помогать вам всем, чем возможно.

— Сиваков должен позвонить.

— Уже звонил. Сказал, что можно забирать тело из бюро экспертиз. — Голос Вавилова треснул. — Похороны надо готовить.

— Что ее отец, твой тесть?

Вавилов махнул рукой — а, лучше не спрашивай сейчас.

— Мы архив подняли, уголовные дела по Рождественску, — сообщил Гущин о самом главном.

— Да?

— Три дела нас особо заинтересовали, ты принимал в их раскрытии участие как раз перед тем, как перевестись. Дело прокурора Грибова, дело об изнасиловании в гостинице «Сказка» и дело об убийстве девочки Аглаи Чистяковой.

Вавилов молчал.

— Давность как раз пять-шесть лет, остальное вроде не того калибра, чтобы так вот мстить.

— А эти три, по-вашему, Федор Матвеевич, того калибра? — спросил Вавилов.

— Эти дела резонансные, оставили след в жизни города. По мне, так дело прокурора из ряда тех, за которые можно отомстить.

— Грибов сидит. Ему дали двенадцать лет.

— Я в курсе, что он сидит, — ответил Гущин. — Что сам-то скажешь, какие у тебя версии?

— Я не знаю, я голову сломал. Все думаю об этом. Эти дела да, резонансные и, пожалуй, самые громкие из тех, что были у меня за всю мою жизнь в уголовном розыске. Но там некому...

— Что некому?

— Просто некому мне мстить. Грибов, повторяю, сидит.

— У прокурора сын остался, — заметил Гущин. — Ты что, правда его хорошо знал?

Вавилов кивнул.

— Умный парень. Окончил юрфак, его приняли в коллегию адвокатов.

— Ну, Грибов, конечно, поспособствовал этому, — сказал Гущин. — Он ведь считался твоим учителем, да?

— Алексей... Тихонович сделал для меня много хорошего, — выдавил Вавилов. — Я... так сожалею, что все с ним вот так вышло.

— Что он взял взятку?

— Суд его виновным признал. Да что суд — он с поличным ведь попался. Эти... из отдела по борьбе с коррупцией из министерства... Они там все без сучка без задоринки задокументировали и доказали. С самого начала вели — того бизнесмена-фабриканта подставили, деньги пометили. Они всю эту операцию вели с самого начала. Алексей Тихонович нарушил закон... Что я мог сделать в такой ситуации?

— Министерские сами тебя попросили в операции по задержанию участвовать?

— Да. Явились вечером под конец рабочего дня. Я перед фактом был поставлен. Мы Грибова прямо в кабинете задержали. Он деньги еще не успел в сейф положить.

— Сейчас вроде как на подставные счета все переводят, — хмыкнул Гущин. — Всю мзду.

— А там обставили все так, чтобы задержать его с поличным. Я не знаю, может, они счеты с Грибовым сводили. Но он же взял эти деньги у владельца фабрики! Там речь шла о возбуждении или невозбуждении дела за нарушение правил техники безопасности и бесконтрольные выбросы. Он взял взятку. Это доказанный факт. Его осудили. Что я мог в этой ситуации?

— А это правда, что ты не позволил сыну... кстати, как его зовут?

— Тоже Алексей, Алешка.

— Ты ему не позволил проститься с отцом, когда того увозили... куда? В Матросскую Тишину или в Лефортово?

— Я не знаю. Эти из управления по борьбе с коррупцией, думаешь, передо мной отчитывались? Я обязан был участвовать в операции по задержанию как начальник розыска, как представитель правоохранительных органов района. Алешке я не мог дать в тот момент свидания с отцом, не в моей то было компетенции.

— Так, я понял твою точку зрения на это дело, — кивнул Гущин. — А убийство школьницы?

— Это было примерно месяцев за десять перед арестом Грибова.

— Вы вместе его раскрывали?

— Вместе.

— Ну и что там?

— Эта девочка, Аглая Чистякова, училась в девятом классе. Ее нашли недалеко от школы и спортивной площадки — в парке. Труп был спрятан за трансформаторной будкой в яме. Ей размозжили голову.

— Дело так и осталось нераскрытым?

— Я делал все, что мог, я арестовал подозреваемую.

— Завуча школы?

— Некую Грачковскую Наталью, но данные были косвенные, у нее с девочкой был давний конфликт на почве учебы. Свидетели подтвердили несколько случаев прямого конфликта на уроках. И при осмотре тела, и во время судебно-медицинской экспертизы мы с Грибовым... — тут Вавилов запнулся, — да, мы же вместе тогда работали и со следователем... мы обнаружили один косвенный факт того, что это убийство могла совершить именно женщина.

— И что же не доказали вину учительницы?

— Я настоял, чтобы ее сразу арестовали. Следователь ходатайствовал перед судьей. Она просидела три месяца под стражей. Судья посчитал потом, что мы так и не собрали веских доказательств ее вины. Там по части биологической экспертизы полный швах был, орудия убийства мы так и не нашли. На одних косвенных данных обвинение не предъявишь. Грачковскую выпустили, дело потом приостановили.

— Висяк, значит?

— На тот момент я уверен был, что Грачковская убила Аглаю. Я просто не смог этого доказать.

— У девочки есть отец? — спросил Гущин.

— Нет, она росла без отца.

— А мать?

— Она покончила с собой, не дождалась даже сорока дней — повесилась. И брата у девочки нет. И вообще даже если бы ее мать была сейчас жива, за что ей мстить мне? Я с ней встречался, беседовал, я делал все, что мог, чтобы найти убийцу ее дочери.

— А учительница... завуч, она сейчас где? — поинтересовался Гущин.

— Я не знаю. Из школы ее уволили, как только мы ее арестовали. Там такой начался скандал на весь город.

— Так, ну а по поводу изнасилования в отеле «Сказка»?

Вавилов пожал плечами.

— Там вроде какая-то модель была потерпевшей? Красавица девица?

— Она не модель, у нее прозвище было Мимоза — известная в определенных кругах. Профессионалка. Эскорт для богатых клиентов.

— Проститутка, что ли?

— Факт не доказанный, если и да, то дорогая, высокого класса.

— А кто обвиняемый?

— Один мажор, некто Мазуров Павел — он в руководство консалтинговой компании входил. Они сняли отель этот наш целиком на корпоратив. Ужрались там все в ресторане. Кокаин... У Мазурова в крови следы амфетаминов экспертиза обнаружила. Он эту Мимозу избил зверски, изуродовал ей все лицо и изнасиловал в номере.

— Приревновал, что ли?

— Просто не отдавал себе отчета, что творит. Там свидетели были — его коллега по фирме и работница отеля, дежурившая в ту ночь. В номере кровища, когда он ее лупцевал. По виду не скажешь — такой приличный мужик, «белый воротничок». А с наркотиков озверел.

— Ты его лично там, в отеле, задерживал?

— Да. А потом мы с прокурором Грибовым над сбором доказательств и допросом свидетелей работали вместе. Только он, Мазуров, сейчас...

— Что он?

— Он тоже сидит. Он получил восемь лет колонии.

Полковник Гущин откинулся на спинку кресла. Версии потерпевшего... А он ведь возлагал надежды на то, что скажет ему сам Вавилов по поводу этих дел. Но версии не прояснили ничего. Лишь добавили новых загадок.

Глава 14

ЕХИДНА
И ЧЕЛОВЕК В НЕБОСКРЕБЕ

— Не делай то, что задумал. Сейчас опасно.

Это произнесла мать Павла Мазурова Алла Викторовна, внимательно изучая разложенные для гадания карты на журнальном столе.

— Или ты... уже сделал?

Павел матери не ответил. Он вошел в холл-гостиную с кухни с горячей сковородкой на подставке, где шкворчала жаренная на сале картошка.

Алла Викторовна воззрилась на сына. За те пять лет, что они провели в разлуке, многое изменилось в облике Павла и в его вкусах. Например, трудно было представить себе, чтобы он ел *вот такую картошку на сковородке*, да еще приперся с нею прямо в гостиную.

— Ты сделал? — тревожно повторила Алла Викторовна.

И снова Павел вопрос матери проигнорировал. Он жевал.

Они сидели в гостиной в креслах напротив друг друга. Во всем большом и просторном доме свет горел лишь тут, а во всех других комнатах, а их насчитывалось немало — наверху и внизу, царствовала тьма.

Это потому, что они экономили электричество. Они вообще на всем экономили.

Этот дом Павел строил для себя и, как ему тогда — много лет назад — казалось, для своей будущей семьи. Он вбухал в дом огромные деньги. Но в те времена он мог себе это позволить, потому что неплохо зарабатывал в своей консалтинговой компании.

За пять лет, проведенных в тюрьме, дом пришел в упадок. Многое из того, что планировалось отделать — ванные комнаты с джакузи, наверху бильярдную, гостевые спальни, — так и осталось неотделанным. Пустые помещения, лишенные мебели, полные сора и дохлых мух.

Деньги, накопленные на счете в банке за годы работы в компании, утекли — нет, не сквозь пальцы. На нужные вещи — на работу адвокатов, ходатайства, на всю эту уголовно-процессуальную камарилью, которую Павел ненавидел. На дом уже не хватало. И в результате в доме, оставленном на престарелую мать, все шло наперекосяк — барахлило отопление и водоснабжение, постоянно что-то отказывало, ломалось, потому что в новом доме, сразу после стройки лишившемся хозяйского глаза, просто не могло быть иначе.

Теперь уже *после тюрьмы* Павел Мазуров как мог пытался что-то починить, поправить. Но у него не было средств. Те средства, что еще имелись, были потрачены на иные дела, которым Павел Мазуров сейчас придавал первостепенное значение.

А дом... он был предоставлен сам себе.

Темный и пустой.

В нем как призрак обитала мать. Когда-то в доме вокруг нее вилась прислуга — помощницы по хозяйству, повар, садовники.

Все они за глаза называли Аллу Викторовну «старая Ехидна». Она обладала язвительным характером и какой-то особой, чисто женской проницательностью, позволявшей ей безошибочно угадывать людские слабости и другие вещи. Но пребывание сына в тюрьме ожесточило ее сердце. И Ехидна изменилась. Она обрела категоричность суждений и беспощадность.

Вот такой, лишенной сантиментов, злой, мать-Ехидна Павлу Мазурову даже нравилась.

По крайней мере она не отговаривает его...

И не осуждает...

— Они поплатятся все, да? — спросила Ехидна. — Да, сынок?

— Я поклялся, — ответил Павел, глотая картошку на сале.

— Только сейчас стало опасно, я по картам это читаю, — предупредила Ехидна. — Я задала тебе вопрос. А ты не ответил.

Павел молча доел и понес сковородку на кухню. Кухня по размерам не уступала кухне ресторана «Кисель», где царил повар Валера. Но была грязной — убраться у Павла руки не доходили. А старая Ехидна уборками по дому себя никогда не утруждала.

— Не хочешь об этом говорить — не надо, — сказала Ехидна. — Я просто тебя предупреждаю об опасности. И еще карты кое о чем мне говорят.

— О чем же, мама?

— Витошкин... он думает о тебе.

— Я в этом не сомневаюсь.

— Нет, ты не понял. — Ехидна подняла вверх худую, украшенную кольцами руку. — Он думает о тебе прямо сейчас. От него воняет страхом.

Если бы Павел Мазуров и Ехидна могли единым махом перенестись в Москва-Сити, на 28-й этаж огромного небоскреба, похожего на парус, то в свете горящих желтых настольных ламп увидели бы силуэт, застывший как на стоп-кадре у панорамного окна.

Высокий представительный мужчина лет сорока в дорогом костюме стоял спиной к письменному столу, смотрел на «огни большого города».

На мониторе компьютера «висело» сообщение, пришедшее по почте, которое мужчина только что прочел.

На столе валялся дорогой iPhon. И он звонил, звонил — мелодично и тревожно. Но мужчина не отвечал на звонок.

Мужчину звали Аркадий Борисович Витошкин. Вот уже четыре года он входил в совет директоров консалтинговой компании, занимавшей под офис целый этаж в небоскребе «Парус» Москва-Сити.

Аркадий Витошкин всегда отличался сильной волей и четким знанием того, как действовать в собственных интересах. Он редко пасовал перед трудностями, и уж никто никогда не посмел бы обозвать его трусом.

Но карты... вещие карты, разложенные старой Ехидной на пыльном столе, не лгали.

Сейчас, в эту самую минуту, Аркадий Витошкин испытывал острое тревожное чувство, близкое к панике.

Он никак не мог понять, что его так внезапно напугало — неужели это сообщение, пришедшее по электронной почте от забытой... нет, полузабытой, нет, конечно же, незабвенной личности по прозвищу Мимоза.

Мимоза — Марина Приходько, — нынешняя владелица салона красоты на Садовом кольце, а в прошлом потерпевшая по делу об изнасиловании и избиении, писала:

Я видела его вчера. Он знает мой адрес. Он что, сбежал из тюрьмы?!

Глава 15
МНОГОТОМНЫЕ ДЕЛА

— Электронная почта забита рекламными сообщениями. Она ничего не удаляла. Интернет-магазины, бутики, турагентства. Никаких писем с угрозами мы не нашли. У нее вообще небольшая личная переписка.

Артем Ладейников сказал это, не отрываясь от ноутбука Полины Вавиловой. Катя зашла в приемную Вавилова уже под конец рабочего дня — группа «К» и Артем Ладейников трудились в поте лица.

— Мы Гущину справку сейчас готовим, короткий дайджест. — Пальцы Ладейникова так и летали по клавиатуре. — Она в основном с подругами переписывалась — судя по всему, еще школьные подруги. Для общения с родителями Интернет ей не нужен. А Игорь Петрович...

— Что Игорь Петрович? — спросила Катя, с любопытством заглядывая в ноутбук.

— Ну, он тоже ей сообщений не слал. Они же муж и жена. — Артем вздохнул. — Вообще-то не очень красиво, конечно, получается.

— Ты о чем? — Катя твердо решила обращаться к парню на «ты». Возраст его двадцатилетний противоречил должности «секретарь-помощник заместителя начальника Главка».

— Что мы личные письма ее читаем. Я себя не в своей тарелке чувствую. Как Игорь Петрович на это посмотрит?

Боится шефа паренек, — подумала Катя.

— Он сам предложил, чтобы вы... ты, Артем, помогал Гущину.

— Да, но... это же личная переписка его жены.

— Убитой, — сказала Катя. — Когда происходит убийство, на многое приходится смотреть совершенно в ином свете.

— Да я это понимаю. — Артем оглянулся на своих молчаливых «хипстеров» из компьютерного отдела. — Тут вот еще что. Она... Полина Вавилова удалила свой аккаунт «ВКонтакте». Через неделю после свадьбы — тут много писем-поздравлений, а потом уведомление от Сети — что, мол, вы удалили аккаунт.

— Это, по-твоему, важно?

— Не знаю. Может, она просто не хотела, чтобы соцсети ее отвлекали от Игоря Петровича.

Катя вздохнула, оглядела большую приемную. Прежде она бывала здесь нечасто. Однако помнила, что раньше на месте Артема Ладейникова сидела полная и веселая девица по имени Юля. Тоже бойкая в обращении с компьютером и весьма острая на язык.

— Она от общения в соцсетях отказалась, а Игорь Петрович, я смотрю, свою прежнюю секретаршу-помощницу поменял, — заметила Катя.

— Это не то, что вы думаете, — сухо сказал Артем.

— А что я думаю?

— Вы подумали, что Вавилов Юлю Прохорову отсюда из приемной уволил, чтобы его молодая жена к ней не ревновала, да? Так вот вы не правы. Юля на больничном — ей лечиться еще долго. Ее машина сбила, когда она на велосипеде каталась. Мы с Игорем Петровичем ее в госпитале МВД навещали, а сейчас я ее навещаю по его просьбе. Он меня пригласил на ее место, потому что знал меня, когда я в отделе «К» работал и приходил в приемную с аналитическими справками по локальным сетям и информационному оснащению.

Включился принтер и начал распечатку документов. Один из «хипстеров» просмотрел их и передал Ладейникову, тот тоже бегло просмотрел и потом закрыл ноутбук Полины Вавиловой.

— Ну все, наш отчет для полковника готов, — сказал он, беря под мышку ноутбук. — Это вещественное доказательство мы возвращаем.

Катя вместе с ним пошла к Гущину. Что там происходит под вечер? А там было тихо, как-то слишком уж подозрительно тихо.

Никаких оперативок, звонков по мобильному. Полковник Гущин без пиджака стоял посередине кабинета и смотрел на совещательный стол, где горой громоздились уголовные дела, изъятые из архива.

Справку Артема Ладейникова, когда тот вручил ее, Гущин, правда, очень внимательно прочел. По его лицу ясно — это даже не второстепенный, а третьестепенный вопрос сейчас. Он и не ждал, что убийца станет сначала в письмах предупреждать или запугивать свою жертву.

— Дело о взятке прокурора Грибова в пяти томах, дело об изнасиловании в отеле «Сказка интернешнл» в четырех томах, приостановленное дело об убийстве Аглаи Чистяковой в четырех томах. — Гущин указал на стол. — Вот каков объем нашей с вами грядущей работы.

— Нашей? — Катя не верила своим ушам.

— По этому делу в целом будут работать две оперативные группы, это все, что я могу выделить, не оголяя другие направления и расследования. Двое фигурантов — прокурор Грибов и некто Павел Мазуров сейчас отбывают срок в колониях. Я отправлю сотрудников их допросить. Мы должны установить — где сейчас находится сын прокурора Алексей Грибов и эта бывшая завуч школы Наталья Грачковская. И установить также, кто из близких, родственников есть у осужденного Павла Мазурова. Это все поиск. Но он ничего не даст без детального изучения всего того, что в этих вот делах. — Гущин указал на стол. — Многотомная эпопея — это наше нынешнее расследование... Сотрудники розыска будут читать, изучать уголовные дела и судебные отчеты. Артем, ты...

— Да, Федор Матвеевич, — откликнулся Ладейников.

— Ты поможешь на компьютере для меня составить подробный и одновременно краткий толковый перечень... то есть список лиц — свидетелей, потерпевших, всех, кто проходил по этим трем делам, с кем контактировали как наши фигуранты, так и Вавилов.

— Подробный и одновременно краткий, это как же? — поинтересовалась Катя, обозревая непочатый край предстоящей работы.

Гущин глянул на нее сурово.

— Я сделаю, я все сделаю, Федор Матвеевич, я помогу, — быстро ввернул Артем.

— Голова вот такая будет, квадратная. — Гущин широко развел руки, показывая. — Чтобы мозги не закипели и мы окончательно во всем этом многотомье не запутались, мы должны все прочесть, изучить и упорядочить. И ты тоже будешь читать, — обернулся он к Кате. — Мне потребуется любой новый свежий нестандартный взгляд на ситуацию.

— Читать начинать прямо сейчас? — спросила Катя.

— Завтра с утра. Оба явитесь сюда, прямо ко мне. Вы оба поступаете в мое распоряжение. А с начальником Пресс-службы я уже договорился.

Глава 16
ВАВИЛОВ

Игорь Вавилов вернулся в свой дом в поселке Деево. С двери уже сняли полицейскую ленту и печати, но внутри никто не убирался.

Игорь Вавилов вернулся в свой дом из Дома на набережной, Серого дома, где проживали его тесть и теща.

Теща — всегда надменная, ухоженная дама, а сейчас распухшая от слез и растрепанная, не могла говорить, лишь рыдала. Тесть говорил, нет, он почти кричал на своего зятя: «Ты оставил ее одну! Не защитил! Мы вручили тебе нашу дочь, нашу Полю, а ты обрек ее на такую смерть! На кой черт все твои погоны и должности, если ты не смог защитить свою жену!»

Они не сказали ему прямо — убирайся вон из нашей квартиры, но это ясно читалось в их тоне: убирайся, пошел прочь, глаза б наши на тебя не глядели.

Игорь Вавилов покинул Серый дом, вышел на набережную. Возле Театра эстрады мигал огнями ресторан «Кисель». Именно здесь они с Полиной хотели отмечать годовщину своей свадьбы. Чтобы тестю и теще не ездить, только спуститься на лифте. Банкет праздничный теперь должен смениться банкетом поминальным.

У Вавилова сейчас не было физических сил всем этим заниматься.

Он приехал в Деево в свой дом, не отмытый от крови жены. Открыл входную дверь, прошел через холл — в гараж.

Включил свет.

На стене как раны зияли следы от гвоздей.

Ему не позволили присутствовать при осмотре и потом тоже, когда эксперты осторожно отделяли от стены букву «М» — заглавную в слове «Мщу».

Все, что ему осталось, — эти вот дыры от гвоздей в стене гаража.

Вавилов подошел к стене и прислонился лицом к ее холодной шершавой поверхности.

Его жена Полина все еще была здесь, ее дух не покинул дом. Вавилов вспоминал их последний вечер, их последнюю ночь. Как она расхаживала по дому в его байковой клетчатой рубашке и трусиках. Как сидела, скрестив голые ноги, в подушках на их кровати и играла на его голой груди в крестики-нолики, чертила ласковым пальчиком...

Он сильнее вжался лицом в стену гаража.

Полина возникла перед ним — как в тот самый последний раз, утром, такая сонная и смешная в их супружеской постели.

В отличие от тестя и тещи она не винила его в своей смерти. Весь этот год они прожили счастливо и в добром согласии.

И вот все закончилось.

Вавилов вспомнил, как в беседе с ним начальник Главка очень мягко, однако настойчиво попросил его пока сдать табельный пистолет.

Глава 17
ДЕЛО ОБ ИЗНАСИЛОВАНИИ.
ТОМ ПЕРВЫЙ

Когда убивают жену, всегда первым и главным подозреваемым для полицейских является ее муж. Это аксиома розыска. Попадание в «яблочко» в этом случае почти всегда девяносто процентов. Что бы там муж ни говорил на допросах, какие бы железные алиби ни выдвигал — в глазах розыска он всегда фигурант номер один.

Так было испокон веков, так будет.

Но не в этом случае. Катя поняла это из общего настроения, царившего и в Главке, и в уголовном розыске. Это дело — из разряда тех необычных, не вписывающихся в общую схему. И надо работать сразу со множеством подозреваемых.

На следующее утро она сразу отправилась к полковнику Гущину. Тот разговаривал по телефону. Сотрудники розыска разбирали со стола тома уголовных дел для изучения. Но гора на столе не уменьшалась. Катя взглянула на «корочки» — ага, утром привезли из судебного архива многотомные дела протоколов судебных заседаний по делу о взятке и изнасиловании. На столе у Гущина лежал том копий приговора прокурору Грибову. Это дело, вернее, его венец, апофеоз судебный, Гущин намеревался изучить лично.

Катя прислушалась — полковник разговаривал с председателем столичной коллегии адвокатов. Они — давние знакомые, поэтому говорили сейчас не слишком официальным тоном, скорее шушукались.

— Да брось, он просто погорел по собственной глупости... После стольких лет безупречной службы польститься...

— Нет, там очень много предложили... Большие деньги. Намного больше, чем это фигурирует в материалах дела.

Взятка, на которой его взяли с поличным, это первый взнос.

— А сын его? — спросил Гущин собеседника и включил громкую связь, чтобы Катя могла услышать эту часть разговора.

— Алексей? Мы исключили его из коллегии адвокатов сразу же. — Голос председателя — бархатный бас — наполнил кабинет. — Точнее, на следующий день, как нам стало известно об аресте его отца. Мы не можем себе позволить иметь в своих рядах таких, как он. К Грибову-младшему не было никаких претензий. Это был блестящий молодой человек, он подавал большие надежды как юрист, как адвокат. Мы его приняли сразу после МГУ, и он еще полгода стажировался в адвокатской фирме «Краузе и партнеры». Конечно, отец-прокурор поспособствовал, походатайствовал... Но откуда мы тогда знали? Как только все стало известно, мы аннулировали его адвокатскую лицензию.

— То есть сейчас он уже не адвокат? — уточнил Гущин.

— Нет, и он вряд ли уже сумеет построить карьеру в юридическом бизнесе. Не те времена сейчас, в его резюме это несмываемое клеймо. Отец сидит в тюрьме за взятку! Кто с таким адвокатом станет разговаривать в суде или в арбитраже.

— Я понимаю, а где парень сейчас?

— Понятия не имею. — Председатель замялся. — Столько лет уже прошло. Парень сгинул куда-то. Сначала слухи доходили, что он совсем опустился, с наркотиками была какая-то история. Но это сразу после суда над отцом и исключения из нашей коллегии. Где он сейчас, я не знаю. Как ни грустно, но он, несмотря на свои блестящие способности, теперь изгой в профессиональной юридической среде.

— Слышала? — спросил Гущин, закончив беседу.

Катя кивнула.

— Грибову-младшему арест отца жизнь и карьеру сломал. А Вавилов в этом аресте активно участвовал. А до этого считался учеником и другом семьи прокурора. — Гущин положил ладонь на том копий приговора. — Вот оно как в жизни-то.

— Какой из томов читать мне? — спросила Катя.

Гущин встал, пошел к совещательному столу и начал перебирать тома.

Катя предпочла бы, чтобы ей для изучения досталось дело об убийстве школьницы Аглаи Чистяковой. Ну во-первых, это все же убийство. Во-вторых, там жертва — школьница, а убийцей — подозреваемой проходила школьный завуч. И эта женщина до сих пор на свободе. Прокурор Грибов и тот насильник Павел Мазуров сидят, а завуч разгуливает по Подмосковью и...

Но тогда Вавилов не сумел доказать ее вину в убийстве. Ее выпустили после нескольких месяцев, проведенных в следственном изоляторе.

А сын прокурора тоже на свободе... Человек, которому Вавилов сломал жизнь...

— Вот это изучи. — Гущин протянул Кате увесистый том.

Она глянула — дело, судя по статьям, изнасилование и телесные повреждения средней тяжести. История, приключившаяся в отеле «Сказка интернешнл». Катя не стала спорить и просить дело Аглаи Чистяковой. У полковника Гущина свой взгляд на приоритеты.

Она вернулась к себе в Пресс-центр, включила ноутбук делать пометки и выписки. Это лишь первый том многотомной эпопеи — она пролистала, как книгу сначала, — но тут все самое важное с момента задержания насильника: осмотр места происшествия, первичные показания свидетелей, планы, схемы, фотографии, карты. Но заключений экспертиз судебно-медицинских и биологических в этом томе нет.

Катя закрыла дверь кабинета на ключ, чтобы никто не мешал — не отвлекал. И углубилась в чтение.

Лишь к концу обеденного перерыва она сделала паузу — заварила себе крепкого кофе и глянула на свои многочисленные пометки в ноутбуке.

Итак, в отеле «Сказка интернешнл» все начиналось мирно, как дорогой и эксклюзивный корпоратив для сотрудников столичной консалтинговой фирмы.

Катя тут же на планшете в Интернете нашла сайт этой организации и просмотрела контактную информацию. Судя по сайту, фирма очень успешная. Адрес — Москва-Сити, и фотографии... ого, они имеют офисы в башне Федерация и в той, что похожа на парус.

В деле тоже немало фотографий — этот отель «Сказка» модный и современный. Аквапарк впечатляет, просторные холлы. Снимки гостиничных коридоров, бара, ресторана и...

А вот и снимки номера... Тут кровь на обоях...

Этот тип Мазуров, он не только насиловал, но и бил свою жертву.

Катя начала читать показания свидетелей. Особое внимание обращала на то, кем составлены протоколы.

Она знала, что этим делом с самого начала лично занимался Игорь Вавилов — тогдашний начальник уголовного розыска Рождественска. Как отражена степень его участия тут, в процессуальных документах?

Оказалось, что все первичные допросы главных свидетелей и потерпевшей — там, на месте, в отеле, после того как полиция приехала по вызову, — составлены именно Игорем Вавиловым. Второстепенных свидетелей из числа персонала отеля допрашивали оперативники. А Вавилов допрашивал по существу тех, на чьих показаниях, в общем-то, это дело и дошло до суда.

Катя записала в отдельный файл фамилии — потерпевшая Марина Приходько. Но в некоторых показаниях сотрудники консалтинговой фирмы называют ее Мимоза. Эта Мимоза — Приходько в фирме не работала. Она — гость со стороны, приглашенная... кто же ее пригласил на уик-энд в снятый на все выходные загородный отель?

Сам обвиняемый Павел Мазуров? В первичных показаниях Катя упоминаний этого не нашла. Не нашла она и намеков на то, что Мимоза — из разряда девочек по вызову.

Зато она прочла показания бармена отеля о том, что тот за вечер пятницы и в течение субботы видел Павла Мазурова и Марину по прозвищу Мимоза вместе и они производили впечатление счастливой парочки.

Пили коктейли... шутки, смех...

Показания работников аквапарка — ого, в бассейне вечером в пятницу началась вечеринка для нудистов. Часть сотрудников консалтинговой фирмы проводили вечер там. Часть заняла джакузи.

И снова этот Павел Мазуров и Марина — Мимоза вместе, судя по показаниям персонала. Вместе в джакузи, однако оба в купальных костюмах.

Не нудисты.

Вечером в субботу «пятничного» бармена сменил его напарник. И его тоже лично допрашивал Игорь Вавилов. И вот тут Катя наткнулась на важный факт — бармен рассказал о ссоре между Мазуровым и Мариной Приходько.

«Они сначала сидели за стойкой рядом. Он уже порядочно выпил, она тоже. Она мне даже показалась в какой-то момент более пьяной. Он заказывал выпивку, а потом что-то сказал ей. И она резко ему ответила — мол, отвяжись, надоело или надоел... Я не расслышал. Затем они ушли от стойки и сели за столик. Я отвлекся. В бар набилось много народа. Потом на танцполе у бассейна заиграла музыка. И в какой-то момент я их снова увидел — этот мужчина, Мазуров, он держал девушку за руку, точнее, пытался удержать ее. А она вырвала у него свою руку резко так. И ушла в сторону танцпола».

Обычная ссора влюбленных... Но были ли они влюбленными?

Катя опять просмотрела свои заметки: тут еще два свидетеля — дежурный менеджер по этажу некто Виктория Одинцова и коллега Павла Мазурова по консалтинговой фирме Аркадий Витошкин. Но их показания относятся к гораздо более позднему времени — это то, что приключилось уже после бара и танцпола — ночью в номере на третьем этаже.

Кстати, чей это был номер?

Ага, судя по показаниям дежурной Виктории Одинцовой, номер занимала Марина Приходько.

Истошные женские крики о помощи... Звук падающих предметов...

Дежурная услышала их примерно в половине второго ночи и сразу пошла к дверям номера, начала стучать.

Ей никто не открыл, дверь оказалась заперта изнутри. А женщина кричала «помогите!». Из номера доносились сильный шум, звуки ударов.

На крики прибежал этот самый Аркадий Витошкин. Он тоже стучал в дверь, просил Павла Мазурова открыть. Значит, знал, что тот внутри с потерпевшей? Ага... вот он поясняет...

Виктория Одинцова по мобильному вызвала на третий этаж охрану. Они сначала тоже стучали, требовали открыть. А потом все вместе начали выламывать дверь номера. На шум в коридоре собралось множество клиентов отеля.

«Почти все они уже были пьяные... некоторые возвращались к себе в номера парами из аквапарка после нудистской вечеринки в одних полотенцах, женщины топлес. Их всех привлекли шум и крики. Люди же такие любопытные, думали — драка. Но там была уже не только драка, а гораздо хуже. Когда мы сломали дверь и вошли в номер, мы увидели...»

Это рассказывала дежурная по этажу Виктория Одинцова.

Катя смотрела на свои компьютерные выписки.

Да, все начиналось так весело и помпезно, а закончилось так печально и кроваво.

Кто мог подумать, что этот человек, Павел Мазуров, на такое способен?

Она обратила внимание на дату первого допроса обвиняемого — Игорь Вавилов допросил его лично, но не в ту ночь и не там, в отеле. А лишь под вечер следующего дня и уже в следственном изоляторе Рождественска.

Его сразу задержали, но допрос отложили.

Катя выписала для себя телефоны и адреса главных свидетелей и потерпевшей. Ни сам Мазуров, ни Мимоза, ни свидетель Аркадий Витошкин в Рождественске не проживали.

А вот Виктория Одинцова была местной жительницей.

Глава 18

«ЕДВА НЕ СОЗНАЛАСЬ ТОГДА...»

В этот день работы прибавилось — помимо уборки туалетов менеджер по эксплуатации помещений торгового центра распорядился, чтобы Наталья Грачковская заменила «на пылесосе» уборщицу из числа гастарбайтеров, которая внезапно уволилась.

По этажу торгового центра мимо стеклянных лифтов и витрин ползал пылесос-мини-автокар, одновременно чистивший и полировавший мраморный пол специальными щетками. А вот внутри магазинов и бутиков надо было убираться с помощью обычного моющего пылесоса — перед самым открытием торгового центра.

Наталья Грачковская трудолюбиво пылесосила пол в бутике «Мир в кровати», где продавали постельное белье «де люкс», и прислушивалась к тому, о чем говорят продавщицы и управляющий, проверяющий на рецепции по компьютеру продажи и поступившие в магазин заказы.

Клиентами этого бутика были небедные люди. Порой они выбирали постельное белье просто по каталогу, и магазин делал заказы за рубежом — доставка в течение двух недель. Постельное белье прямо с фабрик Италии и Испании — натуральный шелк, чистый лен, жаккард, вышивка, покрывала в тон и декоративные подушки.

— Заказ номер 22985... В процессе формирования... заказ 22901... А что с этим заказом? Почему возврат в магазин?

— Это из экопоселка в Дееве клиенты, ну, те самые...

— А что с ними не так?

— Мы задержали доставку, там были трудности с таможней, в результате курьер приехал с опозданием в три дня, а там...

— Что там? Что у вас такие лица? — нетерпеливо спросил управляющий. — Почему заказ не доставлен клиентам?

— Это тот самый дом в экопоселке, где женщину зверски убили.

— Нашу клиентку?

— Они приходили сюда в магазин несколько раз — она с мужем. Такая молодая, а муж видный такой, на спортсмена похож. Я сама живу в Агутине, это две остановки на автобусе от экопоселка, так у нас об этом убийстве только и говорят. Что-то ужасное там приключилось — полиции нагнали! Дом был опечатан, когда курьер туда приехал. Соваться не стал — мало ли что.

— Убийство? — управляющий пожал плечами. — Это все, конечно, прискорбно, но что нам делать с заказом, он ведь оплачен. Попытайтесь связаться с ними по телефону.

— На тот свет, что ли, звонить? — тихо, без тени юмора спросила продавщица.

Наталья Грачковская — бывший завуч и учительница географии школы в Рождественске — тихо как мышь трудилась среди стеллажей и вида не подавала, что прислушивается к беседе.

О да, этот огромный торговый центр на федеральном шоссе — в здешних местах он как магнит притягивает людей.

И его тоже...

Она увидела ЕГО здесь, в этом самом бутике постельного белья. Вавилов... Игорь Вавилов — начальник уголовного розыска, который допрашивал ее по тому делу.

Он не узнал ее. Возможно, если бы они встретились лицом к лицу, он бы вспомнил, узнал. Но... так вышло, что здесь, в торговом центре, Наталья Грачковская узрела и узнала его первой. И как легавая собака, почуявшая зверя, пошла за ним следом.

Важный такой, сытый, здоровый и с молодой женой...

Дорогая замшевая куртка на нем была и джинсы. А его пассия... нет, жена щеголяла в джинсах «в облипку» и розовой куртке. Они совершали «свой шопинг», и он был весь обвешен бумажными сумками и пакетами с покупками.

Наталья Грачковская в своем синем рабочем комбинезоне, в резиновых перчатках и со шваброй наблюдала, как Вавилов с женой зашли в бутик постельного белья.

За эти пять лет он изменился. Он лучился благополучием.

Она вспомнила его там, в прокуренном вонючем кабинете уголовного розыска, где он допрашивал ее часами.

Она ведь едва не созналась ему во всем...

Она уже была готова сознаться!

Вся ее воля, вся ее решительность, вся ее душа словно источнились, иссякли под действием этих многочасовых изматывающих допросов, угроз.

У Игоря Вавилова, несомненно, был дар «ломать подследственных». Он делал это без побоев — по крайней мере ее он не бил и не пытал, других... кто знает?

Он обладал сильной волей, он не верил ее словам, он гнул свою линию на тех допросах, разбивая как тараном все ее возражения, доводы.

Все сокрушая на своем пути, втаптывая ее в такую грязь...

Она едва не созналась ему во всем на одном из допросов. Ее спасло... кто знает, что ее спасло?

Нет, спасением это тоже нельзя назвать. Потому что когда она, как ей казалось, выпуталась из того кошмара, когда ее освободили из-под стражи и отпустили домой, прекратили дело за недоказанностью, ничего, абсолютно ничего не закончилось.

Начался ад.

И Вавилов был краеугольным камнем, столпом этого ада.

А теперь... ну что ж, роли поменялись. Пять лет потребовалось для этого, но роли поменялись!

Теперь он сам в аду.

Будь он проклят.

Наталья Грачковская подбоченилась и оглядела бутик постельного белья. Мраморный пол сверкал чистотой.

Она не строила для себя иллюзий — все, что случилось, это лишь начало. Надо быть готовой. Надо собрать всю свою волю в кулак.

Жизнь в сортире закалила ее характер. А месяцы в тюрьме наделили даром предвидения.

Полиция снова придет к ней. Они так устроены — эти полицейские, эти легавые псы.

Она вспомнила лицо Игоря Вавилова — тогда, во время допросов, когда он выяснял у нее все об этой девчонке из девятого класса, об Аглае...

Он все пытался поймать ее на противоречиях в показаниях.

Интересно, сейчас он тоже думает о *противоречии*? Ведь как-то это совсем нелогично.

То, что он жив, а убили почему-то его жену.

Только вечером Катя решила вернуть дело — первый том. Пошла к Гущину, захватив с собой и флешку со своими заметками, и распечатку этих самых заметок на бумаге. Полковник Гущин плохо воспринимал электронный текст на экране ноутбука. Точнее, он сам лично в одиночку ноутбуком вообще никогда не пользовался. Предпочитал по старинке «шуршать страницами документов».

— Изучила, — оповестила Катя Гущина, кладя первый том на стол. — Этот Павел Мазуров — просто дикий зверь. Избил девушку, изнасиловал, фактически надругался по полной. В общем, из того, что я тут в деле прочла, вполне можно сделать вывод, что это он Вавилову отомстил вот таким чудовищным способом. Это вполне совместимо с картиной изнасилования, как он над Мариной Приходько — Мимозой издевался в номере при закрытых дверях. Только он ведь сидит сейчас. Не мог он убить жену Вавилова.

— А что он сам показал на допросе Вавилову? — спросил Гущин, листая Катину распечатку.

— Вавилов допрашивал Павла Мазурова не в отеле «Сказка» и не в ту ночь, а днем позже и уже в ОВД «Рождественский».

— И что тот показал?

— Сказал, что он ничего не помнит. И что он ничего не делал, невиновен, мол. Федор Матвеевич, там два свидетеля: Виктория Одинцова — менеджер по этажу, дежурившая в ту ночь, она первой крики из номера услышала, и Аркадий Витошкин, коллега Мазурова по фирме, он на шум прибежал. Они в дверь стучали, пока он ее там... ну вы понимаете. Эти двое свидетелей вызвали охрану и потом дверь сломали в номер, а там такой бардак. Эта Приходько — Мимоза вся избитая, лицо он ей повредил. Она сопротивлялась и ударила его бутылкой по голове. Кстати, я хочу том с экспертизами посмотреть.

— Как раз второй том этому посвящен. — Гущин кивнул подбородком на кипу дел.

— Его на месте преступления застали с поличным, а он отрицал все на допросе, — сказала Катя. — Только в первом томе лишь один протокол допроса Вавиловым Мазурова. Они ведь и после беседовали. Что в протоколах в других томах? И в суде? Что было в суде? Мазуров признался в конце концов? Ему ведь солидный срок дали.

— Там же все очевидно. — Гущин снял очки. — Я людей посылаю в командировку в колонии — в Мордовию и в Читу. Допросят прокурора Грибова и этого насильника.

— Но это, получается, для проформы? Они ведь оба к убийству Полины непричастны, — сказала Катя осторожно. — А сына Грибова вы будете допрашивать?

— Его сначала надо отыскать.

Словно подслушав их, в дверь постучали, и вошли два сотрудника с бумагами.

— Федор Матвеевич, командировку подпишите. Билеты уже заказали. Завтра вылетаем.

Гущин снова водрузил очки на нос и начал подписывать.

— Чита — не курорт для прокурора, — резюмировал он, — а Мордовия не Канары — нары для бывшего топ-менеджера консалтинговой компании, так что...

— Поездку в Мордовию можно отменить, Федор Матвеевич, — оповестил еще один сотрудник розыска, появившийся в кабинете с какой-то справкой-распечаткой.

— То есть?

— Павел Мазуров покинул колонию пять месяцев назад. Я только что получил ответ на запрос из федеральной службы исполнения наказаний.

— То есть как покинул? Сбежал?

— Нет. Освобожден условно-досрочно по отбытии двух третей срока — ему дали восемь, а с зачетом того, что он отсидел на следствии и в колонии — как раз получается. Он попал под амнистию.

— Совершивший изнасилование попал под амнистию?

— Видимо, адвокаты очень постарались, сделали свое дело. Он освобожден условно-досрочно с обязательством по трудоустройству и с установленным законом надзором за этой категорией осужденных.

— Москва за ним надзирает, он же в Москве проживает. А работа... он что, снова вернулся в свою консалтинговую фирму?

— Нет, судя по справке ФСИН, он сейчас работает в кайтеринговой компании по обслуживанию ресторанов, развозит продукты на машине. В деле о надзоре все подробно указано — адрес, должность, фактически он разнорабочий. Устроился, видно, туда, где место нашел. Иначе ведь с надзором проблема, могут и отменить условно-досрочное. Он проживает сейчас по тому же адресу, что и пять лет назад, — владеет домом в районе Северного речного порта, вместе с ним прописана его мать семидесяти двух лет. Жены, своей семьи у Павла Мазурова нет.

— Пять месяцев, значит, как он на свободе. — Полковник Гущин откинулся на спинку кресла. — Это новость.

Катя ждала — вот он сейчас прикажет: а везите его ко мне сюда на допрос, пока не очухался!

Но полковник Гущин этого не повелел. Он вообще ничего не велел, он размышлял.

— Ладно, это новость, — повторил он, — это надо обдумать. Завтра мы...

— Мы никуда не летим? — спросили оперативники.

— Вы летите в Читу. Надеюсь, Грибов-то, прокурор, сидит? Вы допросите его. А мы... соберемся у меня здесь утром в девять. Снова поедем в Рождественск. У нас там сейчас работы — непочатый край.

Глава 20
СВИДЕТЕЛИ

Катя смотрела на клочок синего апрельского неба в прогалине между серых зданий — они ждали полковника Гущина во внутреннем дворе Главка. Время девять утра — пора выезжать в Рождественск.

Отправлялось сразу две машины — машина полковника Гущина и машина оперативников. Катя увидела среди оперативников Артема Ладейникова. Парень теперь — официально «приданные силы».

— Привет, — поздоровалась с ним Катя, — есть новости от Вавилова?

— Я звонил ему вчера. Завтра похороны. — Артем Ладейников был мрачен. — Можно спросить вас, Катя?

— Да, конечно.

— Гущин — он хороший сыщик?

— Лучший в области.

— Лучше Вавилова? — спросил Артем. — Он это дело осилит, как вы считаете?

— Я надеюсь.

— Я с Игорем Петровичем вчера разговаривал — то ли похороны, то ли еще что, но он совсем духом пал, по-моему. Он в какой-то апатии. В прострации.

— Он до сих пор в шоке.

— Вот поэтому я на Гущина больше надеюсь. Что он раскроет убийство. Ведь это так важно, чтобы истина восторжествовала.

Катя смотрела на него — паренек говорил лозунгами и, кажется, верил в сказанное. Молодость, молодость...

— Надо, чтобы убийцу нашли. Надо понять, за что он мстит. Мы вчера с ребятами из розыска все дела читали, я дайджест для Гущина на компьютере составил. Там просто голова кругом. Ничего не понятно. И меня сомнение берет — если Вавилов в прострации, то хоть Гущин-то разберется во всем?

Катя кивнула. Она не хотела давать Артему пустых обещаний. Она сама пока ничего не понимала. Она даже толком не знала, что на уме у Гущина, зачем они едут в Рождественск? Если к этому его подхлестнула новость о том, что насильника Павла Мазурова выпустили из колонии, то... Мазуров-то как раз в Рождественске и не проживает.

Полковник Гущин появился во внутреннем дворе с папкой под мышкой. Поздоровался с опергруппой. Кивнул Кате — поедешь со мной. Артем Ладейников сел в машину вместе с оперативниками, с которыми уже успел подружиться. И они отправились в Рождественск.

В этот раз Катя смотрела на дорогу и отметила, что Рождественск совсем недалеко от Москвы. В общем-то он ничем не отличается от самого обычного подмосковного города. Никаких достопримечательностей.

Они заехали сначала в Рождественский ОВД. Полковника Гущина встречал начальник ОВД, они тихо что-то обсуждали, отойдя в сторонку от машин. Затем Гущин велел оперативникам вместе с Артемом Ладейниковым ехать по нескольким адресам и поговорить с...

— С кем вы их беседовать отправили? — спросила Катя, когда они остались одни.

— С людьми, которые хорошо знали прокурора Грибова и которые живут в Рождественске. Тут и родственники дальние, и сотрудники прокуратуры, его бывшие подчиненные, и депутаты городского собрания, и просто его бывшие друзья-приятели. Нам надо найти его сына Алексея. Вообще узнать как и что.

— А мы с вами куда?

— А мы с тобой сначала навестим двадцатую школу.

— Школу? — переспросила Катя. — Это по делу той убитой девочки?

— Ее звали Аглая, фамилия Чистякова.

— Я помню, правда, дела ее не читала. Вы не дали мне, — с обидой заметила Катя. — Вообще я никак привыкнуть не могу.

— К чему?

— К тому, что мы теперь все время перескакиваем с дела на дело, с одного круга лиц на другой. Вот только что о прокуроре Грибове речь шла, а вы хотите уже по делу убитой школьницы работать. А вчера к тому же стало известно, что Павел Мазуров выпущен из колонии. Если бы это были все фигуранты одного дела, тогда ладно. Но это люди из разных криминальных историй, из разных преступлений. Они никак друг с другом не связаны, а вы хотите...

— В этом ты не права.

— В чем?

— Что связи нет. Связь есть, и она четкая — все эти дела раскрывал или пытался раскрыть Вавилов. — Гущин назвал своему шоферу адрес школы, который прочел в списке из своей папки. — Пусть эти дела между собой не связаны, но зато связаны с ним. Так что привыкай. Эта чехарда теперь будет у нас постоянно. Эх, спасибо Артему, толковый перечень для меня составил, подробный, из того, что они вчера из дел выудили. Так что наметил я для себя троих свидетелей тут, в Рождественске. В школу едем мы сначала потому, что сейчас там как раз уроки и на месте все, кто нам нужен. А потом будет еще свидетельница, и ты сама ее для меня допросишь.

Катя пожала плечами — полковник Гущин в своем репертуаре.

— А почему для начала сразу не вызвать и не допросить не каких-то там свидетелей, а самих подозреваемых? Наталью Грачковскую, Павла Мазурова? — спросила она.

— Ну вызову я их. И что спрошу? Не вы зарезали жену бывшего начальника уголовного розыска? Не вы оставили ту жуткую картинку на стене? Они скажут — нет, что вы, это не мы. И что дальше?

— А может, тут как раз и лучше действовать грубо, без промедления, — гнула свое Катя. — Дать им понять, что мы в курсе, что мы их подозреваем. И сына прокурора тоже — вызвать и... поставить перед фактом.

— Без доказательств? Это значит запороть дело в самом начале.

— А вы не задумывались, Федор Матвеевич, что жена Вавилова — это лишь первая жертва, — сказала Катя. — Цель-то ведь все равно у убийцы-мстителя сам Вавилов. Это очевидно. Так всегда по такой вот категории дел. Сейчас убийца ударил его по самому больному. Но он не успокоится до тех пор, пока... Вон Артем Ладейников сейчас мне сказал — мол, Вавилов в прострации. Это потому, что он профи и прекрасно понимает: следующая жертва убийцы — он сам, над ним топор занесен. Пусть грубыми методами, но мы хотя бы попытаемся предотвратить... то есть остановить...

— Такого, кто руки пилой отрезает и гвоздями к стене прибивает в форме буквы, не остановишь допросом-пустышкой, — ответил Гущин. — Ты вспомни тот гараж. Там все методично было сделано. Убийца не проявлял ни паники, ни торопливости — он действовал. Как мясник — да, но и как художник...

— Как художник?!

— Как мститель. Месть — холодное блюдо. Там все в этом гараже яростью дышало. Но ярость тоже была холодной. А по поводу Вавилова я вот что скажу — да, он профи. Он прекрасно все понимает. Он сумеет за себя постоять. А мы должны установить, с какой стороны ждать ему удара. Какое дело из трех выстрелит. Сам Вавилов уверен был, что ему некому мстить. А жена его мертва.

Катя умолкла. Старика Гущина не переспоришь. Хотя, конечно, он прав. Хуже нет — забегать вперед без фактов и доказательств. Какие факты он намерен найти тут, в городке?

Они остановились возле ограды школы. Катя созерцала комплекс зданий, выкрашенных в розовый цвет. Здания не новые, но явно пережившие недавний ремонт. Два корпуса школы, соединенные стеклянным переходом. На первом этаже одного из корпусов — спортивный зал. Спортивная площадка с небольшим футбольным полем, покрытым искусственной травой, сейчас пуста. В школе идут уроки. До перемены далеко.

Гущин показал шоферу ехать прямо — и они медленно обогнули территорию школы, огороженную забором. За школой сразу начинался городской парк. Катя увидела детскую площадку. Там гуляли мамы с колясками, на песчаных дорожках резвились карапузы.

Утро выдалось погожим и солнечным. Полковник Гущин вышел из машины, Катя последовала за ним. Они прошли мимо детской площадки и углубились в парк. Впереди Катя увидела школьную ограду, заросли кустов и какое-то строение, все изрисованное граффити.

Строение — что-то техническое, похожее на большую трансформаторную будку, — располагалось примерно в десяти метрах от школьного забора. Нельзя было назвать это место безлюдным, потому что и двор школы, и детская площадка были видны сквозь разросшиеся кусты. Тем более сейчас — в апреле, когда зеленый пух только-только тронул лопнувшие почки.

Но если зайти за будку, то...

Гущин шагнул. Остановился. Открыл папку и сверился с какой-то фотографией. Катя заглянула через его плечо и...

Она поняла, что они на месте убийства Аглаи Чистяковой.

Так близко от школы! В двух шагах!

Кусты, стена трансформаторной будки, забор — они очутились словно в узкой щели.

— Тут на снимке еще траншея, — сказал Гущин. — Пять лет назад здесь меняли трубы, и со стороны парка, детской площадки сюда почти никто не ходил. Там поставили деревянные мостки через траншеи, но все их избегали. А со стороны школы сюда пройти можно было через калитку — вон она, в пятидесяти метрах. Калитку потом заварили.

— Аглаю нашли здесь? — спросила Катя.

— Здесь, за будкой. Октябрь... тут уже все было усыпано палой листвой, лето тогда выдалось жарким. Да и осень не холодной. Аглаю мать хватилась только через два дня.

— Сразу на учительницу подумали, потому что так близко от школы труп нашли? — спросила Катя.

— Мы сейчас поговорим с главными свидетелями по тому делу. — Гущин осматривал трансформаторную будку, щель, даже сейчас, весной, засыпанную прошлогодней листвой. — В деле есть упоминание, что подростки ходили сюда курить тайком через калитку. Но Аглая Чистякова в курении никогда замечена не была.

Они пешком пошли обратно к школьным воротам. Через четверть часа они уже поднимались по школьному крыльцу. В вестибюле сидела женщина-охранник. Она поднялась, увидев удостоверение полковника Гущина.

— Мы к директору школы, — сказал Гущин.

— Вера Григорьевна предупредила, она вас ждет. Директорская на втором этаже.

Катя поняла, что Гущин договорился о посещении школы накануне вечером. Они поднялись по лестнице. В школе шли уроки. В коридорах стояла тишина. Директриса уже ждала их в дверях кабинета — видимо, ее оповестила охранница по рации.

Катя оглядывала этаж: и здесь все тоже дышало новизной, ремонтом — от стеклопакетов на окнах до матовых плафонов под потолком.

Директриса Вера Григорьевна — дама средних лет в строгом костюме (правда, цвет ярковат — малиновый) — по виду типичный педагог старой закалки.

— Вы из полиции?

— Полковник Федор Матвеевич Гущин, ГУВД Московской области. А это вот моя коллега.

— Я поняла из нашего с вами вчерашнего телефонного разговора, что это не какое-то новое происшествие с нашими учениками, — тут директриса, пропуская их в кабинет, тихонько постучала костяшками пальцев по деревянной дверной раме, отгоняя дурные силы, — а та старая трагическая история...

— Убийство вашей ученицы Аглаи Чистяковой.

— Проходите, садитесь. — Директриса указала на кожаный диван и кресла у окна в углу просторного кабинета — помещение чем-то напоминало кабинет Гущина с письменным столом, вторым столом — длинным, совещательным, и таким вот «приватным» диванным уголком. — Но там ведь вроде как все ясно.

— Уголовное дело по убийству приостановлено.

— Не сумели доказать! Не сумели доказать. — Суеверная директриса (вот тебе и старая закалка) понизила свой командирский голос.

— У нас к вам несколько вопросов, Вера Григорьевна.

— Да, пожалуйста. Правда, много времени прошло. Но для нас это все равно ужасная трагедия — для школы, для коллектива учителей. Это до сих пор как открытая рана — саднит. Дает знать.

— Смерть девочки?

— Да, смерть Аглаи. Но и то, что с нами бок о бок работала ее убийца. Это такой позор для школы, такой минус по всем показателям.

— Минус по показателям?

— Наша школа считалась одной из лучших в Подмосковье. У нас сильные учителя, к нам учеников привозят родители даже из соседних районов. У нас высокий процент поступления наших выпускников в высшие учебные заведения. Мы всегда держали планку высоко. А тут вдруг такой позор — нашу учительницу, завуча школы, обвиняют в убийстве! Это черное пятно. Эта история всплывает постоянно. Родители некоторых учеников — весьма состоятельные люди, так вот они... сразу после той истории детей перевели от нас в другие школы. Так родители пожелали. Все пять лет мы неустанно боремся за восстановление нашей репутации и...

— Я так понял, что Наталья Грачковская больше в школе не работает, — перебил эти излияния Гущин.

— Что вы — нет, как можно! Мы уволили ее... мы сразу же отказались от контракта, как только за ней приехали полицейские.

— Что, ее арестовали тут, прямо в школе?

— Полиция пришла в школу сразу, как только тело Аглаи нашли там, за оградой, в парке. Наталью Грачковскую через два дня увезли в полицию прямо с уроков.

— Вавилов Игорь Петрович — тогдашний начальник уголовного розыска?

— Я знаю его хорошо и знала раньше, он давно работал в городе, мы встречались в администрации. Да, он руководил работой полиции, и расследование вел он — беседовал и со мной, и с учителями.

— В школе в адрес вашего завуча Грачковской высказывались какие-то подозрения?

— Вавилов меня расспрашивал и моих коллег — очень подробно и обстоятельно. Мы не хотели ничего скрывать — такой ужас, убийство подростка! Мы были максимально открыты и делились...

— Подозрениями?

На завуча Грачковскую дали показания ее коллеги, — подумала Катя. — *Что же произошло в школе?*

— Вавилов объяснял мне, что Аглая была убита, видимо, в припадке сильного гнева кем-то... Кто-то очень рассердился на девочку. Ее ударили по голове чем-то тяжелым. Они, правда, так и не нашли этот предмет. Но там ведь парк — много деревьев, это мог быть сук, поднятый с земли. К тому же тогда рядом с трансформаторной будкой клали трубы — где ремонт, там всегда железяки разные. Она просто могла что-то поднять с земли и ударить...

— Она? Наталья Грачковская? Я знаю подробности дела, но хотел бы еще раз услышать от вас, Вера Григорьевна, как от директора школы — что, между завучем и Аглаей Чистяковой был конфликт?

— Да, к сожалению, конфликт. И это длилось не один год. Это началось почти сразу, как Аглая перешла к нам, в двадцатую школу, из своей прежней школы в Заводском.

— А что с родителями девочки? — спросил Гущин.

— Она росла без отца. Насколько я знаю, там отца никогда не было, ее мать не получала алименты. Ее мать была художницей. Знаете, такие — от слова «худо». Она подрабатывала как дизайнер. Аглая росла в не слишком комфортных условиях.

— То есть?

— Мать вела богемную жизнь. Вечеринки, пьянки, поездки к друзьям, мужчины, загулы. Она ведь дочери хватилась только через два дня, когда приехала с выходных, с очередного богемного загула. Они вечно нуждались в деньгах. Я это знаю, потому что мы иногда собираем плату с родителей на школьные нужды. Так вот у матери Аглаи с этим всегда были проблемы — денег в семье не водилось.

Катя представила себе картину — типичная неблагополучная семья, безотцовщина, безденежье. И при этом конфликт с учительницей. Такие конфликты часты и банальны — девочки из неблагополучных семей рано узнают изнанку жизни. Рваные джинсы, черные колготки, яркие замызганные куртки, грубая косметика, курение в тайном месте за забором школы — как раз там, в этой «щели» за трансформаторной будкой среди кустов. А тут еще богемная, безалаберная жизнь матери — дурной пример заразителен. Учительницы таких учениц обычно недолюбливают... Классический случай.

— Ее мать покончила с собой, — произнесла директриса после паузы. — Господи, если бы мы только знали, как страшно все закончится. Мы бы никогда... и денег бы никаких с них школа не просила, и вообще... Такая боль вот здесь, как вспомнишь все. — Она положила руку на сердце. — Ее мать повесилась через месяц. Винила, видимо, себя очень сильно, что не уделяла Аглае должного внимания.

— Что, завуч Наталья Грачковская не одобряла поведения Аглаи? Девочка плохо училась? Дурно влияла на сверстниц? — спросил Гущин.

Директриса окинула его взглядом.

— Вот и Вавилов меня об этом тогда спрашивал. Вы все же мыслите стереотипами — раз ребенок из неблагополучной семьи, так сразу и плохая успеваемость. Нет, тут вы не правы. Аглая училась прекрасно. Она была отличницей. Выказывала блестящие способности, особенно в алгебре, геометрии, физике. Думаете, почему ее перевели к нам сюда из школы в Заводском? Потому что департамент образования это предложил в порядке поощрения — у нас сильный математический блок, наши дети принимают участие в олимпиадах МГУ и МИФИ. Аглая даже на этом фоне выделялась — она действительно имела блестящие математические способности. Хуже ей давались гуманитарные науки — литература, история. Ей это было просто не особо интересно.

Вот тебе на, — подумала Катя. — *Что значит не читать дело, сразу в голову лезет стереотип. Аглая Чистякова, ученица девятого класса, вундеркинд математики...*

— Раз она училась хорошо, на какой же почве возник конфликт с Натальей Грачковской? — спросил Гущин.

— К сожалению, именно на почве учебы, — ответила директриса. — Аглая пришла к нам в середине седьмого класса. Наталья Грачковская как раз в том году получила звание — лучший преподаватель. Она вела географию у старшеклассников. География — отдельный предмет, она не особо связана в школьной программе с математикой, понимаете? Там своя программа. А Аглая, она все старалась переиначить под себя. Она порой задавала Грачковской сложные вопросы, не относящиеся к теме урока, она делала математические расчеты. Грачковская — не математик, она хорошо знает свой предмет. И... понимаете, когда ученик с блестящими способностями пытается выставить учителя перед всем классом безграмотной дурой, то, естественно, возникает напряжение. Конфликт.

— Вы говорите, их неприязненные отношения длились не один год?

— Восьмой класс... Тогда возник конфликт из-за работ для олимпиады. Аглая участвовала в математической университетской олимпиаде и имела диплом, но она хотела участвовать и в олимпиаде на географическом факультете МГУ. Однако сначала надо было пройти фильтр тут в районе — на олимпиаде городской. Так вот, что-то в ее работе Наталье Грачковской не понравилось. И она отдала предпочтение не Аглае, а другому ученику для участия в олимпиаде.

— А непосредственно перед убийством?

— Ну, тогда ведь учебный год только начался. Это было в начале октября. Это были первые уроки географии. Там возник громкий спор... нет, скандал на уроке. И Грачковская выгнала Аглаю в коридор. Я с этим разбиралась.

— И что произошло?

— Ох, сейчас вспомнить даже странно — из-за такой ерунды. Какие-то магнитные поля...

— Магнитные поля?

Катя слушала очень внимательно. Картина, нарисованная директором школы, разительно отличалась от тех быстрых и спонтанных выводов, которые она сделала, не читая материалы уголовного дела. Никогда нельзя забегать вперед!

— Это был, если хотите знать, подвох, подначка со стороны девочки... Так тоже вести себя было нельзя, унижать Грачковскую при всем классе. Но, видно, Аглая не могла смириться с тем, что ей «запороли» участие в олимпиаде по географии, это же дополнительные баллы, вы понимаете. Даже летние каникулы ее недовольства не остудили. Она, как бы это поточнее выразиться, испытывала к учительнице сильную неприязнь. Она была обижена. На уроке она начала задавать вопросы о магнитных полях. Понимаете, это вообще не тема урока на тот момент. Якобы она сделала какие-то математические расчеты о сетке магнитных полей и начала рассказывать о результатах этих своих математических выкладок. Грачковская попросила ее замолчать. Но девочка не унималась. Она тратила время на себя. Тратила время других учеников. И Грачковская приказала ей покинуть класс. Аглая отказалась. И это вылилось в конфликт — Грачковская выгнала ее из класса, а Аглая наговорила ей грубостей. Мне пришлось с этим разбираться. Я даже планировала вызвать мать Аглаи, поговорить.

— Когда произошла ссора?

— В четверг. В пятницу Аглая присутствовала на уроках. У них не было в расписании урока географии. Наталья Грачковская вела свой предмет в других классах. Как я понимаю, в пятницу Аглая пропала, не пришла домой. Но мать хватилась ее лишь в воскресенье, когда вернулась из поездки. Она заявила в полицию. И те сразу приехали к нам в школу. Расспрашивали всех и, видимо, осматривали парк. А потом тело Аглаи нашли там, за будкой, недалеко от забора.

— А кто-то видел Наталью Грачковкую рядом с Аглаей в пятницу? — уточнил Гущин.

— Наш преподаватель химии Евгений Маркович Белкин.

В эту минуту резко и громко прозвенел звонок, и почти сразу же школа — там, за дверями директорского кабинета, — наполнилась веселым шумом, смехом, визгом детей.

— Мы бы хотели и с ним побеседовать тоже.

— Да, вы же предупредили вчера. — Директриса кивнула. — Я сейчас позову Евгения Марковича. Он уделит вам свое время до следующего урока.

— А это правда, что Белкин, скажем так, был дружен, близок с Натальей Грачковской? — спросил Гущин.

Директриса наградила его долгим взглядом.

— Лучше, если вы расспросите его об этом сами.

Она вышла, оставив их в тихом кабинете. Катя подумала: Гущин, читая лишь «дайджест», составленный для него оперативниками, сумел выхватить главные интересные детали.

Она ждала, что в кабинете сейчас появится еще один этакий «педагог» — учитель химии — интеллигентный, с проседью, лет пятидесяти.

Но в кабинет вошел человек маленького роста, в мешковатом сером костюме, клетчатой рубашке, со взъерошенными волосами и в очках в тонкой оправе. И лет «педагогу» было от силы под тридцать. Вообще он больше студента напоминал, чем учителя.

А сколько же лет Наталье Грачковской?

— Мне Вера Григорьевна сказала, вы хотели меня видеть. — Голос у него был высокий, пацанский, с трещинкой.

— В связи с той старой историей, убийством. — Гущин по-хозяйски указал ему на кресло.

Белкин сел.

— Бедная девочка. — Он посмотрел на Катю сквозь очки. — А что, возникли какие-то новые обстоятельства?

— Возникли, — ответил Гущин. — Вас ведь тоже допрашивали тогда.

— Нас тут всех допрашивали с пристрастием.

— Вавилов?

— Да, он. Начальник розыска. Его хорошо знала наш директор, но и ее он допрашивал без снисхождения.

— И завуча Наталью Грачковскую?

— Естественно. — Молодой учитель сразу помрачнел.

— Вы видели Грачковскую вместе с Аглаей Чистяковой в ту роковую пятницу?

— Я уже сотню раз, наверное, говорил это тогда. Пять лет прошло!

— Да или нет?

— Видел. Это было во дворе школы где-то около одиннадцати часов. Как раз пришел заказанный нами туристический автобус, я собирался вместе с классным руководителем пятого класса везти учеников пятого и шестого классов в Москву на экскурсию в Планетарий. Экскурсия была заказана на два часа дня. Мы усаживали детей в автобус, и я увидел их на крыльце школы.

— Завуча Грачковскую и девочку?

— Их обеих. Это было во время перемены. Я не слышал, о чем они говорили, потому что дети вокруг шумели. По лицу можно было понять, что Наташа... что Грачковская рассерженна. Кажется, Аглая пыталась...

— Что она пыталась сделать?

— Пыталась улизнуть с уроков, а Грачковская ее поймала и отправила назад в школу.

— А почему вам так показалось?

— Аглая была в куртке и с сумкой. Когда школьники на переменах просто выбегают во двор, они сумки оставляют в классе.

— И что было дальше?

— Я понятию не имею. Мы все сели в автобус и поехали в Москву. Вернулись мы с экскурсии только в шесть вечера.

— В каких отношениях вы состояли с Грачковской? — спросил Гущин.

— Я... мы дружили с ней. Не подумайте плохого. — Молодой учитель снял очки. — Она человек властный и с характером... была... Она из известной педагогической семьи. Моя мать знала ее. Грачковская поспособствовала мне, помогла попасть в эту двадцатую школу после окончания института. Тут жесткий конкурс для педагогов, школа сильная, специализируется на естественных науках. И на иностранных языках тоже. В общем, одна из лучших в Подмосковье... была. После истории с убийством все осложнилось, хотя мы стараемся. Мы все стараемся.

— Так Грачковская вам оказывала покровительство как завуч?

И тут та же история, что и у Вавилова с прокурором Грибовым. Личные связи, — подумала Катя. — *Но насколько же они личные для учителя химии?*

— Она помогала мне в школе.

— Вы жили вместе? — без обиняков спросил Гущин.

— Я... мы с ней... о браке никогда речь не заходила. Она не настаивала на официальном оформлении отношений.

— Я не о браке вас спрашиваю.

— Я иногда заходил к ней в гости. Оставался на ночь. Но постоянно мы вместе не жили. У нее в то время мать уже сильно болела. Потом вроде как ее вообще парализовало.

— Вроде как?

— Когда Грачковскую посадили, матери стало плохо. Потом ее выпустили, и она за матерью долгие годы ухаживала.

— А вы?

— Что я?

— Вы продолжали общаться с Грачковской? Общаетесь с ней сейчас?

— Нет. — Молодой учитель сказал это как отрезал. — Я сразу же порвал все отношения. Я не могу...

— Вы ее вините в убийстве?

— Я не знаю. Я ничего не хочу говорить против нее. Я сказал лишь то, что видел сам в ту пятницу. Но она действительно конфликтовала с Аглаей, если можно конфликтом назвать эту обоюдную неприязнь между учителем и учеником. И потом ведь полиция нашла на месте улики. Я не в курсе, что именно, у нас тут дикие слухи ходили. Этот опер прямо говорил, что...

— Вавилов?

— Да, он, что Грачковская на серьезном подозрении у него. Такими обвинениями не бросаются зря. Значит, что-то он, Вавилов, и полиция имели на Грачковскую. Ее столько времени продержали в тюрьме.

— А потом отпустили. Как вы к этому отнеслись?

— Не знаю... я был сбит с толку.

— Значит, вы с Грачковской больше не общаетесь?

— Нет. Я не в силах. Это теперь невозможно. Да и в школе не поймут.

— Но, может, до вас все же доходят слухи — где она сейчас, чем занимается?

— Живет она у себя в квартире.

— Тут, в Рождественске? Она не уехала из города?

— Думаете, так легко сейчас в кризис уехать, продать квартиру? Она по-прежнему живет здесь. Я иногда вижу ее на улице, в магазине. Но редко. Я знаю, что она недавно похоронила мать.

— Похоронила мать?

— Освободилась от нее наконец. Выглядит она... плохо, очень опустилась, постарела. Раньше была такой энергичной, яркой женщиной, а теперь... — Молодой учитель холодно улыбнулся. — Совесть... она штука жестокая. Она в покое не оставит.

— Вы не знаете, где Грачковская работает?

— У нас тут сплетни ходили, что кто-то из учителей видел ее в торговом центре у МКАД.

— Она стала продавщицей?

— Она вроде как туалеты там убирает. — Учитель поморщился. — А что вы хотите? Кто в Рождественске ее на работу возьмет после того, что было? Убийства детей люди не прощают, даже если полиция ваша сплоховала и не сумела посадить, как следует. Грачковская в городе — изгой, пария. И не только в педагогической среде...

— А вам не жаль ее? — спросила Катя неожиданно для самой себя.

— Если это она убила Аглаю, то — нет, абсолютно не жаль. Я думаю, что дыма без огня не бывает. А можно вопрос с моей стороны?

— Конечно, — разрешил Гущин.

— А какие новые обстоятельства вдруг возникли?

— Ужасные. — Гущин смотрел на учителя. — Что вы можете сказать о характере Грачковской?

— У нее сильная воля... была. И она действительно порой подвержена приступам гнева.

— Она ведь из-за обвинения в убийстве все потеряла. Общественный статус, любимую профессию, должность и... вас, Евгений Маркович.

Лицо очкарика стало непроницаемым. Весь его вид говорил — я умываю руки. Это теперь — ваши проблемы, полиции.

Глава 21
КОФЕ С СОБОЙ

— Работает уборщицей в туалете, молодого любовника навеки утратила, у него вызывает лишь отвращение и неприязнь, в родном городе — изгой и пария, но продолжает жить здесь, потому что деваться некуда. И недавно схоронила мать-инвалида, освободилась.

Полковник Гущин перечислял все это, пока они шли через школьный двор к машине. Начался новый урок, и двор вновь погрузился в тишину. Слепые окна, пустое футбольное мини-поле. Где-то там калитка, ведущая в парк, расположенная всего в нескольких метрах от трансформаторной будки — самый короткий и удобный путь — туда. Сейчас калитку закрыли навеки. Но тогда, пять лет назад, возможно, Аглая Чистякова воспользовалась именно ею. И если предположить, что завуч Наталья Грачковская вновь засекла ее, как и раньше на перемене, и пошла следом, чтобы предотвратить побег с уроков, то...

— Развязала себе руки, для всего, в том числе, вероятно, и для мести, — уточнил Гущин. — А до этого все эти годы вынуждена была ждать, потому что мать не на кого оставить в случае...

— Возможно, Аглая снова пыталась покинуть школу, сбежать с уроков, Грачковская и так была на нее рассержена и...

— Нет такого в деле, Аглая все уроки в ту пятницу отсидела в классе, как положено.

— Но учитель же сказал, что утром в одиннадцать Грачковская поймала ее в куртке одетой и с сумкой.

— Но потом Аглая честно отсидела все уроки. Она покинула школу только в начале третьего.

Гущин кивнул — садись в машину. Тут в школе нечего больше ловить. И мы едем...

— Куда теперь, Федор Матвеевич? — спросил шофер Гущина.

Тот глянул на часы.

— Ага, время пришло. Они там меняются посменно. Она работает сегодня после двенадцати.

— Кто? — спросила Катя.

— Виктория Одинцова.

Стоп. Эта фамилия была Кате знакома. Это уже дело об изнасиловании в отеле «Сказка интернешнл». Совсем другая история. Она, Катя, только вчера читала подробные показания этой Виктории Одинцовой — дежурной по этажу в отеле.

— Федор Матвеевич, а вы не боитесь, что мы так сойдем с ума? — кротко осведомилась Катя, когда они медленно ехали по улицам Рождественска, точнее, кружили по навигатору в поисках нужного адреса, указанного в справке Гущина.

— Я тебя предупреждал.

— Это словно пультом щелкать, каналы переключать. Я только настроилась на Наталью Грачковскую и убитую девочку, а вы уже...

— Мы расследуем убийство жены Вавилова, совершенное из мести, — напомнил Гущин. — Из этих трех старых дел мы должны брать информацию лишь в контексте с нашим убийством. Все остальное — пока вторично. И подождет.

Даже, по сути, нераскрытое убийство школьницы? И то, что убийца на свободе разгуливает, потому что ее вину доказать не сумели?

Катя хотела было спросить — какие важные факты, ну те самые, про которые, как выразился учитель Белкин, в школе ходили самые дикие слухи, открыл для себя Вавилов в ходе расследования. И отчего те факты тогда не помогли, не сработали. Но полковник Гущин в эту самую минуту приказал водителю остановиться возле...

Крохотный павильон, обитый сайдингом, крытый металлочерепицей, прилепившийся к массивному серому зданию — в оные времена служившему фабрике по производству канцелярских принадлежностей, а ныне переделанному под офисный центр. Напротив — автобусная остановка и рядом автостоянка, где совсем мало машин. Дальше по улице одни лишь офисные здания.

Возле пластиковой двери павильона укреплена грифельная доска, где мелом написано что-то неразборчиво и цены. Катя различила лишь «кофе с собой».

— Сама Одинцову допросишь. Я ей вчера звонил. Не очень она рада визиту полиции, — сказал Гущин, пропуская Катю вперед.

Они вошли в тесный зальчик — стойка, стеклянная витрина, сзади стойки деревянные стеллажи с хлебом и выпечкой. На стойке кофемашина, сервировочные блюда под стеклянными крышками, где лежат пирожные «брауни» и «морковный торт». У стены — три маленьких столика и два пластиковых стула — для третьего места нет. Сбоку — дверь в подсобку и рядом у второй стены большие картонные коробки.

— Одну минуту, — раздался звонкий женский голос.

Женщина — светловолосая блондинка со стянутыми резинкой в хвост густыми волосами, в джинсовом комбинезоне и яркой вязаной кофточке, надетой под него, — возилась с коробками.

Она вернулась за стойку — круглое лицо, курносый нос в веснушках, на щеках ямочки. На вид очень приветливая.

— Пожалуйста, кофе, чай, соки, выпечка. У нас вот тут обратите внимание — «живая паста», равиоли свежие, только привезли, с тыквой и рикоттой, могу отварить в пять минут, любой соус, сыр. Могу сделать с собой.

— Мы из полиции области. Я вам вчера звонил, — сказал Гущин.

Ясное, улыбчивое лицо Виктории Одинцовой сразу же омрачилось, словно на солнышко надвинулась туча.

— Ах, это вы.

— Мы по поводу происшествия пятилетней давности в отеле «Сказка», — известила ее Катя. Она вспомнила, как весь вечер читала подробные и обстоятельные показания этой женщины. — Вы теперь тут работаете, не в отеле?

— Отель скоро с молотка продадут, там такой бардак. — Одинцова махнула рукой. — А у нас теперь свое маленькое дело, свое предприятие. Собрались с друзьями и решили открыть булочную-кондитерскую. А что случилось-то? Почему такая срочность возникла через столько лет?

— Нам просто нужно кое-что уточнить, — уклонилась от вопроса Катя.

— Да уж в суде уточняли-уточняли, и адвокат, и прокурор, и судья, приговор вон был, срок ему дали, этому подонку. — Виктория Одинцова сощурила глаза. — Это ж когда было-то. А вы вдруг опять ко мне. Вчера чуть ли не среди ночи позвонили, с постели меня подняли.

Катя посмотрела на полковника Гущина. Тот угрюмо молчал, предоставив Кате вести разговор.

— Возникли некоторые новые обстоятельства. Знаете, я бы хотела спросить вас, Виктория, о...

— Это потому что в Дееве жену того опера Вавилова прикончили, да? — спросила Одинцова.

Катя окинула взглядом сервировочные блюда под стеклянными колпаками и кофемашину. Так... она в курсе.

— Откуда вам известно про убийство в Дееве?

— Ему ж врача на дом вызывали, полицейские прямо в больницу приехали, врача срочно увезли туда — в Деево. А там — батюшки ты мои, такая жуть. Убийство, полон дом полиции. А врач-то — младший брат моей подруги Ксении, а подружка моя — наш компаньон по владению этой вот кафешкой. Вавилов и мне человек знакомый. Сколько он по тому делу старался, чтобы этого подонка в тюрьму запрятать.

Это Рождественск, подмосковный городок. Здесь живут кланами и помнят о семейном родстве. Тут если что случается — весть разносится разноголосым эхом. И тут мало что можно скрыть, несмотря на то что Деево в административном делении — другой район области, но расстояние всего пять автобусных остановок.

— Отлично, тогда мы сразу устраним все недомолвки, раз вам известно про убийство жены Вавилова, — нашлась Катя.

— А чего вы ко мне-то приехали? Подонок-то ведь сидит. Это не он, ищите кого-то другого. — Одинцова зорко смотрела то на Катю, то на Гущина. — Чего вы вдруг опять ко мне?

— Мы все дела, по которым Вавилов работал, теперь проверяем. — Кате не нравилось, что эта Одинцова задает слишком много вопросов и не дает ей, Кате, рта раскрыть. — Дело об изнасиловании — одно из самых резонансных. А вы там, судя по материалам дела, были ключевым свидетелем обвинения.

— Вавилов мне так и объяснял — вы, мол, моя надежда, ключевой свидетель. Что ж, я всю правду рассказала тогда. Что сама видела. Ничего не придумала и не утаила.

— Павел Мазуров — обвиняемый, он прежде, до тех выходных, в отель «Сказка» приезжал?

— Нет, никогда. Их фирма первый раз отель сняла. Первый и последний.

— Вы работали в ту ночь на этаже? С какого времени вы заступили на дежурство?

— В восемь вечера. У нас смена с восьми и до десяти утра.

— Вы видели, как Павел Мазуров заходил в номер этой женщины — Марины Приходько? Ее еще Мимозой звали.

— Прозвище Мимоза я лишь на следствии услышала, от Вавилова, кстати. — Одинцова оперлась на стойку. — Нет, я их тогда ни по именам, ни по фамилиям не знала — просто клиенты, гости отеля. И как они в номер вдвоем заходили, я тоже не видела. Видно, отвлеклась в тот момент. Я просто услышала где-то среди ночи сильный шум и крики «Помогите!». Я пошла по коридору, женщина кричала в номере, и там падало что-то на пол с грохотом. Я стала стучать в дверь, попыталась открыть, но номер был заперт изнутри. А женщина все кричит. Из номеров в конце коридора начали люди выглядывать — половина никакие уже, пьяные. Потому что это ведь вечеринка крутая. Я назад — к стойке, там у меня рация для вызова охраны. Да меня тысячи раз обо всем этом спрашивали — и Вавилов, и следователь, и прокурор на суде!

— Мы специально приехали из Москвы вас послушать, — сказала Катя. — И что дальше произошло?

— Тут прибежал этот мужик, ну который Витошкин. Я его фамилию тоже потом только на следствии узнала. Сказал, что возвращался из бара и услышал крики, а у него, мол, знакомые в этом номере. Я ему: раз это твои дружки бузят — так давай помогай, пусть дверь откроют. Что они там спьяна дерутся, что ли? Мы вместе начали в дверь стучать. А там женщина уже криком заходится и грохот, и звон стекла. И тут охранники подоспели. Я им —

открывайте дверь, как можете. Ну они кто плечом, кто ногами. И этот Витошкин тоже помог. Высадили мы дверь, а в номере-то ой-ей-ей...

— И что вы увидели в номере?

— Я сначала кровать увидела — там кровать двуспальная, вся всклокочена и в пятнах крови. Мы когда вошли, а там так холодно, словно в морозильнике. У меня пар изо рта. А эта... ну, девица... Марина Приходько, она на полу к кровати спиной прислонилась. Я как на нее посмотрела — у нее лицо... маска кровавая. Губы разбиты, волосы и те в крови, из носу кровь идет. На ней платье было — легкое, короткое, типа коктейльного. Так оно разорвано почти до пояса и грудь голая. И на ногах, на ляжках тоже кровь. Она уже и кричать не могла, просто скулила, как собака, от боли.

— А Мазуров?

— А этот гад на полу валялся возле нее. Извините за подробность — со спущенными штанами. Никакой — мне тогда показалось пьяный в дупель. Тоже что-то мычал нечленораздельное. Потом оказалось, что она его бутылкой по голове огрела как раз перед тем, как нам дверь высадить. У него руки в крови были, это я сама своими глазами видела. И не мудрено, он же ее измордовал всю, изуродовал.

Катя мысленно сравнила с показаниями, которые читала. Все так. Виктория Одинцова до сих пор помнит ту ночь и обстановку в номере во всех деталях. Но что-то... промелькнуло необычное... вот сейчас...

Катя напряглась. Нет, вроде ничего необычного.

— Он ее изнасиловал, — сказала Виктория Одинцова. — Это потом на суде и так и этак склоняли. А сама она на суд приходила вся в бинтах — ей ведь пластическую операцию лица сделали, во как!

— А Мазуров что-то говорил, когда вы вошли?

— Ничего, я же объясняю — он никакой был. Охранники его словно мешок под мышки подхватили, пытались на ноги поставить. Штаны, трусы спущенные в ногах путаются, он что-то мычит. Там все смешалось — и алкоголь, и наркота, и потом она, бедняжка, его звезданула бутылкой. Так ему и надо — еще мало подонку такому! Я как на него глянула там — ну, маньяк. А с виду вроде тихий, приличный, ботинки дорогие из игуаны. Потом я узнала, он шишка какая-то в этой их консалтинговой компании, богатый, весь из себя такой упакованный. И вот озверел, едва лишь девчонка ему «нет» на его домогательства мужские ответила. В зверюгу превратился. В насильника.

— Начальник розыска Вавилов вас ведь несколько раз допрашивал, так?

— Не счесть сколько раз. Все твердил мне — вы наш главный свидетель. Уж не подкачайте, Виктория, мол, я на вас надеюсь, на вашу честность и сознательность.

Катя прикинула в уме — в номер, кроме Одинцовой, зашел еще Аркадий Витошкин. Но он сослуживец и приятель Мазурова, а потому Вавилов на него не особо надеялся. Там были еще охранники, но они появились позже, под занавес, и не слышали того, с чего все началось — с криков Марины Приходько о помощи, звуков ударов, побоев, шума из номера. В этот момент Павел Мазуров как раз и насиловал женщину. И это слышала сквозь дверь только Одинцова. Вот почему она — ключевой свидетель и ее показания так важны. Вавилов боялся, что, если она изменит показания, дело не то чтобы рассыплется, нет, на таких фактах обвинение все равно сохранило бы свою позицию, но осложнится.

— На суде Павел Мазуров признал свою вину?

— Ни в чем он не сознался, бандюга. Я его с кровью на руках, со штанами спущенными застала там, возле этой бедняжки. А он на суде все свое молол — мол, ничего я не делал, никого не бил и не насиловал. Что между нами было, мол, по обоюдному согласию и совсем не тогда, а раньше, когда только в отель в первый день приехали и веселье пошло в аквапарке. Получается, что это мы все врем, а он один правду-матку режет. Но судья — женщина, она его слушать не стала. Такой срок ему дали.

Катя подумала — конечно, судья приговорил Мазурова. А кто бы сомневался — на таких фактах, на таких показаниях. Это же очевидное дело. Абсолютно очевидное.

В этот момент у полковника Гущина, стоявшего у стойки и молча, внимательно слушавшего рассказ Одинцовой, прозвенел мобильный. Он приложил его к уху:

— Ага, подъехали? Ну, мы тут в кафе.

И через секунду дверь крохотного кафетерия открылась, и в зальчик ввалились оперативники и Артем Ладейников вместе с ними. Они вернулись со своей части задания в Рождественске.

— Какие новости? — спросил Гущин.

— Отработали все адреса, со всеми встретились — переговорили. Полный ноль, — отрапортовал старший группы.

— Ноль?

— Алексея Грибова-младшего никто в городе из знакомых его отца и семьи не встречал вот уже года два, если не больше. Никаких контактов он ни с кем не поддерживает. Никому не звонил. Мы номера телефонов проверили из дела, так вот домашний его не отвечает. Мобильный он, видно по всему, сменил. Вообще в городе он вроде и не появляется. Хотя квартиру не продавал. Но и не сдает. Мы по адресу проехали, порасспрашивали соседей.

— Они его в глаза не видели несколько лет, — сказал Артем Ладейников. — Он словно испарился. Или переехал куда-то. Ох, у вас тут кофе горячий. А с собой можно стаканчик?

— Конечно, вам какой? — Виктория Одинцова засуетилась за стойкой. До этого она с любопытством слушала, о чем толкуют оперативники.

— Двойной эспрессо, если можно.

Катя тоже соблазнилась кофе и попросила себе капучино. Сыщики тоже стали заказывать кофе с собой. В какой-то момент все это стало похоже на обычную сценку в маленьком городском кафе, если не считать, что опергруппа приехала с задания, а за стойкой у кофемашины хлопочет ключевой свидетель по делу об изнасиловании.

Наконец и полковник Гущин сдался и попросил сделать себе «черный кофе с молоком».

Несмотря на то что все попросили «кофе с собой», никто покидать маленькое кафе не спешил. Все стояли у стойки, потягивая горячий кофе из картонных стаканчиков с крышечкой.

— Я, пока мы ездили, хотел какую-нибудь закономерность найти и через компьютер прогнать, через программу вероятности совпадений, — сказал Артем, — почему убийство сейчас, в апреле, произошло, а не в какой-то другой месяц. Может, это типа годовщины какой-то для мести. Так нет, никаких совпадений ни с одним из трех случаев. Ту девочку, Аглаю Чистякову, убили в начале октября, второго числа, изнасилование и задержание Мазурова пятого ноября — на праздники, а прокурор взятку взял и попался уже после этого — летом, в августе месяце. И по датам приговора тоже никаких совпадений с апрелем — я проверил. И по датам первых допросов обвиняемых. Ничего не совпадает. Значит, это не какая-то там годовщина для убийцы, как я сначала подумал.

— Значит, это на компьютере твоем не проверишь вот так с ходу, — в тон ему резюмировал Гущин.

— Ваш кофе, пожалуйста. — Виктория Одинцова протянула ему картонный стаканчик.

Она смотрела на полковника Гущина, на оперативников с любопытством. Гущин расплатился с ней. И кивнул — пора, нечего тут кофеи гонять. Все по машинам.

Глава 22
СЕКРЕТАРША НА КОСТЫЛЯХ

— Алексея Грибова-младшего надо найти, — сказал полковник Гущин в машине. — Из коллегии адвокатов его выгнали, из Рождественска он исчез. Столько знакомых у отца-прокурора было, и никто ничего о парне не знает. Не нравится мне такая секретность. Словно на дно залег. Улетучился из поля зрения. А что с авто его, проверили?

В машине Гущина, кроме Кати, — Артем Ладейников. Остальные оперативники по просьбе Гущина отправились к МКАД в торговый центр устанавливать — действительно ли Наталья Грачковская работает там уборщицей. А вот Ладейников с ними не поехал, о чем-то тихо попросил Гущина, и тот велел ему садиться в машину с ним.

— Ребята ваши мне запрос дали, я по базе данных ГИБДД проверил — Алексей Грибов-младший «Ауди» продал три года назад, — ответил Ладейников. — Никаких других авто на него или на отца его не зарегистрировано. Мы в единый расчетный центр заезжали тут, насчет того — платит ли он за квартиру, платит регулярно, но через Интернет. У него номер мобильного был «Билайн», так вот Интернета через телефон на нем не зарегистрировано, в смысле номера. Скорее всего пользуется чужим. По кредитке есть способ отследить, но это долго и дорого.

— Не нравится мне все это, такие вот исчезновения, когда у нас труп с отрезанными руками. — Гущин покачал головой. — Надо установить, где парень обретается и что делает. — Он покосился на молчавшую Катю, сидевшую рядом с Ладейниковым сзади. — А ты что такая невеселая?

— Я думаю, что у всех троих подозреваемых шансы равны оказаться убийцей Полины Вавиловой. Вот сейчас мы Викторию Одинцову допрашивали — так она все повторяет, как в протоколе. Так все и было в ту ночь в этом номере. Совершенно очевидное преступление. Мазурова на месте с поличным поймали.

— Я дайджест составлял по судебным прениям и приговору, — сказал Ладейников, — он категорически все отрицал на суде. Все обвинения. Даже странно.

— Эта женщина — Одинцова — его своими глазами видела со спущенными штанами, — сказала Катя. — А что там с экспертизами?

— Факт полового контакта подтвержден, — ответил Ладейников. — Федор Матвеевич, мы с ребятами для вас компьютерный отчет по всем экспертизам составили. Мазуров изнасиловал потерпевшую. Экспертиза обнаружила его сперму и ДНК. И на нем ее кровь — группа совпала, при том что у них с Мариной Приходько группы разные.

— Вот потому ему срок и дали, — сказал Гущин. — Вавилов хорошо поработал, собрал доказательства на Мазурова по максимуму.

— Меня кое-что удивило в показаниях Виктории Одинцовой сейчас, когда мы говорили. — Катя задумалась. — Я все протокол ее допроса вспоминаю... Она сказала, что в номере холодно было, когда они вошли, у нее пар изо рта вырывался.

— Окно было открыто или балкон, — буркнул Гущин.

— Нет, я протокол осмотра номера помню: «окно и дверь на лоджию закрыты, занавески задернуты», — процитировала на память Катя. — На потерпевшей этой Марине Приходько по прозвищу Мимоза было лишь легкое коктейльное платье и никакого белья. Ее трусы рядом с кроватью нашли разорванные, в крови. И этот казанова со спущенными штанами. А в комнате — холодильник, так что пар идет изо рта.

— А это что, важная деталь? — спросил Артем Ладейников.

— Да нет, может, у них отопление на этаже или в номере не работало. Надо будет при случае заехать к Одинцовой и уточнить данный момент. Я вспомнила это только сейчас, а там, на месте, не сообразила уточнить. Хотя это и не важно вроде. Так, какая-то шероховатость при общей ясной картине происшедшего.

— Вавилов должен знать, он же номер сам осматривал, — сказал Гущин. — Так, вы меня высадите у прокуратуры области. Артем, бери машину, как договаривались.

— А куда ты едешь? — сразу с любопытством осведомилась Катя.

— Это не по нашему делу, то есть... меня Вавилов попросил — его прежняя секретарша Юля, она на больничном, я говорил. Так вот он попросил меня заехать к ней, проведать и продуктов ей в магазине купить и привезти. Она сама пока из квартиры не выходит после госпиталя, а тяжести ей таскать долго еще не придется.

— Артем, а можно я с тобой навещу секретаршу Юлю? Ты не против?

Гущин глянул на Катю, на Ладейникова, закряхтел.

— Я потому такая настойчивая, — Катя очаровательно улыбалась, — что ты с Вавиловым недавно работаешь, а эта Юля, насколько я помню, сидела в его приемной года полтора, как только он должность получил замначальника Главка. Так вот, мы бы... то есть я могла бы ее расспросить о шефе неформально. Может, Вавилов что-то говорил раньше, упоминал при ней о каком-то из этих трех дел. Он сейчас и сам вспомнить не в состоянии из-за шока, а вдруг Юля нам поможет.

— Поедемте. — Ладейников согласился. — Она человек хороший, не унывает, несмотря на то что на костылях.

Гущин вышел у прокуратуры области, а они отправились на улицу Марины Расковой. Возле Савеловского вокзала остановились у супермаркета, и Артем Ладейников нагрузил там полную тележку — хлеб, овощи, молоко, йогурты, полуфабрикаты, фрукты, коробки с соками.

— Она каждый раз ругает меня, чего так много купил, и деньги пытается дать, но... В общем, надо помогать коллеге в трудный час. Вавилов тоже так считает.

Во дворе дома тридцатых годов с лифтом — стеклянной кишкой, прилепленной к стене, они остановились, и шофер сказал, что он подождет, сколько нужно.

В домофоне прозвучал радостный женский голос: «Темчик, приветик!» А поднявшись на скрипучем страшноватом лифте на пятый этаж, Катя узрела его обладательницу — секретаршу Юлю. Она помнила ее отлично. Но Юля изменилась — очень полная, как мячик на ножках прежде, сейчас она сильно похудела и открыла им дверь на костылях. Левая нога до самого бедра в гипсе. На ней был зеленый спортивный костюм из искусственного бархата и левая штанина отрезана — одна нога зеленая, другая белая, словно в толстом валенке.

Катю она тоже узнала, засуетилась — проходите в комнату. Потрепала Артема по голове: «Кормилец ты мой, чего так много опять привез?»

— Ешь, тебе надо поправляться, — ответил тот.

— Поперек себя шире опять стану. — Юля подталкивала их к дивану. С костылями своими она управлялась ловко, но постоянно морщилась — боль в ноге давала о себе знать.

— Юль, как вас угораздило? — Катя кивнула на гипс.

— Упал, очнулся... — Бывшая секретарша Вавилова покачала головой. — Тут, на Расковой, какой-то псих на тачке. Я через дворы ехала на велике, каталась все лето и осенью тоже по выходным. Не думала, что в собственном дворе под машину попаду. Он даже не остановился! А у меня перелом таза, ноги. Всю зиму в госпитале провалялась, потом на реабилитации. Сейчас вот дома прыгаю.

— С костылями надо завязывать, я тебе ходунки в следующий раз привезу, — сказал Ладейников. — Пора тебе, Юлечка, тренироваться.

— А тебе пора аттестоваться, — в тон ему ответила секретарша. — Вавилов вон в министерство уходит и тебя с собой забирает, а неаттестованный ты туда не попадешь.

— Я уже документы все собрал, хотел медкомиссию проходить, но тут убийство жены Вавилова. В Главке слухи ходят, что теперь с МВД и с генеральской должностью у него швах. Пока не разберутся и дело не раскроют. А может, и вообще — конец карьеры. — Артем вздохнул. — И если я аттестуюсь, то много ограничений сразу — я же тебе говорил. А я ограничений из-за полицейских погон не хочу. И потом я на юридический все равно не пойду, а продолжу учиться в IT.

— Ты с компьютерами своими дуба дашь.

— Лучше с компьютерами, чем в уголовном розыске. — Артем Ладейников покачал головой. — Я и не предполагал раньше, что такие ужасные вещи могут происходить с сотрудником полиции, что так жестоко могут убивать. Ты там, в его доме, не была, Юля, не видела, что я видел.

Лицо секретарши Юли застыло. Она приложила руку ко рту.

— Бедный Игорь Петрович, — сказала она, — подкосит это его как косой.

— Он любил свою жену? — спросила ее Катя. — Как на ваш взгляд?

— Обожал. Как женился, то и дело звонит мне: Юля, свяжитесь по Интернету с цветочным магазином, пусть сделают букет. Каждую неделю Полине цветы или что-то дарил. Он любил делать сюрпризы. Я весь Интернет для него облазила.

— А сам он Интернетом не пользовался? Не умеет, что ли?

— Отлично умеет, только он весь в бумагах на работе. Зашивался. Начальники все зашиваются. Жаловался, что, когда опером и начальником розыска работал — тоже, конечно, без выходных и допоздна, но там сам себе хозяин. А тут в Главке вечно на цугундере у шефа — штаб, аналитика, то и дело доклады, совещания, все обрабатывать надо, готовить, самому проверять.

— Вавилов в компьютерах разбирается, — опять заступился за начальника Артем, — мы с ним одну новую программу для локальных сетей обсуждали, я хотел разработать вместе с розыском, по их запросам — как им удобнее вести поиск. Так Вавилов все сечет, понимает, ему разжевывать азы программирования не надо.

— Юля, а он при вас не упоминал про какое-нибудь дело из своей прежней практики в Рождественске? — спросила Катя.

— Нет. Текучки столько каждый день, только успевай работать, не до воспоминаний о былом.

— Я понимаю, но все же постарайтесь припомнить. Он не упоминал при вас о деле об изнасиловании в отеле?

— Нет, точно нет.

— А об убийстве школьницы? Как расследовал и сначала посадил, а потом вынужден был освободить из-под стражи учительницу?

— Точно нет, такое я бы запомнила.

— А о деле задержания прокурора за взятку?

— Грибова? — тихо спросила Юля. — Прокурора Грибова, да? Про него он вспоминал. С горечью. Зачем, мол, он это сделал. Позарился и...

— И что?

— И разрушил все. Они же дружили. Вавилов его ученик, он сам мне это говорил.

— А о сыне прокурора он не вспоминал?

— Вспоминал, — ответила Юля, — говорил, что парень из-за отца потерял все.

— А себя он не винил?

— В чем?

— Он принимал участие в задержании прокурора, надел на него наручники.

— Игорь Петрович этим гордился. Борьба с коррупцией. — Юля говорила бесстрастным тоном. — Он поступил как должно. Он потому и карьеру такую быстро сделал, вверх пошел сразу — сумел переступить через это все. Как говорится — ничего личного. Только закон.

Глава 23
ПО ВСТРЕЧНОЙ ПОЛОСЕ

— Тебе и навигатор не нужен, ты тут отлично ориентируешься, — проворковала Леокадия Пыжова, устроившаяся на заднем сиденье, прикуривая сигарету.

Если бы Катя знала, что в тот момент, когда они выезжали из Рождественска на федеральную трассу в сторону Москвы, по встречной полосе двигался черный «Ягуар», принадлежавший певице Леокадии Пыжовой, за рулем которого сидел Алексей Грибов-младший...

Они ехали в гости к старинному приятелю Леокадии эстрадному певцу Иннокентию Блямину, разменявшему уже восьмой десяток, но все еще выводившему на телеэкране сиплой фистулой рулады.

Мимо проплыл указатель «Деево. Экопоселок». Алексей Грибов крепче сжал руль — теперь они проезжали микрорайоны Рождественска.

— Ты тут все знаешь, миленький, — похвалила его Леокадия — в весеннем пальто с леопардовым принтом, в массивных украшениях от «Шанель», она распространяла вокруг себя запах сигаретного дыма и крепких духов. — Ах, я и забыла, ты ведь отсюда. И часто ли навещаешь родные места?

— Меня сюда как-то не тянет, — ответил Алексей Грибов своей любопытной любовнице.

— Ой, врешь. Я стала замечать — ты постоянно врешь мне, мой сладкий. Чего-то там в твоей красивой умной головке варится, варится, какой-то борщ, какая-то хрень. Вот только говорить ты об этом со мной не хочешь.

— Мы почти приехали.

Они свернули на шоссе в лес, миновали мощное КПП со шлагбаумом и охраной и въехали в элитный поселок, где трехметровые заборы отделяли друг от друга гектары

угодий с особняками, лужайками для гольфа, бельведе-
рами, искусственными прудами, банями и конюшнями.

Возле массивных ворот остановились, их осмотрела
охрана, и они въехали в имение Блямина.

Он сам и его многочисленные гости шли по дорожке,
усыпанной гравием, навстречу Леокадии, с трудом выпра-
стывавшей себя из «Ягуара».

— Шалунья, чаровница! — сипел Иннокентий Блямин. — На два часа опаздываешь. Ты в своем репертуаре!

— Кешечка, Кешончик, мы в пробке простояли, — солгала Леокадия Пыжова. — О, да вы тут все уже тепленькие.

Она начала целоваться с гостями Блямина и с ним —
по три раза, смачно, звонко. От гостей несло спиртным.
Голоса звучали громко и нестройно.

На Алексея Грибова мало кто обращал внимание. Гости
начали обсуждать грядущий юбилейный концерт Блямина
в Кремлевском дворце — выступить на нем, напомнить
о себе публике желали все. В кризис с концертами стало
совсем плохо, а Блямину выделялись на это мероприятие
средства из бюджета. Поэтому все так живо откликнулись
на приглашение «скоротать вечерок» — авось и перепадет
приглашение выступить, спеть, поучаствовать в программе, получив гонорар.

Перед тем как сесть за стол в большом зале, украшен-
ном обильной позолотой и нелепыми белыми колоннами,
словно во дворце, все сгрудились возле закусочных столов
со спиртным. С рюмки водки и двух бокалов шампанского
Леокадию Пыжову сразу же повело. Она ревниво оглядывала наряды более молодых эстрадных певиц (которым
всем практически уже перевалило за пятьдесят) и рас-
суждала о духовности и патриотизме с таким жаром, что
Блямин то и дело кивал официанту, чтобы ей больше пока
пить не предлагали.

А то начнет плясать — это читалось на лицах гостей.
И хотя весь ансамбль Леокадии «Гармонь и балалайка»
сейчас отсутствовал, она в музыкальном сопровождении

и не нуждалась. Могла, напившись, вскочить на сервированный стол и тут же сбацать лихую чечетку, как она проделывала это в юные годы.

Блямин не хотел конкуренции с ее стороны. Гостей от закусочных столов как стадо погнали в музыкальный зал. Блямин встал к роялю и начал петь хит за хитом — весь свой прежний репертуар из советских времен, когда он безраздельно царил на эстраде. И лишь спустя час, когда он уже окончательно осип и заливался потом, струившимся с лысины, лишенной парика, гостям было позволено хлопать. А потом всех милостиво пригласили ужинать.

И начался банкет с шампанским, устрицами и черной икрой. Леокадия напилась в стельку и вступала в споры со всеми гостями, даже с теми, кого едва знала. Под конец она уже плохо держалась на ногах. И Блямин приказал своим охранникам отнести ее в комнату для гостей проспаться.

«Вечерок» плавно переходил в ночь веселья, никто не думал разъезжаться по домам.

Алексей Грибов вышел из особняка и подошел к стоянке, где оставил «Ягуар». Он водил его по доверенности. Открыл машину и сел за руль.

— Я на автозаправку съезжу, — пояснил он охранникам, и те открыли для него ворота.

Ночь окутала его сразу плотным черным одеялом. Он ехал в направлении родного Рождественска, где его долго и тщетно как раз сегодня днем искали оперативники.

Глава 24
БУМАЖНОЕ МОРЕ

С улицы Марины Расковой Катя и Артем Ладейников вернулись в Главк. Полковник Гущин еще не появился, но кабинет его открыт и там, как и в приемной, туча народа. Оперативники среди горы уголовных дел шелестят страницами протоколов. Катя и Артем Ладейников присоединились к компании. Ладейников тут же открыл свой ноутбук. Оперативники облепили его как мухи и начали тихо наперебой диктовать те сведения, что они выудили из дел и которые им казались важными для дайджеста.

Катя решила выбрать себе из этой горы документов тоже что-то для изучения. Ее крайне раздражал вот такой способ — хаотичный, как она считала. Какими-то урывками, то один том одного дела, то второй том третьего дела. Нет бы сразу все... Но потом она обозревала весь этот грандиозный объем и понимала, что одному человеку читать все эти тома — особенно протоколы судебных заседаний — нужно в течение месяца, а то и двух, не отвлекаясь ни на что. Полковник Гущин терять месяц только на чтение не мог себе позволить, но должен был быть в курсе всего, что написано в этих томах. Поэтому тут трудился коллективный ум. Плохо ли хорошо, но они выбрали путь наименьшего сопротивления.

Катя повздыхала, а затем тоже села за совещательный стол и начала читать.

Артем Ладейников протянул ей одну из справок — дело о взятке прокурора Грибова. При просмотре всех томов оказалось, что Игорь Вавилов ни разу не допрашивал прокурора сам, лично. Все допросы вели сотрудники отдела по борьбе с коррупцией. Алексей Грибов-младший тоже был допрошен ими — один раз, и ничего существенного не сказал. Естественно, он не стал бы свидетельствовать против отца.

— Игорь Петрович в аресте прокурора участвовал, но больше ни с ним, ни с его сыном в деле не пересекался, — сказал Артем.

Катя кивнула. А сама подумала — это ничего не значит. Вообще *как все там было на самом деле между ними* — и это касается не только сына прокурора, но и Павла Мазурова и завуча Натальи Грачковской, — *как все было между ними*, знают лишь они и Вавилов. Этого не прочтешь между строк протоколов. Как, например, Вавилов использовал оперативные методы, как давил на подозреваемых, заставляя их сознаться.

Но они ведь не сознались. Ни Мазуров, ни Грачковская. Прокурор признался, потому что его поймали с поличным, дело очевидное. Однако Павла Мазурова там, в номере отеля, ведь тоже поймали с поличным, и дело тоже было очевидным. Но он вот не сознался, все отрицал...

«Надо самой прочесть, что он говорил Вавилову на допросе!» — решила Катя. И начала искать среди томов второй том дела об изнасиловании.

Но ей попался второй том дела об убийстве Аглаи Чистяковой. Никто с ним сейчас не работал, и Катя не могла устоять.

А что там, в этом томе?

В этот толстенный том аккуратно были подшиты протоколы допросов, проведенных именно Вавиловым — в школе. Катя листала, бегло просматривала. Титаническую работу проделал начальник розыска, надо ему отдать должное. По поручению следователя он лично допросил всех одноклассников Аглаи и учеников параллельного класса, а также учеников других классов — младших, игравших в тот день во дворе школы после уроков.

Катя насчитала 73(!) протокола допроса школьников, и в этом томе были подшиты также и протоколы допроса учителей — в том числе директрисы и учителя химии Белкина.

Протокола допроса Грачковской в этом томе не было. Зато в самом конце подшит протокол допроса матери Аглаи.

Катя подошла к Артему Ладейникову и спросила — обработан ли, изучен ли уже весь этот объем. Он полистал файлы в своем ноутбуке. Повернул экран к Кате.

Что ж, из всего этого моря бумаг сыщики выудили самое главное — отсутствие конкретных фактов.

Одноклассники Аглаи характеризовали ее как «зануду». Девочка интересовалась исключительно математикой и решением уравнений. Проучившись всего два года в этой школе, она так и не завела себе в классе подруг. Одноклассники жалели Аглаю, но все равно высказывались о ней как о чужой — мол, думала лишь об учебе, рвалась на разные олимпиады и конкурсы, одевалась плохо, потому что ее мать еле сводила концы с концами и у них денег ни на что особо не было, даже на кино. Все подтверждали, что Аглая часто спорила на уроках географии с учительницей Натальей Грачковской. А та к ней тоже «привязывалась по пустякам», «не давала жизни» и грозилась «испортить ЕГЭ».

После окончания уроков в ту пятницу Аглая вроде пошла домой, но никто из одноклассников ее не видел. Не видели девочку и школьники младших классов, игравшие во дворе в ожидании родителей. Зато некоторые из них видели в школьном дворе и возле футбольного поля завуча Наталью Грачковскую.

Катя вспомнила это маленькое поле. За ним — забор, а там калитка в парк и всего в нескольких метрах эта трансформаторная будка и «щель» за ней.

Артем Ладейников порылся среди томов и протянул Кате тоненькое дело.

— Суицид, полковник Гущин приказал и этот материал из архива поднять тоже.

Катя поняла, что это материалы проверки обстоятельств смерти матери Аглаи. Ее мать звали Аделаида. Катя подумала — какие звучные имена и какой страшный конец у обеих.

Мать Аглаи повесилась дома в ванной. Ее предсмертная записка тоже подшита в дело. Неровный косой почерк: «Простите, не могу больше. Дочка моя там совсем одна. Не оставлю ее там, как оставляла здесь...»

Катя закрыла глаза. Вот так...

Потом она собралась с силами и открыла в толстом томе протокол допроса этой женщины.

Глянула на дату. Вавилов допрашивал ее за десять дней до самоубийства. В протоколе и в вопросах не сквозило никакой жесткости. Вавилов старался быть очень аккуратным, понимая, что перед ним мать, потерявшая дочь. И все же вопросы его были остры.

Часто ли оставляла Аглаю одну дома, часто ли уезжала...

Часто.

Имела ли связи с мужчинами?

Имела.

Чем зарабатывала на жизнь и содержание дочери?

Старалась подработать дизайном... Мы всегда нуждались в деньгах, и Аглая это понимала, не жаловалась, пыталась помогать чем можно.

Жаловалась ли Аглая на учительницу Грачковскую?

Да, она говорила о ней постоянно, злилась, обижалась, жаловалась на несправедливость и тревожилась, что географичка запорет ей баллы.

Вызывали ли вас как мать в школу из-за конфликта Аглаи и Грачковской?

Нет, не вызывали. Все, что происходило, я знала лишь со слов дочери.

Курила ли Аглая?

Нет, не курила. В доме курю только я...

Как Аглая проводила свое свободное время?

Учила уроки и иногда гуляла, она любила кататься на роликах и во время прогулок решала уравнения. Так она говорила.

Есть ли у вас подозрения, кто совершил убийство?

Ее убила Грачковская. Больше некому. Она была врагом Аглаи.

Вот так. Катя отложила том в сторону. Мать девочки обвиняла в ее убийстве учительницу. Что еще можно тут сказать? Наверное, весь город так думал, вся школа, все соседи.

Но достаточных фактов и доказательств довести дело до суда и предъявить Грачковской обвинение так и не нашлось. Вавилов не смог.

А что говорят экспертизы?

Катя начала искать следующий том дела об убийстве Аглаи Чистяковой. Но — нет, с ним кто-то уже работал.

Вместо него ей попался том с подшитыми экспертизами по делу об изнасиловании в отеле «Сказка».

«И правда так можно рехнуться», — подумала Катя. Это невозможно вот так переключаться с одного на другое. Это портит все восприятие, мутит всю картину. Потому что и так ни черта не понятно, а тут еще эта чехарда.

Полковник Гущин создал этот метод чересполосицы для себя — мол, кто-то что-то прочтет, а для него вычленят самое главное. Но это может быть большой ошибкой. То, что сейчас кажется главным, и так уже звучало на суде. А они-то раскрывают совсем другое дело: кто и за что из всех этих фигурантов мстит сейчас Вавилову?

Она начала читать заключения экспертиз. Потерпевшая Марина Приходько, освидетельствование, осмотр, данные биологической экспертизы.

Все, как и написал Артем Ладейников под диктовку оперативников в своем компьютерном дайджесте, — экспертиза обнаружила сперму и ДНК Павла Мазурова. А также зафиксировала, что Марина Приходько по прозвищу Мимоза была сильно избита — синяки на плечах, на бедрах, сотрясение мозга, перелом кости носа, трещина левой скуловой кости. Потребовалась хирургическая операция лицевого отдела и затем серия пластических операций.

На самом Павле Мазурове выявлены следы ДНК Марины Приходько. Кроме того, у него травма затылочной области — рана, рассечение кожи — следствие удара бутылкой по голове.

Он ее избивал и насиловал, она сопротивлялась и ударила его бутылкой. Так их и застали, когда сломали дверь. Это видела Виктория Одинцова. Все сходится. Кроме...

— Ты чего такая сердитая?

Катя оторвалась от заключения. Полковник Гущин собственной персоной. Он буквально на цыпочках прокрался в свой кабинет, оккупированный оперативниками.

— У меня ум за разум заходит, Федор Матвеевич, — призналась Катя. — Мы тянем сразу три нитки одновременно. И мы запутаемся. Мы можем не увидеть каких-то важных деталей... не деталей, а несоответствий, намеков.

— И какие же несоответствия ты имеешь в виду?

— Ну, не знаю, я просто к примеру. Вот мы сегодня Викторию Одинцову допрашивали, а она нам про пар изо рта.

— Про какой еще пар изо рта?

— Ну, мол, когда они в номер вошли в ту ночь, там было так холодно, что у нее шел пар изо рта.

— Окно было открыто, что ж тут странного? Эта Мимоза орала благим матом, на помощь звала. Могла окно или балкон распахнуть, призывать на помощь.

— Окно и балконная дверь, как указано в протоколе осмотра, были закрыты, шторы задернуты, я отлично это помню, сама читала, — возразила Катя. — А Вавилов сам лично писал протокол осмотра. Он такую деталь бы не упустил.

— Ну значит, у них отопление там не работало. — Гущин пожал плечами. — Чего ты к этому так прицепилась? Это так принципиально важно, что ли?

— Нет, но... Это пример того, в какой мы суете и путанице по этим трем делам.

— Все потом устаканится. Нам надо как можно скорее все это изучить.

— Проще еще раз побеседовать с Одинцовой, — заметила Катя. — Я завтра выкрою время и поеду снова в Рождественск, поговорю с Викторией там, в кафе, еще раз.

— Я тебе лучший вариант предложу, — сказал Гущин. — Я завтра намерен нанести визит самой Мимозе. Она стала богатой дамой, свой собственный салон на Садовом кольце. Ты там мне будешь полезна в этой дамской парикмахерской.

Катя подумала и покачала головой.

— Нет, Федор Матвеевич, я лучше съезжу к ключевому свидетелю. Надо устранить это несоответствие.

— Я не понимаю, почему это тебя так всполошило.

— Ничего меня не всполошило. Там все ясно, кроме... кроме пара изо рта. Пусть Виктория мне сама это прояснит. Может, она оговорилась или перепутала. Мы должны все выяснить досконально. Это ясное, абсолютно очевидное дело, и тем не менее ни на следствии, ни на суде Павел Мазуров своей вины не признал. Вот прокурор Грибов тот сразу во всем сознался, а этот нет.

— Прокурор Грибов — юрист. Он прекрасно понимал, что чистосердечное раскаяние смягчает приговор.

— И тем не менее он-то сидит, а Павла Мазурова, который был в несознанке, выпустили по амнистии на условно-досрочный, — хмыкнула Катя. — Нет, Федор Матвеевич, тут ваша логика не работает. А поэтому я поеду в Рождественск и сама все еще раз уточню.

— А, тебя не переспоришь. — Гущин махнул рукой и начал громко раздавать оперативникам очередные ЦУ.

Глава 25
ВИЗИТЕР

Беседу с Мариной Приходько по прозвищу Мимоза полковник Гущин запланировал на следующий день в обеденный перерыв. С Мариной связался по телефону один из его подчиненных.

Гущин на служебной машине приехал на Таганку и остановился на Садовом кольце возле огромного, как монолит, кирпичного дома. Весь низ его занимали банки, а между ними приткнулись изящный вход и узкая витрина до полу — салон красоты. Внешний дизайн — очень стильный, но вот окно в витрине тусклое, не мытое с самой зимы.

Около салона Гущин заметил патрульную машину ДПС.

— Задержите его, он где-то там, на улице!

Гущина, когда он вошел, буквально оглушил этот истерический женский крик. На рецепции — никого, зато в небольшом зале на четыре кресла полно народа. Гущин увидел двух патрульных в бронежилетах, паренька в белой униформе парикмахера, молоденькую, ярко накрашенную брюнетку в пестрой кофточке. Все они окружали кольцом высокую блондинку в шерстяном алом жакете и рваных джинсах. Лицо блондинки искажено ужасом.

— Задержите его, он меня убьет!

Патрульные обернулись и горой надвинулись на полковника Гущина.

— В чем дело?

— Вы кто? Ваши документы!

Гущин молча показал им удостоверение.

— Что тут происходит?

— Срочный вызов. Мы посчитали это ограблением, а оказалось... ложная тревога.

— Какая еще ложная тревога! Я вам говорю — он был здесь, сидел в этом вот самом кресле! Он меня убьет! — Блондинку — а это и была Мимоза — била сильная нервная дрожь.

— Успокойтесь, я полковник Гущин, мой сотрудник звонил вам насчет встречи.

— Да, да, я помню. Вы видели его? Там, на улице, вы видели его?

— Кого?

— Мазурова! Пашку... ой, что же это, он из колонии сбежал, что ли? Он меня убьет, прикончит. Он уже появлялся возле салона — там, на улице. А сегодня пришел сюда — внаглую, наверное, меня искал. Как он меня нашел?

— Сядьте в кресло, успокойтесь. Принесите ей стакан воды, — попросил Гущин брюнетку в пестрой кофточке.

Мимоза плюхнулась в парикмахерское кресло. Гущин отошел с патрульными к рецепции.

— Я тут сам разберусь, вы можете ехать, — сказал он, — только расскажите мне, что здесь при вас было?

— Ничего, — патрульные пожали плечами словно близнецы, — по рации получили вызов от дежурного — Садовое кольцо, салон, думали ограбление. А тут у дамочки истерика. Какой-то клиент зашел в салон постричься, а ее это сильно напугало.

— А вы этого клиента видели? В салоне или на улице?

— Так его уж и след простыл, пока мы приехали.

Патрульные покинули салон. Гущин вернулся к Мимозе. Та скорчилась в кресле, обхватив худыми руками свои хрупкие плечи. Гущин оглядел ее — не то чтобы красавица, но стильная, фигура как у модели, а лицо... Он вспомнил заключение эксперта о переломах костей лица и хирургической операции. А потом еще и пластические хирурги трудились. Славная работа. Никаких следов, никаких шрамов, и нос, перебитый, исправлен. Кожа ухоженная. В общем — полный ажур.

— Теперь вы, Марина, по порядку, коротко. Что тут у вас стряслось?

— Я приехала сюда, вы же мне встречу назначили, и я приехала. Вхожу в свой салон, вижу Степа — это наш мастер — клиента закончил стричь. У нас сейчас туго с клиентами, этот чертов кризис весь бизнес обрушил. Поэтому мы каждому рады, и я обрадовалась, а потом увидела в зеркале — он смотрит на меня. И я.. ох, я же его моментально узнала — это он!

— Павел Мазуров?

— Он. — Мимоза нервно всхлипнула. — Я на месте застыла — там, на рецепции. А он встал и медленно так ко мне. Тут я не выдержала и заорала, а он...

— Что он?

— Он бросил деньги на стойку, пять тысяч, и мимо меня к двери. Я закричала Степе, чтобы тот в полицию звонил, чтобы приехали защитить меня. Что же вы стоите? Надо его поймать, он ведь из колонии сбежал.

— Мазуров не сбежал, он освобожден по амнистии.

— Освобожден?

Гущину показалось, что Мимоза вот-вот рухнет в обморок со своего кресла. Она закрыла лицо руками.

— Он меня убьет, — прошептала она. — Я знаю. Он меня теперь убьет. Он уже приходил сюда пару дней назад. Я видела его на улице возле салона. А сегодня он пришел, чтобы меня убить.

— Вам нечего бояться. — Гущин постарался, чтобы его голос звучал как можно убедительнее.

— Вы не знаете его, он чудовище.

— Я как раз приехал для того, чтобы вы рассказали мне о нем.

— Я все сказала на суде. — Мимоза испуганно заглянула в лицо Гущина. — Почему вы, полиция, опять ко мне пришли? Что-то случилось?

— Мы собираем информацию на Павла Мазурова в связи с его условно-досрочным освобождением, — уклончиво ответил Гущин.

— Нет, вы обманываете меня, что-то случилось. Я чувствую.

— Расскажите мне о нем подробно, — снова попросил Гущин. — Вы знали его до поездки в отель «Сказка»?

— Я его знала, мы встречались несколько раз на корпоративах и в ночных клубах, когда его компания устраивала... в общем, устраивала веселье. Нас познакомил его товарищ Аркадий Витошкин. И мы общались с Мазуровым — так, ничего серьезного.

— Но вы ведь не были сотрудницей консалтинговой компании?

— Нет, и вам это отлично известно. — Мимоза прищурилась. — Меня приглашали лишь на их корпоративы. Когда Витошкин нас познакомил, Мазуров мне сначала понравился — деловой, энергичный, хорошо образован, такой пост в фирме занимал и имел дальнейшие виды на повышение. А потом я заметила, что это лишь одна сторона его натуры. А за всем этим — дерьмовый характер: злость, мнительность, гонор непомерный и мстительность.

— Мстительность? А какие были основания тогда так думать?

— Никаких, я просто чувствовала печенкой: характер — говно. — Мимоза не стеснялась в выражениях. — И Мазуров это с лихвой доказал там, в отеле.

— Что же произошло между вами в ту ночь?

— Все ведь в деле есть, меня миллион раз допрашивали.

— Вас Игорь Вавилов допрашивал, начальник розыска?

— В основном он, и следователь, и судья в суде. Я все рассказала, думаете, легко мне было после пластических операций вспоминать весь этот кошмар!

— Да, кстати, насчет вашей пластики... А кто оплачивал операции? — спросил Гущин.

— Мои друзья. — Мимоза выпрямилась в кресле. — А по поводу той ночи... все началось раньше, как только мы приехали в отель. В пятницу вечером — корпоратив начался в ресторане и потом перетек в аквапарк к бассейну. Все шло как обычно на таких вечеринках, все ужрались, Мазуров напился и начал за мной ухлестывать. К субботе он так и не протрезвел, а вечеринка наша продолжалась...

— Вы провели ночь пятницы вместе?

Мимоза глянула на Гущина.

— Мазуров это утверждал на всех допросах, — кротко продолжил Гущин.

— Да, я переспала с ним. И мне не понравилось. — Мимоза глядела уже с вызовом. — Так я ему и объявила потом, уже вечером, в баре отеля, когда он попробовал опять качать права. Он начал приставать. И я ушла от него на танцпол.

— К Аркадию Витошкину?

— Нет. Аркаша тут вообще ни при чем. — Мимоза энергично тряхнула головой. — Я просто хотела отделаться от Пашки... от Мазурова. Я танцевала с другими мужиками, не помню сейчас с кем. И где-то после полуночи пошла к себе в номер.

— И что случилось дальше?

— В коридоре Мазуров догнал меня, и так получилось — он втолкнул меня в номер насильно.

— А кто отпер дверь номера? У кого был ключ?

— У меня в вечерней сумке, я не сдавала его на рецепции.

— Ясно, не сдавали. Мазуров подкараулил вас и втолкнул в номер.

— Я сразу поняла — он не в себе. Пьян, да, но там еще, кроме алкоголя, что-то — какая-то дурь, может, героин. Он вел себя как маньяк. Начал целовать меня, повалил на кровать. Когда я поняла, чего он хочет, я начала сопротивляться, мы боролись в постели.

— А брюки он когда снял?

— Он не снимал, он возился, пытался взобраться на меня, раздвигал мне ноги коленями. Я же все это уже повторяла тысячи раз вашему Вавилову из розыска! Я поняла, что Мазуров не отстанет, я ничего не могла сделать, я слабая женщина, а он такой здоровый бугай. Я закричала, начала звать на помощь. А это его словно еще больше распалило. Он стал бить меня — по груди, по лицу, и одновременно я поняла, что он насилует меня. Я кричала, а он лишь зверел все больше и никак не хотел останавливаться. Мы упали на пол, мне удалось отпихнуть его от себя, и я схватила со стола у кровати бутылку и ударила его...

— Бутылка коньяка? — спросил Гущин. — Так вы пили там, в номере, с ним?

— Нет, бутылка осталась с прошлого раза, с пятницы.

— Когда вы провели ночь совместно с Мазуровым в вашем номере? И вы не допили тогда коньяк?

— Не допили. Почему вас интересует такая ерунда?

— Она и Вавилова интересовала, — сказал Гущин. — Вы ударили насильника бутылкой по голове, да?

— Я ударила его, я, наверное, могла его убить в тот момент. Я чувствовала только боль и ненависть. — Голос Мимозы звенел. — Но тут дверь высадили и вбежала дежурная по этажу вместе с охраной.

— А ваш знакомый Витошкин?

— Он тоже был с ними. Но сначала я на него не обратила внимания, у меня глаза залило кровью. Я была как в тумане, я боялась, что убила подонка.

— Вы Мазурова не убили, это он вас избил. — Гущин кашлянул. — А чем, по вашему мнению, был спровоцирован такой вот всплеск агрессии с его стороны?

— Я же вам говорю: у него характер — дерьмо. Я это чувствовала, женщины всегда чувствуют, что мужик — садист. Поэтому я и прекратила с ним общаться. А он взбесился, что я его отшила, и решил показать мне кузькину мать.

— По какому поводу консалтинговая фирма собралась на корпоратив? — спросил Гущин.

Мимоза снова пожала плечами.

— У них было что-то вроде юбилея — пятнадцать лет со дня основания, приехали топ-менеджеры из региональных офисов. На следующей неделе намечалось собрание акционеров и перевыборы совета директоров.

— На следствии и на суде Павел Мазуров категорически отрицал свою вину.

— Знаю, насмотрелась я на него на суде. Он пытался дураком ненормальным прикинуться — мол, память отшибло. Это все ложь. Разве вы не видите, что он все время лгал. Он изнасиловал меня, он бил меня смертным боем, — Мимоза дрожала, — а теперь он на свободе... Он отомстит мне за то, что я давала показания против него на суде. Он уже дважды сюда являлся.

— Уверяю вас, вам нечего бояться. Мы примем меры для вашей защиты.

— А вы не можете снова посадить его за решетку? — Мимоза махнула рукой. — Ах, что я говорю... Но я смертельно его боюсь. Вы не представляете, на что способен этот человек. Там, на суде, когда он сидел в стеклянной кабине под конвоем и пялился на меня... Я читала по его лицу. Он нас всех люто ненавидит!

Глава 26
ДВЕРЬ В ПОДСОБКУ

Катя планировала съездить к Виктории Одинцовой в Рождественск утром. Она хотела встать, как обычно, рано, но потом подумала: неизвестно, во сколько кафе открывается, и поставила будильник на час позже.

Будильник прозвенел, и надо же такому случиться — она услышала сигнал-музыку, пошарила в полусне на тумбочке возле кровати, отыскала пульт, выключила электрочасы и... отрубилась опять.

Когда она открыла глаза, в окно ярко светило апрельское солнце. На часах — половина одиннадцатого.

Катя вскочила как ошпаренная и...

Проспала!

Зато кафе уже наверняка открыто. Пока доберется — обед. Они же там посменно работают. Виктория Одинцова может домой уйти, передав вахту совладельцам кафе.

Катя добралась до Рождественска лишь в начале второго. Она уже горько раскаивалась в этой своей затее. И чего, собственно, ей неймется? Не такие уж и важные подробности и факты, чтобы вот так бездарно угробить на них полдня. Гущин ей ведь лучший вариант предлагал — познакомиться с Мимозой, расспросить ее про Павла Мазурова. Мимоза могла рассказать что-то интересное. А эта прекрасная кондитерша Одинцова и видела его всего раз — там, ночью в номере.

Пар изо рта...

Там было очень холодно...

Ну и что? Да мало ли по какой причине?

Катя открыла пластиковую дверь кафе, бросив косой взгляд на грифельную доску с меню, написанным мелом.

В кафе — ни души. За стойкой тоже никого. Катя ждала — отошла, наверное, куда-то, может, в туалет. И вообще неизвестно, работает ли Одинцова сейчас, может, давно сменилась.

В дверях появилась парочка — офисные служащие.

— Опять тут никого? Эй, нам только кофе с собой! — звонко окликнула тишину молодая девушка.

— Лелька, пойдем, тут не дождешься. — Ее приятель потянул ее за руку.

Ушли. Катя осталась у стойки. В крохотном кафе пахло обжаренным кофе, корицей и сдобными плюшками. Было очень тихо.

Куда она подевалась? Ушла? Оставила кафе открытым?

Катя медленно оглядела маленькое тесное помещение. Тут и спрятаться негде. Неожиданно ее внимание привлекли коробки. Вчера они стояли сложенные в штабель возле стены, а сейчас, если заглянуть за стойку, были беспорядочно навалены возле двери в подсобку, словно подпирая ее снаружи.

Катя оглянулась на дверь — никаких посетителей. Она обошла стойку, приблизилась к коробкам. Постучала в дверь подсобки:

— Эй! Виктория!

Тишина. Катя вдохнула воздух — тут тоже пахло кофе и корицей, но к ароматам примешивался еще какой-то запах — тусклый, медный, неприятный.

— Виктория!

Или ей показалось, или за дверью раздался какой-то шорох. Словно пальцами поскребли по дереву.

Катя внезапно ощутила, как по ее спине пробежали мурашки. Она наклонилась и... лишь секунду колебалась, испытывая странный, вроде бы совершенно беспочвенный приступ сильного страха, а потом начала отодвигать коробки в сторону.

Они были тяжелые, эти коробки: в некоторых бутылки с кока-колой, в некоторых пакеты с соками. Катя не могла их поднять. Она пинала их ногами и тянула за картонные отвороты.

Снова этот звук... шорох...

Словно ногтями проскребли...

Внезапно она ощутила, что картон под ее рукой влажен. Она глянула вниз, что, сок пролился?

Низ картонки пропитался чем-то алым, будто и правда разлитым томатным соком.

Только вот Катя шестым чувством поняла — это не сок.

— Виктория!

Она лихорадочно возилась с этими чертовыми коробками, подпиравшими дверь, — она больше не сомневалась: возле двери возвели преграду, чтобы кто-то не смог выбраться оттуда, из этой тьмы...

— Виктория, вы там?!

Или ей показалось, или она услышала этот звук: хрип... захлебывающееся бульканье, словно в чьем-то мертвом горле клокотал последний вопль.

Катя отпихнула ногой коробку и приоткрыла дверь.

Она увидела руку — женскую руку, измазанную кровью.

На секунду Катя ощутила дурноту, в глазах потемнело. Неужели тут, как и в том страшном гараже, отрубленные, отпиленные руки и...

Снова слабый хрип.

На полу — в луже крови тело.

Катя, не помня себя, рванула дверь и открыла ее.

Виктория Одинцова лежала ничком на полу.

Катя лишь секунду глядела туда — в темноту: подсобка не имела второй двери, она напоминала узкий шкаф, полки по стенам уставлены коробками и пакетами с кофе.

Тут никого... только она...

Рядом с ней никто не спрятался, не подстерегает меня...

Эти мысли — Катя не хотела их, их подсказывал страх. Она бросилась к Виктории, встала на колени.

Мертва? Она мертва?

Катя осторожно перевернула ее: джинсовый комбинезон спереди весь промок от крови, на груди — тоже кровь, но за одеждой, за всей этой одеждой не видно ран. Она пощупала ее руку — нет, нет этой пугающей ледяной холодности, рука теплая.

Она жива!

Катя нашла пульс — тоненький, как ниточка, редкий. Но пульс бился.

— Вика, слышите меня? Все будет хорошо, я сейчас вызову «Скорую»! Слышите, только не уходите, не отключайтесь, все будет хорошо!

Катя выхватила мобильный и...

Она набрала номер экстренной помощи в одно касание. Потом вспомнила, что она не знает название улицы, где расположено кафе. Она добралась сюда на своей машине, на крошке «Мерседес-Смарт», и сделала это по памяти, потому что это не так сложно — после поворота с федерального шоссе все время прямо, прямо, а потом направо. И вот эта улица с бывшими фабричными цехами, переделанными в офисы.

Катя выскочила из кафе. Ринулась к прохожему. Тот остолбенел. И Катя поняла — он заметил на ее куртке кровь.

— Как улица называется? — заорала не своим голосом. — Надо «Скорую» вызвать! Там женщину ранили!

Прохожий пробормотал:

— Второй фабричный проезд.

И, оглядываясь, спотыкаясь, буквально дал деру: на его лице сморщенном было написано — только не впутывайте меня ни во что!

Оператор «Скорой» на том конце не отключался: Катя назвала адрес, сказала — это маленькое кафе-павильон.

Она вернулась в подсобку. Виктория Одинцова лежала так, как она ее оставила. Катя увидела на стене еще один джинсовый комбинезон, схватила его, скомкала и начала осторожно подсовывать Виктории под голову. Она боялась, что кровь из раны хлынет в горло.

В этот момент веки Виктории слабо дрогнули, она открыла глаза. В них метался дикий ужас.

— Вика, успокойтесь, держитесь. «Скорая» едет, врачи вам помогут, только держитесь. Кто на вас напал? Вы видели, кто вас ранил?

В горле Виктории снова заклокотал хрип. Губы ее скривились, она словно силилась что-то сказать.

Катя наклонилась к самым ее губам.

— Железо...

Голос Виктории еле слышен.

— Железо, — прошептала она снова, глаза ее смотрели на Катю, вылезая из орбит. — Он... он из железа...

Сирена «Скорой».

Она буквально оглушила. Глаза Виктории остекленели.

Врачи в синей форме появились в проеме двери. И следующие пять минут Катя лишь отвечала на их вопросы. Они быстро, не прибегая к помощи носилок (в подсобке с ними было не развернуться), на руках вытащили Викторию Одинцову из кафе и положили в машину на каталку.

Катя тоже решила ехать.

Больница оказалась совсем недалеко — на соседней улице, поэтому «Скорая» и приехала так быстро. Там Викторию Одинцову тут же повезли в реанимацию.

Катя осталась у стеклянных дверей, ее не пустили. Она обессиленно опустилась на банкетку. Ноги отказывались ее держать.

Она еще не верила в происходящее. Все случилось так внезапно. Она позвонила полковнику Гущину на мобильный. Его телефон не отвечал. Тогда она решила позвонить дежурному по уголовному розыску в Главк — пусть срочно сам разыщет Гущина и передаст...

— Вы родственница?

Катя подняла голову. Перед ней стояла молоденькая врач «Скорой» в синей робе.

— Вы ее родственница?

— Я из полиции.

— Она умерла.

— Умерла?! — Катя ощутила, словно ее ударили под дых.

— Большая потеря крови, хотя из трех ран ни одна фактически смертельной быть не должна. Вам бы раньше ей помощь оказать. — Врач пристально смотрела на Катю, словно оценивая — а не убийца ли сидит перед ней на банкетке. — Нам нужны ее данные — имя, фамилия, адрес. Мы уже связались с местным ОВД.

Катя поняла — через полчаса тут станет жарко. Она назвала имя и фамилию — Виктория Одинцова. И сразу же позвонила дежурному по розыску в Главк, сообщила о случившемся и попросила, чтобы полковник Гущин немедленно приехал в Рождественск.

Глава 27
ОТВРАЩЕНИЕ

Учитель химии Белкин — тот самый, кого допрашивали в школе полковник Гущин и Катя, — в этот день после уроков зашел в супермаркет «Пятерка», расположенный рядом со зданием городской больницы Рождественска.

В городе происходили какие-то странные вещи: во дворе больницы можно было заметить сразу несколько полицейских машин, а соседнюю улицу — Второй фабричный проезд — вообще перекрыли и для машин, и для автобусов.

Там дежурили патрули ДПС и никого не пускали — просили выбрать для прохода и проезда другие маршруты.

Учитель химии Белкин отличался смекалкой и любопытством — он вспомнил: точно такая же суета происходила в Рождественске, когда пропала Аглая Чистякова, а потом ее бездыханный труп обнаружили совсем рядом со школой за трансформаторной будкой.

Тогда тоже нагнали уйму полиции.

И эти слухи о совершенно *диких вещах, связанных с трупом бедной девочки,* что ползли по городу, как чума.

А потом это сенсационное задержание Натальи Грачковской в учительской школы, где он проверял тетради с лабораторной работой по химии всего час назад...

Неужели в городе снова кого-то убили?

Но узнать новости — не у кого. Учитель Белкин взял в супермаркете «Пятерка» тележку и с тоской оглядел полки. Раньше он позволял себе питаться лучше, ходил в другие магазины. Но кризис заставил экономить даже на продуктах, не говоря уж о каких-то иных тратах.

Он брал товары с полок, вертел скептически, многие клал обратно. Толкал тележку дальше и вдруг...

Он наткнулся на *это* словно на ржавый гвоздь.

Чей-то взгляд — пылкий, настойчивый, зовущий, прожигающий насквозь.

Возле стеллажей с бутылками пива стояла бывший завуч и его прежняя пассия Наталья Грачковская.

Она смотрела на него. А он... он ощутил, что ноги его стали ватными. Он быстро пошел к кассам, толкая полупустую тележку, не оглядываясь, хотя и знал — она смотрит ему в спину, нет, она следует за ним, как ядовитая змея следует за кроликом или мышью.

Он пристроился в самый конец длинной очереди в кассу. Больше всего на свете он хотел спрятаться, скрыться от нее — тут, среди людей.

И на какой-то миг ему показалось, что это удалось. Он оплатил покупки, сложил их в пластиковую сумку и покинул супермаркет.

Он уже подходил к своему дому. Осталось пересечь парковую аллею — да, пройти по тому самому парку, что примыкал к школе и клином выходил вот сюда, к жилому микрорайону многоэтажек.

Как вдруг он услышал шаги за своей спиной и... резко, излишне резко обернулся.

Наталья Грачковская шла за ним по пятам. У нее в руках — тоже пластиковая сумка «Пятерки», там звякают пивные бутылки. Раньше в школе она никогда не пила, да и когда они коротали ночи у нее дома, редко-редко открывали бутылку шампанского для куража и раскованности в постели.

Она и так была раскованна в постели — с ним, молодым учителем, годившимся ей пусть не в сыновья, но в младшие братья.

— Здравствуй, — сказала Наталья Грачковская, — что, не узнаешь или узнавать не хочешь?

Учитель Белкин чувствовал подступающую к горлу тошноту. Это ощущение отвращения, брезгливости — он испытал его давно, пять лет назад, когда Грачковскую, с которой он делил постель и часто там, в постели, доводил до оргазма и полного блаженства, арестовали по обвинению в убийстве девочки Аглаи. Те жуткие слухи, что ползли и по городу, и по школе о том, *как именно был изуродован труп школьницы...*

Тошнота и отвращение вернулись и сейчас, подкатывая к горлу клубком. Его бывшая любовница и начальница — завуч за эти годы постарела, обрюзгла, опустилась. В этом он не соврал толстому лысому полицейскому, допрашивавшему его. Но не это было главное — не внешность Натальи Грачковской, столь подурневшей после ареста, тюрьмы, из которой ее весьма скоро отпустили, так ничего и не доказав, и всех этих лет, минувших с тех пор.

Главное было то, что... учителю Белкину было противно говорить с ней сейчас, после всего, и стоять рядом.

— Оставь... оставьте меня в покое! — заявил он, чувствуя, что его голос срывается на крик.

— Да я ж только поздоровалась с тобой, — ее голос шелестел как трава.

— Я не желаю иметь с вами никакого дела!

— Да я ж только поздоровалась, ты что? Я ж не в постель тебя приглашаю. — Грачковская ясным, светлым взором буквально жгла насквозь своего бывшего любовника.

— Уйди от меня! Отстань! Извращенка, убийца! — взвизгнул, не помня себя, Белкин.

Он не знал, что на него нашло, возможно, эта новая суета в городе, эта уйма полиции, эта перекрытая улица по соседству — все это слишком живо напоминало тот ужас, случившийся в городе пять лет назад по ее вине. Да, по ее — в этом Белкин был убежден.

— Чего ты орешь как ненормальный?

— Это ты ненормальная, маньячка! И всегда ею была, я это знал! Пошла вон от меня! Если еще хоть раз полезешь ко мне или заговоришь, я... за себя не ручаюсь, поняла?

Наталья Грачковская глядела на него в упор. Чтобы учитель, преподаватель химии, — молодой, интеллигентный, визжал вот так, весь трясясь от злобы и... да, от отвращения...

Кто бы мог подумать, что некогда близкие люди, делившие одну постель, жаркие поцелуи и любовную лихорадку ночи, станут в конце концов разговаривать вот так?

— А ты что, боишься меня, что ли, дружок? — Наталья Грачковская улыбнулась и поставила сумку с пивом на асфальт.

Потом она быстро шагнула к учителю Белкину, и тот...

Издав нечленораздельный вопль ужаса и отвращения, он пустился наутек бегом, прижимая к груди тощую сумку с жалкими покупками.

Он не бегал так никогда в жизни — ни до, ни после.

Он не мог толком объяснить, что его так безумно напугало в этот апрельский прозрачный теплый вечер — там, на аллее парка.

Он и не желал никаких рациональных объяснений.

Дружок — так Наталья Грачковская никогда прежде не называла его в постели. Так она обычно обращалась в классе к ученикам обоего пола. И когда она произносила это слово, по ее напудренному бесстрастному лицу невозможно было понять, что последует в дальнейшем — похвала или взрыв ярости.

Куда полиция смотрит? Она же психопатка, убийца — никаких сомнений. Почему ее отпустили тогда, а не упрятали за решетку?

Учитель Белкин подумал об этом, захлопывая дрожащими руками тяжелую дверь своего подъезда. Впервые в жизни он не жалел о плате, собираемой с жильцов за домофон, потому что в двери, как всегда, аккуратно сработал надежный магнитный замок.

Глава 28
СПЕШИ МЕДЛЕННО

Все события этого дня и позднего вечера Катя впоследствии оценивала совершенно иначе. Но в тот момент ей казалось, что полковник Гущин — и в Рождественске, и затем, когда опергруппа вернулась, в Главке на Никитском, ведет себя нерешительно, непоследовательно и странно.

Обычно в таких ситуациях он лучился энергией, а тут как-то странно затих, лишь задавал вопросы всем — и Кате, и эксперту Сивакову, забравшему труп Виктории

Одинцовой на вскрытие, и своим подчиненным, и сотрудникам Рождественского ОВД.

Увы, случилось то, чего полковник Гущин хотел всячески избежать, — а именно подключения бывших сослуживцев Игоря Вавилова из Рождественского ОВД к расследованию. Но убийство Одинцовой произошло на территории Рождественска, и с этим ничего нельзя было поделать.

Катя все подробно рассказала — сначала им, дежурной группе ОВД, потому что они приехали в больницу по вызову «Скорой» и сразу же отправились осматривать кафе во Втором фабричном проезде. Затем, гораздо позже, она изложила свою историю Гущину, когда тот прибыл. Потом, уже по телефону, эксперту Сивакову, чтобы тот был в курсе. А в Главке вечером, когда они с Гущиным вернулись, она рассказала все Артему Ладейникову и сыщикам, продолжавшим «шуршать страницами многотомных дел».

Вообще-то, честно сказать, Катя ждала от Гущина и уголовного розыска Главка не вопросов, а действий, причем незамедлительных, связанных с...

Ну конечно! Вывод-то напрашивался сам собой — связанный с немедленным задержанием Павла Мазурова.

И сначала полковник Гущин послал опергруппу на его задержание, однако потом...

Да что там говорить — сыщики только во двор успели спуститься к служебным машинам, как Гущин позвонил старшему группы и неожиданно дал отбой. Никуда не едем.

Годим.

Чего годим?

Гущин точно ее мысли гневные подслушал и рассказал свою историю о посещении салона красоты на Садовом кольце и то, что поведала ему там Мимоза — Марина Приходько.

— Я хочу сначала знать, что скажет эксперт, — подытожил Гущин. — Прежде чем задерживать Павла Мазурова, я хочу знать результаты судебно-медицинской экспертизы, хотя бы первичные.

— Но время смерти Одинцовой нам известно, она же в больнице умерла при мне! — возразила Катя.

— Вот именно, поэтому время смерти для нас вообще роли никакой не играет. Я хочу, чтобы Сиваков хотя бы примерно предположил, как долго она была жива, как долго лежала там, в той подсобке.

Эксперт Сиваков с выводами не спешил. Он всегда работал скрупулезно. Осмотр в кафе во Втором фабричном давно закончился, давно закончились и поквартальный обход соседних улиц с поиском свидетелей, и выяснения в мэрии — работали ли на улице на зданиях камеры. Закончилась и оперативка, проведенная Гущиным для уголовного розыска Рождественска.

Они после всех этих оперативно-поисковых мытарств вернулись в Главк. А Сиваков все не звонил.

— Федор Матвеевич, я вас не понимаю, почему вы медлите? — Катя уже в кабинете Гущина в присутствии оперативников и Артема Ладейникова решилась на открытый бунт. — Ведь тут все ясно. Это Павел Мазуров ее убил. Кто еще, как не он? Как раз по этому убийству мы можем смело отсечь и Наталью Грачковскую, и Алексея Грибова-младшего. Они тут точно ни при чем. Это совершенно разные уголовные дела. Грачковская вообще Одинцову не знала. Грибов-младший мог слышать о деле об изнасиловании от отца-прокурора, но зачем ему убивать свидетельницу по чужому делу? Это Мазуров, это же очевидно!

— Его отпечатков пальцев нет ни в доме Вавилова, ни там, в кафе. Хотя в кафе полно всяких отпечатков — место людное, все захватано — витрина, стойка, дверь, косяки и дверь в подсобку. Отпечатки Павла Мазурова у нас в банке данных со времени его прошлого ареста. По компьютеру сравнить просто — и вывод один, отпечатков его нет.

— Да черт с ними, с этими отпечатками, — вспылила Катя. — На пиле и на молотке пневматическом в гараже

Вавилова тоже ничего. Это лишь значит, что убийца очень осторожен и не хочет наследить. Почему вы не прикажете доставить Мазурова сюда и допросить его? Почему вы колеблетесь? Это же он ее убил, это всем нам тут ясно, потому что она свидетельствовала против него на суде, и он отомстил ей так же, как отомстил Вавилову. Что вы сидите, годите? Вы не видели, как она там умирала, вся в крови!

— Не кричи на меня, — сказал полковник Гущин.

— Вы не видели, как она умирала! — Катя чувствовала, что весь этот внутренний комок, который сжался, окаменел у нее внутри, когда она услышала слова врача о смерти Одинцовой, теперь расправляет внутри ее иглы как чудовищный еж, ощетинивается. — Вы там не были, а я была, и я... я не смогла ее спасти, даже до реанимации не довезла. Я ничем ей не смогла помочь, а вы убийцу задержать не хотите!

Кто-то сзади положил ей руку на плечо. Катя резко оглянулась — Артем Ладейников протягивает ей стакан воды.

— Выпейте водички, — сказал он тихо, — и поймите — тут и правда криком не поможешь.

Для своих молодых лет он говорил сейчас слишком рассудительно, как старый дед. А вот Гущин, годившийся ему в отцы, упорно молчал.

— Я вот что подумал, из того, что нам сейчас известно, это как новый алгоритм для программы. — Артем Ладейников буквально всунул стакан с водой в руку Кате. — Получается, что эта Мимоза — Приходько невольно или вольно, но создала Павлу Мазурову железное алиби. Так ведь, Федор Матвеевич? Вы об этом ведь сейчас думаете, потому и Мазурова не хотите задерживать?

Гущин все молчал. Катя, давясь, глотала воду. Ее всю трясло. Она видела перед собой лицо Одинцовой — восковое от потери крови. Как санитары тащили ее из той подсобки... Как Виктория лежала на каталке, а она, Катя, сидела рядом. И ничего уже нельзя было сделать, ничем помочь.

— Если Павел Мазуров сегодня приходил в салон красоты в Москве, то он не мог находится в Рождественске в том кафе, — рассуждал Артем Ладейников дальше. — И если бы это говорил нам кто-то другой, другой свидетель, не Мимоза, мы могли бы поставить под сомнение его слова — мол, тут возможен сговор. Но Мимоза — Приходько сама жертва Павла Мазурова, она жертва изнасилования. По логике вещей мы должны ей верить, потому что у нее нет причин выгораживать Мазурова и создавать ему алиби. Ведь так?

Катя взглянула на Ладейникова.

— Но именно при таком вот непогрешимом с точки зрения логики раскладе возможен сбой в программе. — Ладейников прищурился. — Я так понял, что там, в салоне, Павла Мазурова узнала только одна Мимоза. Другие, кто в салоне в тот момент находился, Павла Мазурова никогда прежде не видели. Они знают, как и мы, что туда именно Мазуров приходил, только с ее слов. Так вот я подумал — некто зашел в салон под видом клиента. И Мимоза объявила его Мазуровым. А на самом деле тот был в Рождественске и...

— Ты, парень, рассуждаешь верно, но как робот. — Гущин вздохнул. — Артем, жизнь не всегда в твои компьютеры-ноутбуки укладывается, понимаешь? Жизнь — великая загадка и порой такие финты с нами выкидывает. Ни одна твоя компьютерная программа этого не просчитает. Не способны компьютеры на такое.

Катя зло глянула на Гущина — *к чему ты это сейчас? Вот это лирическое отступление-нравоучение юному уму?*

— Ни в доме Вавилова, ни в кафе отпечатков пальцев Павла Мазурова нет, — повторил Гущин. — А вот там, в салоне на Садовом — на столике возле зеркала, на спинке кресла, где он сидел, когда его мастер стриг, — есть, и свежие. Я сразу же отправил туда криминалиста, как только мне дежурный передал, что Одинцову убили. В салоне Мимозы действительно сегодня днем побывал именно Мазуров, а не кто-то другой под его маской. В этом-то все и дело.

В этом все дело... У него алиби. Что же скажет нам эксперт Сиваков?

Катя почувствовала, как мысли ее путаются.

— Что она тебе сказала перед смертью? — снова, в который уж раз спросил ее Гущин.

— Она бредила, Федор Матвеевич. Пыталась рассказать про оружие, чем ее ударили. «Из железа» — вот что она сказала: «Он из железа».

— У нее три ножевых ранения, — кивнул Гущин. — Теперь сосредоточься и подумай хорошенько. Я хочу знать — что тебя в прошлый раз так насторожило в показаниях Одинцовой? Давай — пункт за пунктом, почему ты решила, что это важно?

— Артем, у тебя в компьютере обработаны все протоколы допросов Мазурова, когда Вавилов его допрашивал? — спросила Катя.

Ладейников кивнул и нашел в компьютере нужный файл, открыл. Катя, в свою очередь, попросила первый том дела об изнасиловании с протоколом осмотра номера отеля.

— Что можешь сказать по этим протоколам допросов, Артем? Ты их все читал. Кстати, сколько раз Вавилов допрашивал Павла Мазурова?

— Шесть раз, — ответил Артем. — И везде, скажем так, Игорь Петрович оперативного успеха не добился. Павел Мазуров категорически отрицал свою вину в избиении, а тем более в изнасиловании.

— Что он говорит о том вечере?

— Везде и на суде тоже — одно: он не помнит или плохо помнит, что произошло.

— Так не помнит или плохо помнит? — уточнил Гущин.

— Вот смотрите. Вавилов ему: у вас в крови алкоголь и наркотики. А Мазуров: да, я был пьян, с наркотиками никогда всерьез дела не имел. А потом Мазуров просит: разберитесь, я прошу вас, разберитесь, поверьте мне — я не виновен. И опять... вот опять: я очень прошу вас, разберитесь, я ее не трогал — то есть потерпевшую. А вот тут... «Не кричите на меня!» Игорь Петрович наверняка голос на него повышал, может, требовал признаться.

Катя глянула на Гущина — лицо того непроницаемо. *Может, не только голос повышал, но и руку подымал... Эта вечная тяга добиваться признания подозреваемого даже по очевидному делу при полном комплекте улик и свидетелей у оперов неистребима.*

— А тот вечер как Мазуров описывает? — спросила Катя.

— Вот тут в допросе, — Артем нашел, — «Я много выпил в баре, мы с ней слегка повздорили, но я не придал этому значения. Потом я нашел ее на танцполе. Она меня поцеловала. И мы пошли к ней в номер. По дороге снова зяглянули в бар, который у бассейна. Мы там с ней выпили. И дальше я не помню. Помню, мы в номере на кровати. Потом боль, голова болит, сильно болит. Дальше — ничего».

— Дальше — тишина, — хмыкнул Гущин. — Только от ее криков весь отель на уши встал.

— А на улице крики Мимозы кто-нибудь слышал? — спросила Катя. — Есть свидетели, слышавшие крики с улицы?

— А все гуляли внутри. Это ноябрь, не май месяц. Все в тепле в аквапарке на нудистской вечеринке расслаблялись. — Гущин смотрел, как Артем листает файл.

— Вот именно — ноябрь, холодрыга, — кивнула Катя, — вот именно — в тепле, как вы говорите. Они все были полуголые, кто из бассейна возвращался, — в плавках, в купальниках или просто полотенцем обернуты. И на холод никто не жаловался. Значит, с отоплением в отеле все в тот вечер было нормально. А вот в номере Мимозы, когда туда вошла Одинцова, было холодно. Очень холодно — Виктория сказала «пар изо рта». Это значит — холод стоял в комнате не минуту, не две, а гораздо больше.

— Эта девушка, Мимоза, зовя на помощь, распахнула окно номера, — вставил Артем.

— Где, в каком протоколе она об этом говорит Вавилову?

— Нигде, я такого не нашел, просто предположил.

— И тут в протоколе осмотра — вот глядите, черным по белому: окно и балконная дверь на лоджию закрыты, и шторы в комнате задернуты, — прочла Катя — уже не наизусть цитировала, а читала, чтобы избежать любой неточности.

— И что? — спросил Гущин. — Что в этом такого, что ты отправилась все снова уточнять?

— Я не знаю, Федор Матвеевич. Я просто увидела тут какую-то дыру, — ответила Катя. — Холодно в номере так, что у людей пар изо рта вырывался, могло быть по единственной причине, если долгое время там было открыто окно или дверь на лоджию. Но все было закрыто на момент, когда туда вошли Одинцова, Аркадий Витошкин и охранники. Показания свидетельницы идут вразрез с протоколом осмотра места преступления. Это всегда требует прояснения.

— Согласен. Но вряд ли Викторию Одинцову убили из-за такого пустяка.

— Ее Павел Мазуров убил, больше некому, — убежденно сказала Катя. — Отомстил ей за то, что давала против него показания, когда он все отрицал. И это он убил жену Вавилова, чтобы отомстить и ему за то, что тот не прислушался к его показаниям, не разобрался в этом деле досконально.

— Да только благодаря Игорю Петровичу это дело до суда дошло, как же он не разобрался досконально? —

вспыхнул Артем. — Он все улики собрал, он такую проделал работу!

Полковник Гущин слушал их перепалку.

— Я звоню Сивакову, — произнес он наконец.

И включил громкую связь, чтобы все находившиеся в этот момент в кабинете могли слышать выводы эксперта.

— Что я могу тебе сказать, Федя. — Голос Сивакова звучал (как показалось рассерженной Кате) преступно расслабленно. — Два ножевых ранения — одно в область сердца, но сердце не задето, и в область брюшины с повреждением желудка. Третье — простая царапина на коже. Причина смерти — острая кровопотеря.

— Сколько она лежала в этой подсобке раненая? — спросил Гущин.

— Ты хочешь знать, сколько времени продолжалась кровопотеря? А этого ни я тебе не скажу, ни господь бог. Все зависит от организма, как она боролась, как она двигалась, переворачивалась — агонизировала. Могло быть и час, и два, и три часа. Оружие, по всему, аналогично тому, каким убили жену Вавилова: нож типа десантной финки — заточка лезвия, заточка скоса обуха, все это можно определить по внутреннему раневому каналу. Первый удар ей нанесли в живот, а второй уже в область сердца. Третья рана — царапина на внутренней стороне ладони. Преступник полагал, что он убил ее. Но он ее смертельно ранил. Он спрятал, как ему казалось, труп в подсобке, а Виктория все еще была жива. При таких ранах она громко кричать не могла, сил на крики уже не оставалось — она, видимо, лежала в полузабытьи, может, вообще без сознания.

— И час, и два, и три? — переспросил полковник Гущин.

— Два или три часа Павлу Мазурову с лихвой бы хватило, чтобы добраться из Рождественска до Москвы на Садовое в салон к Мимозе, — тут же ввернула Катя с торжеством. — Видите? Видите, Федор Матвеевич? Вот и Сиваков о том же — с лихвой!

— А часа бы не хватило. А Мазуров там побывал. В этом сомнений у меня нет, — возразил Гущин. Он выглядел усталым, каким-то потухшим.

А потом он спросил Артема Ладейникова:

— Тебе Вавилов сегодня звонил?

— Нет, — ответил тот, — мы сегодня с Игорем Петровичем не общались. Я думаю, ему ни до кого сейчас после похорон. Я еще думаю...

— Что?

— Вряд ли Одинцова лежала там так долго — три часа. Ее бы хватились, кто-то из покупателей непременно бы зашел в кафе за это время.

Катя вспомнила, как при ней заходила парочка и тут же сделала ноги. Нет, Артем, и тут ты ошибаешься — люди не хотят ждать лишней минуты в таких местах, если их никто быстро не обслуживает. Они просто идут дальше — до соседнего ларька с мороженым или кафе.

Глава 29
ВОПРОСЫ, ВОПРОСЫ...

Два следующих дня Катя ждала, что же все-таки предпримет полковник Гущин. И на ее взгляд (а образ умиравшей Виктории Одинцовой преследовал ее неотступно), Гущин предпринял самые дежурные шаги. Обвинить в полном бездействии она его не могла, потому что ЦУ все же последовали.

Сыщики досконально через службу исполнения наказаний негласно проверили Павла Мазурова — пообщались с руководством и работниками кайтеринговой компании, куда он устроился на работу. Проверили его дом в коттеджном поселке.

Он жил с матерью, на работу ездил на автобусе и метро и уже в офисе фирмы пересаживался на пикап, на котором и развозил от фирмы продукты и алкоголь по ресторанам и кафе. График работы у него получался абсолютно свободный. На своем пикапе он мог переместиться куда угодно — и в Рождественск, и вернуться оттуда.

Однако все же *часа или полутора часов* ему в тот день не хватило бы, чтобы после убийства Одинцовой добраться на Садовое кольцо в салон Марины Приходько — Мимозы. Это подтвердил импровизированный следственный эксперимент, который для Гущина провели оперативники — с учетом всех дорожных факторов: пути, светофоров, пробок. Двух часов хватило бы в обрез, трех — свободно.

Однако эксперт Сиваков так и не решился дать конкретное заключение о том, сколько же времени умирала бедная Виктория Одинцова, его формулировка в официальном отчете по-прежнему давала лишь примерный прогноз.

И полковник Гущин не хотел рисковать. Он пока даже воздерживался от допроса Павла Мазурова. Не хотел он и обсуждать с Катей вопрос: зачем, собственно, с какой целью Мазуров приезжал в салон Мимозы?

Тут Катя и сама терялась в догадках. Если предположить, что Мазуров убил свидетельницу Одинцову (Катя в этом не сомневалась — потому что больше-то кому?), то получалось, что он сразу после этого убийства ринулся в Москву убивать потерпевшую, которую пять лет назад изнасиловал, но все же не убил.

Такая линия поведения попахивала безумием, однако если вспомнить отпиленные пилой руки несчастной Полины Вавиловой и ту надпись на стене, то именно в версию безумного мстителя-маньяка все и укладывалось.

Но полковник Гущин, как помнила Катя, версию безумного маньяка отмел еще с самого начала, когда они осматривали гараж и надпись. Нет, он говорил о холодном расчете. И о том, что месть — это холодное блюдо.

Павел Мазуров в тот день действительно побывал в салоне своей жертвы. Это подтверждали найденные там его отпечатки пальцев. Сыщики по приказу Гущина детально допросили работников салона. И что же получалось? Павел Мазуров приехал, чтобы постричься?

Ему действительно сделали стрижку, он вел себя как обычный клиент. На его одежде не было брызг крови, во взгляде и поведении Мазурова парикмахер не заметил ничего инфернального.

Тихий... Так его охарактеризовал мастер. «Тихий клиент». Сидел в кресле послушно, смотрел на себя в зеркало. Потом явилась Мимоза и...

Она сразу же подняла крик, а он расплатился и покинул заведение. Не выхватил нож, не напал. Просто скрылся.

Тут Катя каждый раз ловила себя на мысли — нет, это просто гениальный ход со стороны Мазурова, со стороны убийцы. Он специально явился в салон, чтобы создать таким образом себе железное алиби, причем со стороны жертвы! Это же конгениально.

Но тут она сама себе возражала — а откуда он знал, что Мимоза в тот день явится в салон именно в то самое время, когда он там стрижется? Она вполне могла приехать позже. Не собирался же он там околачиваться весь день.

Катя думала обо всем этом и ловила себя на мысли — во всем этом что-то не так. И в том, что Виктория Одинцова убита, а у двух из трех потенциальных подозреваемых по предыдущему убийству просто нет никакого мотива, чтобы покончить с ней. И в том ее замечании о холоде в номере отеля, так насторожившем Катю.

Означало ли это, что *что-то не так во всем этом деле об изнасиловании?*

Катя мысленно представляла себе Рождественск. Внешним декорациям и атмосфере, царившей в этом подмосковном городке, расположенном совсем близко от столицы, она как-то сначала не слишком отдавала должное.

А городок-то любопытный, очень любопытный. Катя вспоминала, как она проезжала по нему — в первый раз с Гущиным и второй раз сама. Экопоселок Деево, где убили жену Вавилова, — уже другой район, но до него рукой подать, и многие жители Рождественска даже не задумываются об административной границе. Там все рядом. Это все места, где наступающие новостройки уже здорово потеснили поля и холмы, где многоэтажные дома растут как грибы, но в кризис остаются темными и пустыми, потому что квартиры мало кто покупает — нет денег. Это место утлой промышленности, что пытается подать чахлые ростки, борясь с рецессией. Это место, где бывший прокурор взял взятку и попался, а бывший начальник уголовного розыска использовал (что уж скрывать, надо правду говорить) раскрытие этого преступления своего прежнего друга и наставника как трамплин для последующей блестящей карьеры в министерстве и в Главке вновь с прицелом на министерское повышение.

Место, где процветающий отель с аквапарком после произошедшего в его стенах скандала с изнасилованием растерял весь свой апломб и разорился, а его прежние сотрудники — как, например, Одинцова — вынуждены были искать новую работу, как-то пытаться снова зацепиться любой ценой и выжить в условиях кризиса и упадка — зацепиться хоть за крохотное кафе «Кофе с собой».

Место, где убили девочку-подростка, и так и не сумели доказать вину школьной учительницы, хотя стоустая молва обвиняла именно ее.

Эти места покинул без оглядки сын прокурора, в прошлом — блестящий адвокат, а ныне неизвестно кто. Его безуспешно вот уже почти неделю ищет весь уголовный розыск Подмосковья и не может найти.

Вряд ли кто-то мог счесть подобные места благословенными и процветающими. Но и навечно проклятыми они тоже вряд ли являлись.

Эти места таили в себе немало загадок — Катя чувствовала это. Вот в чем дело — в загадках, в нестыковках, в несовпадении деталей, в странных недомолвках.

Если у Рождественска — обычного провинциального городка, каких сотни, — есть другая, темная сторона, то...

Есть ли эта другая, обратная сторона у загадок, что он порождает? Где все словно оплетено паутиной тайны, а в центре этой паутины кто-то бьется, сочась одновременно и яростью, и местью, — не паук и не муха, не хищник и не жертва. А все вместе, все одномоментно?

Но жертва чего? Оперативной и судебной ошибки, некогда допущенной полковником Вавиловым, начальником розыска, за которую он расплатился чудовищной гибелью жены? Но за что тогда расплатилась своей жизнью Виктория Одинцова?

Итак, вопрос вопросов — *есть ли у всех этих дел иная сторона?*

Зачем Павел Мазуров приезжал в салон к Мимозе?

Где сын прокурора Алексей Грибов?

Кто убил девочку Аглаю Чистякову? Учительница Грачковская? Но почему ее вина так и не была доказана?

И что за недомолвки, связанные с обнаружением тела девочки?

Почему в ту ночь в номере отеля «Сказка» у Виктории Одинцовой шел пар изо рта? Если по причине открытого окна, то наверняка оно долго было открыто! Зачем? И кто из двоих находившихся в тот момент в номере — изнасилованная Мимоза или Павел Мазуров, утверждавший, что он «ничего не помнит», закрыл это окно и задернул шторы, перед тем как дверь в номер высадили охранники?

Катя чувствовала, что от всех этих «почему» у нее снова голова идет кругом. И она решила действовать вне логики, а как бог-случай распорядится.

На второй день выжидания она опять навестила приемную и кабинет полковника Гущина. Спросила у Артема Ладейникова, какие из томов уголовных дел свободны, чтобы она смогла продолжить изучение.

Артем порылся в кипе и протянул ей первый том дела об убийстве Аглаи Чистяковой.

Катя взяла — так тому и быть. С Мазуровым — простой, пауза, а сына прокурора...

— Есть новости о Грибове-младшем? — спросила она.

Оперативники ответили: «Пока нет, ищем».

Катя села за совещательный стол и открыла первый том дела об убийстве, в прошлый раз ей достался второй том, а вот сейчас она открыла том первый с протоколом осмотра, фототаблицей и подшитыми результатами многочисленных экспертиз.

Она начала читать, глянула на снимки.

И похолодела от ужаса.

Глава 30
РЕСТОРАН «КИСЕЛЬ»

Игорь Вавилов ждал своего тестя во внутреннем дворе Дома на набережной возле подъезда, когда по мобильному ему позвонил полковник Гущин. Вавилов приехал к тестю по делу — после похорон Полины это была их первая встреча, и тесть не пригласил его подняться в квартиру.

Похороны жены Вавилов вспоминал как в тумане — Троекуровское кладбище под апрельским дождем. Место на Троекуровском для дочери выбил тесть. Сюда же спешно приехала «Скорая», едва лишь гроб с телом опустили в могилу: теще стало плохо с сердцем и ее увезли в ЦКБ. Масштабные поминки, которые хотели проводить в «шатре» там же, на Троекуровском, для многочисленных знакомых, сослуживцев тестя и самого Вавилова, родственников, пришедших на кладбище, в результате скомкались.

И сейчас тесть, как он гневно выразился по телефону, «хотел наконец сделать для дочери все по-людски». Он пожелал организовать поминальный обед на девятый день в ресторане Дома на набережной. Том самом, где они прежде хотели отмечать годовщину свадьбы дочери. Вавилов сказал, что он согласен, что он оплатит поминки из своих средств, но им с тестем надо вместе пойти туда, в ресторан, чтобы «все было так, как вы хотите».

Тесть заставлял себя ждать, не спускался на лифте. Вавилов курил у подъезда, размышляя, сколько денег уйдет на поминки. Он не жалел денег для жены никогда. Не пожалеет и сейчас.

В этот момент позвонил Гущин. Он сообщил, что в Рождественске убили свидетельницу по делу об изнасиловании Викторию Одинцову.

— Помнишь такую? Есть ли какие-то мысли, догадки, соображения?

В голосе Гущина — едва уловимая трещинка. Вавилов понял ее по-своему.

— Кому понадобилось ее убивать? — спросил он.

— Я вот думал, ты мне подскажешь.

— Это Мазуров ее прикончил? — спросил Вавилов. Он вспомнил, как узнал новость от Артема Ладейникова о том, что Мазурова выпустили по амнистии. — Бред какой-то... Зачем ему убивать ее? Там ведь еще были свидетели — Витошкин и охранники.

— Ты тогда именно ее называл своим ключевым свидетелем.

— Для понта, для того чтобы поднять ей самооценку, чтобы на суде вела себя правильно, не путалась в показаниях. — Вавилов охрип. — Они же все вместе были тогда — ради чего убивать ее? Бред... я не понимаю... А это точно Павел Мазуров?

— Мы не уверены, у него есть алиби. Что ты обо всем этом думаешь?

— Я не знаю. — Вавилов не лукавил и повторил: — Бред...

— Игорь, я вынужден спросить тебя. Где ты находился позавчера днем?

Будь рядом с Гущиным в тот момент Катя, она многое бы прояснила для себя по интонации полковника — в том числе и его странную нерешительность в деле задержания фигуранта. Интонацию по-своему «прочел» и Вавилов. *Он меня подозревает...*

— Дома. После похорон я дома выпил бутылку водки, потом отходил.

Он ждал следующего вопроса: а кто может это подтвердить? Но Гущин такого вопроса не задал. Просто сказал: подумай, может, какая версия появится.

Когда тесть вышел из подъезда, Вавилов уже спрятал мобильный в карман плаща и, докурив сигарету, выбросил окурок. Они коротко поздоровались и пошли в сторону Театра эстрады, рядом с которым располагался ресторан.

Вавилов прочел название: «Кисель». Тесть искоса и недобро наблюдал за ним, его злило в Вавилове все с тех пор, как они утратили Полину. Сейчас его бесили странная рассеянность и отрешенность зятя. Тот был словно углублен в какие-то размышления и несколько раз даже отвечал невпопад на замечания тестя.

Они вошли в ресторан. Вавилов окинул взглядом полупустой просторный зал, отделанный с претензией на «сталинский ампир», поражавший удивительным безвкусием. Фальшивый мрамор, канделябры, хрусталь советских времен на столах и люстры с «висюльками», тяжелая дубовая мебель. Этот «Кисель», возникший как призрак из небытия «совка», чрезвычайно импонировал тестю. Тот даже слегка смягчился, когда к ним подбежал метрдотель.

Они сели за стол, начали обсуждать поминальный обед. Метрдотель расшаркивался, чуя крупный денежный заказ, предложил пройти посмотреть банкетный зал — окна на набережную, на золотые купола. Они пошли, глянули. Потом вернулись, метрдотель вручил меню, но тесть лишь брезгливо пробежал глазами все эти «языки по-советски, студни и форшмаки».

— Вы купите хорошие продукты для поминок, а не эту дешевую дрянь, — распорядился он. — Я хочу... мы с зятем желаем, чтобы на столе были осетрина, жареные поросята, гуси, перепела, рябчики. Без выкрутасов, но качественно и вкусно. Обед поминальный, так что для поминок тоже приготовьте все необходимое.

Метрдотель тут же кликнул с кухни шеф-повара Валеру: блины его — хоть на кремлевский банкет подавай. И шеф-повар Валера явился — лысый, длиннорукий, похожий на обезьяну. Он говорил быстрой скороговоркой с матерком. Трещал одновременно сочувственно и глумливо: мол, все понимаю, не подкачаю, не подведу, останетесь премного довольны.

Вавилов ощутил, как от этого повара и от этого «Киселя» в целом веет какой-то мертвечиной — словно вместо клюквенного морса в хрустальные кувшины была налита мертвая вода из старых сказок.

Он думал в этот момент о Павле Мазурове, из которого так безуспешно на допросах с глазу на глаз все пытался вырвать признание в содеянном. На таких уликах это было легко, но Мазуров упрямился. Тогда это роли не играло.

А сейчас...

Вавилов все никак не мог взять в толк...

Опытный повар Валера сразу почуял в клиентах «больших шишек». Он собирался слупить с них при составлении счета тройную цену, тем более что продукты они приказывали закупить через кайтеринг. Однако он и представить себе не мог, *чем обернется для него и для «Киселя» этот заказ на поминальный обед.*

Глава 31
КЛАССИКА КРИМИНАЛИСТИКИ

Катя прочла протокол осмотра тела Аглаи Чистяковой до конца. Затем еще раз и еще. Потом заключение судебно-медицинской экспертизы — ее проводил Сиваков.

Она встала, оглядела кабинет и приемную полковника Гущина — тут полно оперативников, мужчин, и не пристало ей обсуждать это с ними. Есть вещи, которые даже по прошествии пяти лет не могут быть вслух обсуждаемы вот так прилюдно — дело касается несовершеннолетней.

Катя забрала том дела. При воспоминании снимков, сделанных экспертами там, за трансформаторной будкой, крупным планом, у нее потемнело в глазах.

Она решила уйти к себе. Артем Ладейников оторвался от ноутбука и проводил ее взглядом. Проходя мимо, она положила руку ему на плечо — сиди, молчи, ты ведь тоже это читал и обрабатывал для справки Гущину.

У себя в кабинете Пресс-центра, заперев дверь на ключ, она вновь открыла дело на заключении экспертизы.

Ничего не прояснилось, только вопросов сто крат добавилось.

И страхов...

Тот, кто сотворил это с Аглаей, вполне мог отрезать руки жене Вавилова в гараже и прибить их к стене...

Тот, кто сотворил это с девочкой, вполне мог зарезать Викторию Одинцову среди бела дня...

Неужели все это сотворила Наталья Грачковская? Завуч школы?!

Но она ведь даже не знала ни об изнасиловании в отеле «Сказка», ни об Одинцовой.

Отчего же в части «изнасилования» эти разные дела совпадают?!

Катя набрала в легкие побольше воздуха, ей необходимо успокоиться, прийти в себя, чтобы голос не дрожал и чтобы не выглядела она уж совсем глупой овцой, напуганной делами давно минувших дней.

Она позвонила эксперту Сивакову, очень старалась, чтобы голос ее звучал спокойно.

Сиваков звонку не удивился, словно ждал — когда очередь дойдет и вот *до этого тоже.*

— Вы и в осмотре участвовали там, в Рождественске, и вскрытие проводили, — сказала Катя.

— Да, Вавилов, кстати, на вскрытии тоже присутствовал. Он во всем был со мной согласен.

— Аглаю Чистякову изнасиловали извращенным способом, — сказала Катя.

— Нет, это не изнасилование, — возразил эксперт Сиваков.

— Убийца использовал палку. — Голос Кати сорвался. — Рядом с трупом девочки была найдена палка со следами крови. И у нее раны во влагалище.

— Раны во влагалище и разрыв девственной плевы действительно были причинены тупым предметом из дерева, палкой.

— Если это не изнасилование, то что же?

— Это классика криминалистики, — ответил Сиваков сухо.

— Классика криминалистики?!

— Классическое инсценирование изнасилования. — Сиваков на секунду умолк. — Ты же криминалистику в университете изучала? Венское дело.

— Какое еще Венское дело?

— В начале прошлого века в Вене пропала пятилетняя девочка. Причем внутри многоэтажного многоквартирного дома, девочка на улицу не выходила, убийцу искали среди жильцов. Потом труп девочки обнаружили в подвале для угля, труп лежал в лифте-контейнере, которым все квартиры были оборудованы, жильцы использовали этот лифт для подъема мешков с углем на свои кухни. Судебно-медицинскую экспертизу трупа проводили ведущие венские патологоанатомы. Девочка была задушена, и налицо были признаки изнасилования. Поэтому первоначально подозрение коснулось лишь проживавших в доме мужчин. Однако венские патологоанатомы проделали по тем временам блестящую работу — это дело вошло в классику криминалистики в смысле использования экспертизы как доказательства вины. Патологоанатомы выяснили, что полового контакта с жертвой не произошло, отсутствие спермы, синяков на внутренней поверхности бедер, выделений — все это доказывало. При нанесении ран во влагалище использовался тупой металлический предмет.

— Это мог сотворить мужчина-извращенец!

— Так сначала и решили полицейские. Но если бы так получилось, это дело не вошло бы в золотые анналы криминалистики. — Сиваков словно лекцию читал. — Они проделали уйму работы, эти парни из Венского университета. Судебная медицина и криминалистика тогда лишь первые шаги делали в плане биологических экспертиз. Учитывая все факты, обнаруженные при вскрытии, они отвергли версию извращенца и пришли к выводу о том, что это — инсценировка изнасилования. Намеренная инсценировка, сделанная для того, чтобы в преступлении подозревали мужчину. А не женщину.

— Девочку убила женщина?

— Вот именно. И версия экспертов при последующем расследовании была подтверждена — полицейские установили, что девочка была задушена в квартире соседей снизу. Соседка имела с матерью девочки неприязненные отношения. Убийство произошло спонтанно, в порыве сильного гнева. И потом женщина начала искать способы, как снять с себя подозрения. Она решила инсценировать изнасилование. Использовала ручку от механической мясорубки. Ее после нашли в квартире со следами крови. Женщина созналась в убийстве. А этот случай стал классическим примером.

— И как это связано с Аглаей Чистяковой? — спросила Катя.

— Напрямую. Все факты, которые мы с коллегами установили при вскрытии, указывают на инсценировку изнасилования. Смерть Аглаи наступила от черепно-мозговой травмы, от единственного сильного удара по голове.

— Палкой?

— Нет, был использован какой-то металлический предмет. А затем уже палку, точнее, ветку, сломанную с ближайшего дерева, использовали для инсценировки изнасилования. Убийца не входил с Аглаей ни в половой, ни в телесный контакт. Там нет ничего — ни на ее теле, ни внутри тела, ни на одежде. Конечно, на месте было много крови из ран во влагалище... Это неизбежно. Но это классический случай инсценировки, нет никаких сомнений.

— И вы решили, что эту инсценировку совершила женщина?

— По аналогии с венским делом. Пойми, нет никаких свидетельств или указаний на то, что это был мужчина-маньяк. Когда орудует маньяк — пусть и палкой... там совсем другие детали в глаза бросаются — и при осмотре, и при вскрытии. Это всегда элемент манипуляций с телом жертвы. А тут ничего подобного и в помине нет. Девочку ударили по голове, затем испугались содеянного, потому что она умерла моментально, и попытались палкой весьма грубо инсценировать изнасилование. Я сразу высказал предположение — ищите женщину. А в школе уже шли допросы, и очень серьезные подозрения были высказаны в отношении учительницы Грачковской, у которой с Аглаей были плохие отношения.

— Если вы так уверены, что Аглаю убила женщина, почему же тогда Наталью Грачковскаую все же отпустили, так и не доказали ничего?

— А потому что одной патологоанатомической экспертизы, пусть и связанной с классическим случаем из истории криминалистики, недостаточно. Мы там все провели, что можно, — и химию, и биологию. Мы не нашли ни микрочастиц с одежды Грачковской, а Вавилов для меня ее всю изъял немедленно, ни ДНК Грачковской на трупе. Все свидетельские показания учителей и школьников лишь косвенные — да, Грачковская придиралась к девочке, а та ей дерзила. У них был застарелый конфликт. Но этого мало. Никто из свидетелей не видел Аглаю ни в парке, ни возле будки. Никто не видел и Наталью Грачковскую там. А сама она все категорически отрицала. Вавилов много сил положил на это дело. Но судья не продлила арест после трех месяцев на тех уликах, что он представил.

— А вы-то как считаете? — спросила Катя. — Это Грачковская убила Аглаю?

— Я верю в прецеденты классики, — ответил Сиваков. — Инсценировать изнасилование могла женщина. Специально, чтобы подумали, что убил мужик. А мужику для чего такие сложности? Для чего наводить тень на плетень с инсценировкой? Ведь в тот момент у убийцы каждая минута была на счету: кто-то мог выйти со школьного двора или пройти через парк, пусть там и перекопано все было. Это же не ночь темная, а день. Убийцу могли увидеть, опознать.

— Грачковская что, по-вашему, отомстила Вавилову за то, что он не сумел доказать ее вины в убийстве и выпустил?

— Вавилов бы ее никогда не выпустил, если бы не судья и не адвокат Грачковской. Вавилов делал все, чтобы довести это дело до суда, уж поверь. Мне вон Гущин сказал, что Грачковская теперь туалеты моет в каком-то магазине — вроде недалеко от поселка, где Вавилов живет. Так опуститься, все потерять в жизни... Кстати, что это за магазин, а?

Катя вспомнила — точно, об этом шла речь. Гущин еще оперативников туда посылал проверить все. А потом они отвлеклись на дело об изнасиловании в отеле «Сказка».

— Я вот подумала — в отеле ведь тоже произошло изнасилование, — сказала она.

— Это совсем разные вещи. Там изнасилование — факт, причем доказанный многими объективными уликами факт. А в случае с девочкой — это миф, пусть и кровавый.

— Я что-то совсем запуталась, — честно призналась Катя. — Знаете, я боялась, что еще кого-то убьют, но я думала, это будет сам Вавилов, он следующая жертва по логике вещей. Почему убили эту свидетельницу?

— Мое дело — экспертизы, факты, — ответил Сиваков. — Как их использовать, вы уж там сами с Гущиным решайте. Выводы, версии, подозрения — это по вашей части. Я до поры до времени воздержусь.

Глава 32

РОДСТВЕННИЦА

Как именно использовать факты... Что ж, эксперт Сиваков дал дельный совет. Катя размышляла над его словами, читая дело об убийстве — том первый. Потом она вернулась в приемную Гущина и попросила Артема Ладейникова помочь ей с томами третьим и четвертым, если те уже обработаны для компьютерной справки. Оказалось, частично.

Но Катя нашла то, что ее интересовало. Во-первых, мобильный Аглаи Чистяковой. Был ли он у девочки? Трудно поверить, что она его не имела.

— Телефон полиция нашла рядом с телом, точнее, под ним, так в протоколе осмотра. — Артем защелкал по клавиатуре ноутбука. — Дешевая модель, китайский. Вот заключение технической экспертизы — телефон поврежден и не подлежит восстановлению вследствие попадания воды в корпус. Игорь Петрович в отдельной справке ставил перед экспертами вопрос о возможности восстановления чипа, но там все безнадежно, раз вода попала.

Во-вторых, Катя хотела знать — остался ли в этой семье хоть какой-то родственник, кто мог рассказать об Аглае и ее матери. Вавилов, помнится, утверждал, что родственников нет. Но он, наверное, забыл — сколько лет прошло.

Артем отыскал среди протоколов допрос сводной сестры матери девочки. Кстати, Вавилов ее тоже допрашивал лично и уже после того, как мать Аглаи покончила с собой. Мать Аглаи звали Аделаида — это Катя помнила. Ее сводная сестра — старшая, как поняла Катя, — носила имя Марина, фамилия ее была Белоносова.

Катя очень внимательно прочла протокол допроса, отметила, что он в похвалу Вавилову чрезвычайно обстоятельный, и скопировала для себя телефоны родственницы — мобильный и домашний.

Она не стала звонить Белоносовой из приемной, ушла к себе в Пресс-центр, а когда вернулась, то увидела полковника Гущина уже в кабинете в окружении сыщиков. Он что-то негромко обсуждал с ними.

— Федор Матвеевич, я поеду в Рождественск, — объявила Катя с порога.

— Опять?

— Я прочла протокол осмотра тела девочки и заключение экспертизы о вскрытии и с Сиваковым консультировалась. Теперь я в курсе, что там на самом деле произошло.

— А что ты хочешь снова от Рождественска? — Гущин никак не отреагировал на Катину фразу о том, что она «в курсе». Его вид словно говорил — поздно же ты до этого дошла. Тут никто этого от тебя скрывать не собирался, все это давно в деле.

— Я договорилась с сестрой матери Аглаи...

— Они не родные.

— Я ей сейчас позвонила, вечером она дома. Она не очень охотно, но согласилась побеседовать со мной. Федор Матвеевич, а вы не...

— Мне некогда заниматься какими-то там родственниками, какой-то седьмой водой на киселе. — Гущин буквально отмахнулся от нее. — Ты заварила эту кашу с Викторией Одинцовой...

— Я заварила?

— С этим своим «холодом в номере». А теперь у тебя снова какие-то фантасмагории в голове.

Катя смотрела на Гущина удивленно. *Это у тебя фантасмагории, старый...* Катя удержалась мысленно от слова «дурак». Нет, Гущин никогда дураком не был. И вот сейчас он что-то затеял, что-то решает для себя. И отмахивается от Кати, словно слон хоботом от моськи.

— Я поеду в Рождественск на метро и на автобусе, одна, — тоном оскорбленной добродетели объявила она громко.

Сыщики откровенно засмеялись. Заржали. Артем Ладейников закрыл свой ноутбук и поднялся.

— Игорь Петрович разрешил пользоваться его машиной свободно, шофер уже, наверное, с обеда вернулся, — сказал он. — Катя, хотите, я поеду с вами?

Сыщики опять засмеялись. Кто-то хлопнул парня по плечу.

— Спасибо, Артем. — Катя метнула на полковника Гущина молнию во взгляде: вот так, старый болван, все равно я сделаю по-своему.

Когда она вышла из кабинета, ей на секунду стало стыдно. *О чем мы? Все эти препирательства, все эти мелочи, что они рядом с тем, о чем я только что прочла в заключении эксперта? Рядом с тем, что я теперь знаю об Аглае, как над ней надругались, инсценируя изнасилование... И Гущину это известно, и Вавилову, и опергруппе. И, зная это, мы... ну что мы? Мы ссоримся, спорим по таким мелочам, качаем права, обвиняем друг друга в глупости. Мы все хотим раскрыть это дело, для этого ведь мы собрались, создали команду. И делаем, что можно, и одновременно порой грыземся, как собаки.*

Она думала об этом уже в машине Вавилова, Артем отыскал ее во внутреннем дворе Главка среди других служебных машин. Водитель годился Артему в отцы, но он не стал возражать, когда молодой помощник шефа попросил отвезти их в Рождественск.

Адрес Катя записала по телефону, а когда они въехали в город и запетляли по улицам старой части, застроенной пятиэтажками из силикатного кирпича и засаженной уродливыми стрижеными тополями, поняла, что это еще один вид Рождественска. Теперь вот такой вид — без новостроек и торговых центров, без парка, холмов, полей и коттеджных экопоселков, без бывших фабрик, переделанных под офисные центры.

Серые унылые коробки, чахлые дворы, вонь масляной краски от свежеокрашенных бордюров и лавочек у подъездов.

— А мы не рано явились? — спросил Артем. — Вы сказали, она ждет вас вечером дома. А сейчас только пять часов.

— Она в пять мне и назначила. — Катя сверилась с адресом. — Нам первый подъезд, первый этаж.

Тюль на окне...

И там в окне справа от подъезда — множество цветов на подоконнике.

На двери — сломан кодовый замок. И на лестничной клетке — звуки пианино. Кто-то играет гаммы — до-ре-ми-фа-соль-ля-си-до.

Катя позвонила в дверь нужной квартиры. Пианино смолкло, потом заиграло снова — все ту же гамму. А дверь открылась. Катя увидела на пороге невзрачную худую блондинку — крашеную, кутавшуюся в растянутую шерстяную кофту с длинными рукавами и гномьим капюшоном.

— Яша, продолжай, ко мне пришли! — оповестила она кого-то звонко. — Мы сядем на кухне, а ты сыграй упражнения с двадцать шестого по тридцатое!

Катя и Артем вошли в захламленную квартирку. Катя сразу же предъявила свое удостоверение. Но Марина Белоносова смотрела мимо.

— Вы снова открыли это дело? — спросила она пылко. — Вы наконец-то посадите эту тварь?

— Кого вы имеете в виду? — спросила Катя, хотя знала ответ.

— Конечно же ее! Эту кровавую тварь. — Белоносова снизила голос до шепота, потом крикнула: — Яша, играй, не подслушивай у двери! Это неприлично и не для детских ушей.

— Я играю, Марина Викторовна, — ответил из комнаты с закрытой дверью мальчишеский голос.

— Идемте на кухню, — поманила Белоносова.

— Вы музыкант? — спросил Артем.

— Я играю в оркестре, мы играем на похоронах и свадьбах. — Белоносова указала на диванчик у круглого стола в крохотной, однако новенькой кухне. — А вечером я даю уроки музыки для детей своих знакомых и тех, кто мне платит. Так вы опять открыли это дело?

— Мы расследуем несколько дел, — Катя не желала разуверять ее, — в том числе и дело об убийстве вашей племянницы Аглаи.

— Оплакиваю ее и Делю. Мы хоть с Делей и неродные сестры, но все же мы были какая-никакая семья. — Марина Белоносова поджала губы. — Только то, что Деля руки на себя наложила, я принять не могу. Никак.

Деля... Так она звала мать Аглаи Аделаиду.

— Я разговаривала с учителями в школе, где Аглая училась. Она делала большие успехи, — заметила Катя.

— Она была талантлива. А эта дрянь географичка ее за это ненавидела и ставила палки в колеса, а потом и убила. Мы с вашим коллегой это обсуждали тогда, еще давно, — приятный такой мужчина, полковник, начальник уголовного розыска тут у нас в городе.

— Вавилов.

— Да, Вавилов, — Марина Белоносова кивнула. — Потом он, я знаю, то ли уволился, то ли еще что — кажется, какой-то скандал с прокурором и взяточничеством... А производил такое приятное впечатление. Так вот он тогда сказал — возможно, учительница убила Аглаю в припадке неконтролируемого гнева. Но думаете, мне легче от этого? Она же все равно мертва, и Деля с собой покончила от горя.

— Вы часто встречались с Аглаей? — молчавший до сей поры Артем Ладейников проявил любопытство.

— Она порой забегала ко мне. Я ее обедом кормила. Она любила мясо тушеное. Деля часто уезжала, у нее работа связана с дизайном, с искусством, оформлением. А тут кризис, все рухнуло, какой уж там дизайн интерьеров, так что она за любую работу хваталась. И у художников бывала, в мастерских — чего-то там помочь. В юности она ведь позировала как натурщица, так что связей у нее было много — там.

— Аглая надолго оставалась одна? Предоставлена самой себе? — спросила Катя.

— Деля за нее не волновалась. И я тоже... Ах, если бы знать, что случится. Но Аглая была такая умная, такая рассудительная, порой она казалась не только старше своих лет, но и матери своей старше. Деля была идеалисткой, немножко разболтанной. Аглая же сама дисциплина. И еще она была очень прагматичной — она хотела поступить в МГУ. Вы сами понимаете, что это. И она собиралась зарабатывать себе на жизнь и учебу сама. Она деньги сама зарабатывала уже в школе.

— Как это? — удивилась Катя. — Чем?

— Волонтерством. — Марина Белоносова пожала плечами. — Она мне так говорила, потому что я видела у нее деньги. Сейчас много работы для волонтеров.

— Волонтерство — это бесплатная работа, — заметил Артем Ладейников.

— А, бросьте, молодой человек. За так сейчас даже воробьи не чирикают, — Марина отмахнулась, — сейчас все за деньги и ради денег. Но я за Аглаю была спокойна.

— У Аглаи имелись друзья? — спросила Катя. — В школе она, как я поняла, не отличалась особой общительностью, но ведь она школу поменяла.

— В этой двадцатой школе хорошо преподавали математику и физику, Аглае от школы больше ничего и не надо было. А друзья-подружки, конечно, у нее были. Это же девочка, ребенок. С кем же она время проводила, как не с друзьями, на роликах все каталась.

— На роликах?

— Сама себе купила, мне хвасталась — такие крутые, и все прибамбасы для защиты. И компьютер себе купила — такую книжку складную.

— Ноутбук, — подсказал Артем.

— А где ее компьютер? — тут же спросила Катя.

— А его этот ваш коллега Вавилов сразу забрал, они хотели что-то там проверить. Потом уже после похорон Дели... после дней траура... я начала зондировать насчет наследства. Это такая канитель. Мы же сводные сестры, не родные. У меня три года на оформление ушло.

— Так где же компьютер девочки? — настаивала Катя.

— Мне его через несколько месяцев полиция вернула, и я впоследствии от него избавилась.

— Избавились?

— Продала, кое-что еще продала из их вещей. — Марина Белоносова поджала губы. — Из меня нотариус при оформлении наследства все соки выпил, и потом, чтобы сдавать их квартиру, надо было сделать хоть какой-то ремонт. На все деньги нужны, ну я и продала некоторые вещи. Хотя они жили очень скромно, если не сказать бедно. Деля ведь даже алименты на Аглаю не получала. Так что сами понимаете.

— Вы их квартиру сейчас сдаете? — спросил Артем.

— Сдаю, но сейчас жильцы оттуда съезжают, работы в Москве лишились, манатки собирают домой.

— Вы музыке, случайно, Аглаю не учили? — спросила Катя, кивая в сторону соседней комнаты, где Яша-невидимка играл сначала гаммы, а теперь, спотыкаясь на каждом такте, вымучивал упражнение для беглости пальцев.

— Нет, она к музыке не проявляла никакого интереса. Да у нее минуты свободной не было — учеба, подготовка к разным там конкурсам математическим, олимпиадам, потом это ее волонтерство, катание на роликах.

— А ее подружки или, может быть, друзья-мальчики, они к вам вместе с ней не заходили?

— Нет, никогда. Это же подростки. Им взрослые только помеха. Аглая у меня редко бывала — так, забежит по пути из школы, поесть прихватить, что на кухне сготовлено, и уже след простыл. Я не обижалась, я себя в ее возрасте вспоминала. — Марина Белоносова вздохнула. — Если бы только знать... Хотя что я могла сделать?

— У вас есть фотография девочки? — спросил Артем.

Марина поднялась из-за стола и покинула кухню. Звуки нудных упражнений на пианино опять стихли, затем грянули с новой силой. А потом Яша-невидимка заиграл бравурно собачий вальс.

— Вот у меня тут снимки в альбоме. И ее, и Дели.

Катя смотрела на фотографии — мать и дочь, обеих уже нет в живых. А тут они такие счастливые, смеются...

Аглая была разительно похожа на мать. Но только лицом — круглым как полная луна, со светлой кожей и ямочками на щеках. Аделаида Чистякова была высокой, поджарой, спортивной, недаром ее выбирали в натурщицы художники. А вот Аглая была небольшого роста, из тех, кого называют «пышечками», — вся такая кругленькая, пухлая. Светлые волосы она стригла коротко. У нее были курносый нос и задорное выражение глаз.

Эта девочка ничем внешне не напоминала ни школьную классическую «зубрилу», ни математического вундеркинда, которым слыла, ни классного бунтаря, дерзившего преподавателю. Никто бы не назвал ее красавицей, но все вместе в ее облике оставляло впечатление «симпомпончика» — этакого упитанного веселого лукавого колобка.

Катя внезапно ощутила, как к ее горлу подкатил комок — и эту вот девчушку кто-то убил, а потом так надругался... палкой... Инсценируя изнасилование, уродуя, заметая следы.

Если это сделала учительница, которая в классе, полном детей, стояла у доски и *учила, сея разумное, доброе, вечное...*

— Вы что-то ждали от этой поездки, я чувствовал, — сказал Артем Ладейников, когда они садились в машину, — но это ничего не дало. Мы практически ничего нового не узнали от этой родственницы. У меня такое впечатление, что она уже позабыла про свою племянницу. А мы ей бестактно напомнили, и она нами недовольна.

— Ты ошибаешься, Артем, — хотя Катя точно не знала — может, он и прав.

— Куда? Назад в Главк? — спросил шофер Вавилова.

Катя молчала. Она так рвалась сюда, и что же? Ничего? Снова ничего? Но Рождественск не отпускал ее.

— Я все спросить тебя забываю, — она обратилась к Артему, — как с новым местом работы учительницы Грачковской, проверили?

— Торговый центр тут у МКАД. Она там уборщица.

— Туалетов... это я знаю. Сейчас ведь всего начало седьмого. Поедем, глянем своими глазами, а?

— Она работает посменно, может, у нее сегодня выходной.

— А может, и не выходной. Раз мы все равно здесь, давай проедем, поглядим на Грачковкую, если застанем ее на работе.

— А что это даст? — раздраженно спросил Артем. — Что конкретно это даст нашему расследованию? Мы все время топчемся на месте. Мы не продвигаемся вперед.

Катя положила ему руку на плечо. Она не хотела ему читать лекцию о том, что такое оперативная работа. Собственно, *то, что она сейчас предпринимает, нельзя назвать оперативной работой. Но это и не пустое удовлетворение любопытства или внезапной прихоти. Это как некий зов... или призыв... Или фантасмагория, как ворчливо называет это полковник Гущин.*

Но порой и это тоже помогает — такой вот разброд и внешний абсурд. Артем Ладейников этого пока не понимает, потому что это его первое расследование. И он вообще не полицейский — он вольнонаемный, он приданные силы.

— Наберись терпения, — посоветовала она кротко, — оно нам в этом деле пригодится.

Когда они подъезжали к торговому центру, Артем Ладейников, смирившись с неизбежным, уже отыскал в своем верном ноутбуке рапорт оперативников о проверке места работы Грачковской.

— Туалеты на втором этаже. — Он быстро нашел по Интернету сайт торгового центра и открыл план, ткнул пальцем. — Нам скорее всего сюда, если Наталья Грачковская сегодня работает в свою смену.

Глава 33
ЛИЦОМ К ЛИЦУ

— Интересно, каким это волонтерством могла заниматься Аглая? — спросила Катя, когда они входили через вращающиеся стеклянные двери в огромный торговый комплекс, оставив машину с шофером на стоянке. — Вавилов эти сведения тогда проверял? Есть что-то в деле об этом?

— Что-то я не припомню. — Артем Ладейников пожал плечами.

— В каком волонтерстве, тем более деньги приносящем, могла быть занята школьница? Аглая, по показаниям ее тетки, сама купила себе ролики и ноутбук.

— Может, скопила деньги.

— Возможно, но где же и кем она все-таки подрабатывала? А что там в третьем и четвертом томах? — спросила Катя. — Меня просто убивает, что мы вот так хаотично, вразнобой все эти дела изучаем.

— А как иначе, когда столько народа задействовано и сразу три случая Гущин велел из архива поднять? В третьем томе — я с ним работал — много заключений экспертиз. Игорь Петрович и следователь уйму всего назначали для исследования — на ДНК, микрочастицы, почвоведческая экспертиза. Да, там, кстати, и это исследование мобильного телефона.

— А ноутбук Аглаи?

— Экспертизу компьютеров делают редко, для считывания данных достаточно подключить наших ребят из отдела «К», все гораздо быстрее получится и эффективнее.

— И то правда, — согласилась Катя, — а четвертый том?

— Он тоненький, там подшиты протоколы допросов учительницы Грачковской, бумаги, ходатайства от ее адвоката. А потом постановление о приостановлении уголовного дела. Игорь Петрович всю работу построил вокруг версии учительницы-убийцы. Он в ее виновности нисколько не сомневался, я думаю.

— И все же потерпел фиаско. — Катя оглядывала первый этаж торгового комплекса.

Вечерний час пик. Покупателей больше, чем днем. Все столики в кафе у фонтана в центре первого этажа заняты. Многие возвращаются на машинах из Москвы в пригород и по пути заглядывают в супермаркеты «Все для дома», «Карусель» и «Азбука вкуса».

Ее внимание привлекла колоритная пара — Катя подумала, что это богатая мамаша, сильно накрашенная, в парике цвета воронова крыла, в манто с леопардовыми принтами и вся увешанная дорогой массивной бижутерией. А рядом с ней, почтительно держа ее под руку, сынок-красавец — яркий золотоволосый блондин высокого роста, длинноногий как гончая, в кожаном бомбере и рваных джинсах.

Пара направлялась к боковому выходу из торгового центра, из супермаркета «Азбука вкуса» к подземной стоянке. Красавец сынок вел свою еле плетущуюся мамашу, всю из себя навороченную и упакованную, и свободной рукой толкал тяжело нагруженную тележку с покупками. В пакетах звякали бутылки вина и дорогого коньяка.

— Нам сюда, — Артем Ладейников указал на эскалаторы, — по схеме тут ближе к туалетам, чем на лифте.

Катя сейчас же забыла про колоритную парочку.

А зря. Ведь она лицом к лицу столкнулась с тем, кого они все так тщетно искали.

Алексей Грибов-младший вместе с Леокадией Пыжовой провели все эти дни в поместье певца Иннокентия Блямина. С самого юбилейного банкета Леокадия «колобродничала». Выражаясь простым языком, она ударилась в запой. Сорвавшись в самом начале банкета, она уже не могла остановиться. Юбилейная гульба, во время которой в поместье съезжались все новые гости, контингент менялся, провоцировала ее пить все больше и больше. Третий день она провела в комнате для гостей, наверху, под присмотром Алексея Грибова, выполнявшего теперь роль и няньки, и прислужника. Певец Иннокентий Блямин решил, что в таком непотребном виде старуху Пыжову молодым «деятелям эстрады» лучше не созерцать. Пьяная Пыжова, как обычно, пыталась буянить, поэтому ее не стали насильно сажать в машину и отправлять домой восвояси во избежание громкого скандала, о котором непременно пронюхали бы газетчики. Ее тихо изолировали под замок в комнату для гостей в надежде, что там певица проспится и придет в себя.

Опухшая с перепоя, плохо соображающая, она кое-как очнулась к полудню. Алексей Грибов отволок ее в ванную, буквально насильно помыл там, избавляя старческое тело от мочи и блевотины.

По дороге домой в Москву Леокадия приказала ему заехать в магазин — купить «что-нибудь выпить и пожрать». Так они и оказались в торговом центре в супермаркете «Азбука вкуса». Алексей Грибов не рискнул оставлять Леокадию одну в машине, повел с собой. Он сомневался, что фольклорную певицу кто-то узнает — Леокадия сейчас была похожа на старую ощипанную ворону в павлиньих перьях. Она цеплялась подагрической рукой за Алексея Грибова и хныкала, потому что после запоя у нее ныло и болело все тело.

Катя забыла об этой мимолетной встрече через минуту. Ее в торговом центре интересовал совсем иной фигурант.

Странные штуки порой выкидывает с нами жизнь, точно фокусник, тасуя карты, жонглируя событиями и фактами...

На втором этаже они шли вдоль витрин — магазины обуви, одежды, аксессуаров, миновали ресторан «Стейк-хаус», прошли мимо салона красоты и бутика с парфюмерией.

Табличка-указатель поманила их свернуть направо, тут был просторный холл — слева тоже витрины, бутики, а напротив них проход к туалетам.

Катя и Артем Ладейников разделились, и каждый открыл свою дверь — на одной нарисована «дама в шляпке», на другой «джентльмен с сигарой». Рядом с дверями Катя заметила закрытую дверь, судя по всему, ведущую в хоз-помещение, где обычно уборщицы держат свой инвентарь.

Просторный туалет состоял из двух помещений — во втором кабинки, в первом — раковины, зеркало и супер-современные сушилки для рук.

Из зала с кабинками слышалось тихое жужжание. Катя увидела автоматический моющий пылесос-робот. Над ним склонилась женщина в синей рабочей спецовке уборщицы.

Катя не могла отвести от нее взгляд.

Вот так.

Это она — Наталья Грачковская.

Женщина обернулась — темноволосая с сильной проседью. Не молодая, не пожилая, а женщина без возраста с бледным худым лицом, на котором выделялись глаза и скулы. Глаза — темные, скулы как бритва.

Кате показалось, что прежде эта женщина была гораздо полнее, а теперь вот похудела, истончилась, словно стараясь вся ужаться, занять как можно меньше места в этом мире.

Она ворочала тяжелый пылесос-робот, под спецовкой ходили лопатки. Она драила мраморный пол истово и сильно. Но во всех ее движениях ощущалась какая-то бесцельность... или нет — однажды и на очень долгий срок заданная программа.

Катя помнила оперативное фото из дела. Наталья Грачковская — собственной персоной. Им повезло. Они застали ее на работе.

Здравствуйте, это вы убили ту девочку?

Вы ведь работали тогда завучем в школе...

Вы можете сказать, что девчонка вас довела до белого каления, пререкалась, дерзила, оскорбила вас, ваше самолюбие взрослого, вашу внутреннюю гордыню, и вы шарахнули ее чем-то по голове там, за кустами у трансформаторной будки...

А потом в страхе, в ужасе от того, что девочка умерла, вы отломили с ближайшего дерева сук... палку... и воткнули ей туда, вниз, и повернули...

Вы думали, что все подумают — это изнасилование, это сделал мужчина. И начнут искать его. Но на вашем пути встал начальник уголовного розыска — Вавилов, опытный профи. Он вспомнил «венское дело», он сразу принял версию об инсценировке изнасилования и начал искать женщину-убийцу. И очень быстро, почти моментально он вышел на вас. Он посадил вас в тюрьму и делал все, чтобы вы получили по заслугам. Но вы вывернулись тогда. Вы очутились на свободе. Но мнения людей, городскую молву не обманешь. Вавилов постарался, чтобы в глазах многих вы на всю жизнь остались убийцей ребенка.

Именно за это вы возненавидели Вавилова, и когда представился случай, вы жестоко отомстили ему...

А сейчас?

Что сейчас? Мне схватить вас за руки и поволочь вон из этого мраморного царства? Кричать на весь торговый центр — вот она, убийца, она мстит!

Катя стояла возле умывальников, видела в зеркале себя и Грачковкую. Та сосредоточенно возилась с пылесосом.

Она открыла дверь и начала толкать пылесос-робот вперед. Катя направилась за ней.

Они покинули туалет. Грачковская теперь мыла и полировала мраморный пол возле витрин, ползая вдоль них, как синяя гигантская муха.

К Кате подошел Артем Ладейников.

— Вот мы ее с вами увидели, — шепнул он, — и что? Опять же — что нам это дало? Вы задержите ее и повезете к Гущину?

Катя молчала. Она смотрела на витрины магазинов, вдоль которых двигалась Наталья Грачковская.

Эти витрины...

Бутик с женской одеждой...

Магазин пляжных аксессуаров...

Бутик мужских сорочек и галстуков...

Бутик постельного белья...

— Полине Вавиловой письма приходили из интернет-магазинов по электронной почте. Артем, открой свой ноутбук, ты ведь сохранил данные по проверке почты Полины?

В торговом комплексе — бесплатный wi-fi. Ладейникову потребовалось две секунды, чтобы пристроиться на скамейке возле ограды в центре второго этажа. Внизу журчал фонтан.

— Проверь бутик постельного белья «Мир в кровати», — попросила Катя, смотря на вывеску магазина.

В это время Наталья Грачковская с подставки пылесоса достала рулон черного полиэтилена и неторопливо начала разматывать его. Вот она уже держала в руках огромный пустой полиэтиленовый мешок для мусора. Она выключила пылесос и вошла в магазин. Потом вернулась с охапкой картонных мятых коробок — в них в магазине упаковывали белье для клиентов, но эти были изначально бракованные. Она начала запихивать коробки в мусорный мешок.

— Есть «Мир в кровати», — сказал Артем Ладейников. — Они присылали ей рекламные мейлы.

Наталья Грачковская зашла за мусором в соседний магазин мужских сорочек и галстуков.

В это время у Кати зазвонил мобильный. Она была не настроена на разговор — сейчас, тут, не время для болтовни.

Но мобильный зазвонил снова.

— Где вы там прохлаждаетесь? — раздался голос полковника Гущина.

— Мы в торговом центре, мы заняты, здесь она... понимаете, она... У нас новости!

— Живо приезжай, ты мне нужна.

— Куда?

— Как это куда? Ты сама эту кашу заварила с холодом в номере, я ж сказал тебе об этом. Я сейчас тут с сотрудниками. Давайте по-быстрому сюда.

— Куда, Федор Матвеевич?

— В отель «Сказка» этот чертов. — Гущин внезапно чихнул. — Отель закрыт, тут пылищи, еле добился, чтобы нам его открыли всего на час для осмотра. Так что давайте ноги в руки и сюда мигом. Диктую адрес — ты мне нужна здесь, твои мозги и твоя неуемная фантазия.

Катя глянула на Артема, потом шепотом пересказала ему.

— Надо ехать, раз он требует, — ответил Артем, — вы же эту Грачковскую все равно допрашивать сейчас не станете. Интересно, а что Гущин мог найти в этом отеле спустя пять лет?

Глава 34
НОМЕР 315

От торгового центра пришлось повернуть назад, выехать на федеральную трассу и обогнуть Рождественск со стороны Деева.

Вот Деево и экопоселок остались позади, шоссе пересекло рощу, коттеджный поселок. Потом по обеим сторонам дороги пошел хвойный лес. От шоссе вбок уходила новая дорога в сторону Станиславки — в прошлом известного дачного места, а ныне обиталища богатых и знаменитых, построивших там себе настоящие поместья в несколько гектаров с бассейнами и замками. Именно там жил певец Иннокентий Блямин и именно оттуда, оставив пьяную Леокадию Пыжову храпеть в комнате для гостей, приезжал в Рождественск Алексей Грибов-младший.

Но вот и Станиславка осталась позади, они свернули по навигатору направо.

Отель «Сказка интернешнл» действительно располагался почти в сказочном месте — среди хвойного бора на берегу маленького озера, похожего на круглое зеркало. Катя увидела семиэтажный фасад отеля сквозь лес — такие отели строили в середине девяностых, и они тогда казались верхом роскоши и буржуазности. Однако чем ближе они подъезжали, тем заметнее в глаза бросались все признаки заброшенности и хаоса, царившего на некогда ухоженной территории.

Прилегающие к отелю газоны были разрыты. В почве как раны зияли траншеи для труб. Трубы для аквапарка начали менять, но затем кризис разогнал инвесторов и стройка застопорилась. Затеянный было прошлыми владельцами отеля ремонт внутри здания тоже прервался. Потом владельцы обанкротились, пошла череда судов и тяжб. И в результате вот уже три года как отель «Сказка» —

унылый, разоренный и мрачный — стоял пустым среди развороченного долгостроем пейзажа.

Катя и Артем Ладейников увидели у центрального входа горы строительного мусора и полицейскую машину Рождественского ОВД. Тут же стояла еще пара машин — одна из них полковника Гущина, в которой дремал шофер.

Они направились к центральному входу. Дверь была отперта, и они вошли внутрь. Холод и запустение в огромном холле. В отеле было отключено электричество, и свет апрельских сумерек слабо пробивался сквозь окна, делая всю картину какой-то нереальной и призрачной.

Весь этот обморочный пейзаж запустения нарушал, однако, громкий бас полковника Гущина:

— А вот и вы наконец! Нам надо на третий этаж. Правильно, это на третьем?

Гущин был в компании двух своих оперативников и сотрудника Рождественского розыска, кроме этого, присутствовал еще долговязый, как журавль, мужчина в отлично сшитом костюме с папкой бумаг. Он явно боялся запачкать свой дорогой костюм в пыли и с тоской и брезгливостью созерцал все вокруг.

— Я не понимаю, к чему такая срочность — немедленно тут все осматривать. Если это запрос от наших кредиторов по суду, то мы...

— Это не связано с вашими финансовыми спорами в суде, — отмахнулся Гущин. — Я попросил вас открыть отель для краткого осмотра и присутствовать в связи с расследованием нами дела об убийстве. Точнее, о двух убийствах.

— Я в вашем полном распоряжении. — Менеджер компании по кризисному управлению (а это был он) поднял руки, взмахнул папкой. — Так что вы хотите посмотреть в первую очередь?

— Нас интересует третий этаж, номер 315. — Полковник Гущин сверился с бумажкой, которую достал из кармана пиджака.

Он кивнул Кате и Ладейникову — за мной, не отставайте. Катя мало что понимала. Однако ей льстило, что Гущин затеял все это — поездку сюда (видимо, о ней он и шушукался с оперативниками в кабинете, когда она заявила, что хочет посетить Рождественск ради тетки Аглаи), осмотр отеля, как говорится, по ее «наводке». Но, как и Артем, она недоумевала — что можно обнаружить тут спустя пять лет?

Может, этого не знал и сам Гущин, но что-то влекло его сюда, на место давнего преступления. Смутный «призыв», невнятное подозрение, желание удостовериться во всем лично, а не полагаться лишь на бумагу — протокол осмотра.

Они поднялись по лестнице на третий этаж. Ни внизу, ни тут, в холле, давно уже не было никакой мебели — ее вывезли. Они шли по коридору, в некоторых номерах отсутствовали двери, сантехника.

Однако в 315-м номере дверь имелась. Менеджер хорошо знал расположение помещений — видно, не раз привозил сюда инвесторов, кредиторов и ремонтников, а также возможных будущих покупателей.

— Тут у вас пять лет назад изнасиловали женщину, клиентку отеля, — сказал Гущин, осматривая дверь снаружи.

— Я слышал что-то, но это было не при мне. — Менеджер толкнул дверь номера, и она свободно открылась.

Они вошли — пустая комната. Ничего — никакой мебели. Ни кровати, ни кресел, ни столика. Лишь в стене — встроенный шкаф-купе.

Шкаф Гущина не интересовал. Он сразу подошел к окну. Артем Ладейников тем временем с любопытством заглянул в ванную, словно страшился увидеть там затаившегося... кого?

Катя смотрела на парня. Нет, Артем, не бойся, Павла Мазурова тут нет. В этом заброшенном отеле нет даже его призрака-двойника. Но все-таки что хочет отыскать здесь Гущин?

— Вот это окно и эта дверь. — Гущин указал на большое окно.

Оно смотрело в сторону леса — на восток. По утрам это окно ловило первые солнечные лучи, а вечерами тут становилось темно. И сейчас сумерки накатывали как волна. Еще несколько минут — и их в этом отеле накроет ночной темнотой. Есть ли у них с собой фонари?

Менеджер оглянулся рассеянно, встал у двери. Полковник Гущин попросил оперативников открыть окно и дверь на лоджию.

Сразу же в затхлую комнату ворвался свежий вечерний ветер.

— Артем, подними протокол осмотра, сделанный Вавиловым тогда, — попросил Гущин.

— Тут нет сети и Интернета, Федор Матвеевич. — Артем вздохнул, с осуждением, как показалось Кате, озираясь вокруг.

— Вот и твои хваленые компьютеры, — заявил Гущин с торжеством, словно уличая, — света нет — и пшик без электричества. Не очень-то на них полагайся. Вот на что полагайся, — он хлопнул себя по лбу, точно убивал комара, затем кивнул оперативнику, — и вот на что.

Оперативник извлек из папки ксерокопию протокола осмотра номера из уголовного дела.

— Там есть что-то про осмотр лоджии? — спросил Гущин и с нетерпением выхватил протокол, вперяясь в него сквозь очки и одновременно делая шаг в сторону лоджии.

Они все вслед за ним вышли на лоджию. Не слишком большая и просторная, покрытая пылью и многолетним мусором.

На лоджии, кроме мусора, не было ничего, ни одного предмета.

— Лоджия размером три метра на полтора, — читал Гущин, — в правом углу у стены шезлонг... Аукнулся этот шезлонг давно... Так, что там дальше... рядом с шезлонгом резиновый коврик. Давно нет тут никакого коврика...

Так... Вот, слушайте. — Гущин смотрел в основном на Катю. — На перилах два параллельных поперечных скола краски.

Он подошел к перилам, нагнулся, всматриваясь сквозь очки. Они все подошли следом. Катя напрягала зрение — в этих сумерках ничего уже не видно. Тут везде сколы краски — дождь и снег за пять лет немало потрудились, все здесь облезло, облупилось.

Гущин положил руки на перила, обхватил их и словно слепой начал ощупывать.

— Потрогай вот тут. — Он обернулся к Кате.

Артем фыркнул за их спиной.

— Разговорчики в строю, — Гущин кивнул, — и ты тоже щупай. Что скажете, мои юные коллеги, а?

Катя начала ощупывать перила. Шероховатая краска, все шершавое, неприятное, пыльное, грязное. Пальцы наткнулись на какие-то довольно глубокие поперечные борозды на перилах. И что? Что это может значить?

— Тут какие-то выемки, — сказал Артем, тоже принимая участие в этом эксперименте. — Федор Матвеевич, что это?

— Не знаю, — ответил Гущин, — но это и Вавилов тогда в протоколе отметил. — А что там под нами, внизу?

— Аквапарк, — ответил менеджер, — крытый бассейн, теперь там все помещения заперты, у меня нет ключей от аквапарка.

— Не нужны нам ключи, мы ограничимся наружным осмотром.

Они спустились в холл первого этажа, вышли на улицу. Спотыкаясь среди рытвин и ям, обогнули отель. Гущин предусмотрительно оставил одного из оперативников на лоджии номера 315, чтобы иметь ориентир.

Бассейн с аквапарком занимал два этажа от центра в сторону левого крыла. Огромные панорамные окна когда-то создавали иллюзию того, что бассейн — это еще одно озеро среди леса, в котором можно плескаться даже в холодные зимние дни.

— Вот тут, у бассейна, в ту ночь шла основная гульба, — заметил Гущин. — Здесь все, кто приехал на корпоратив, гужевались до утра. Тут все было освещено, все на виду, как внутри, так и снаружи. Это отпадает.

Что? Что отпадает?

— Пошли опять в отель, наверх, нам надо теперь на четвертый этаж, — приказал Гущин.

Он выглядел снова каким-то задумчивым, словно прикидывал, рассчитывал, измеряя что-то на глаз на фасаде отеля. Катя видела лишь фасад. Ну да — внизу большие окна бассейна, над ними маячит на лоджии их «часовой» — вон рукой им машет. Сверху и рядом точно такие же лоджии.

— Скоро совсем стемнеет, нам надо торопиться, — сказал Гущин и грузно зашагал в «Сказку».

Они опять поднялись по лестнице, уже на четвертый этаж. Шли по коридору.

— Нам нужен четыреста пятнадцатый номер, — сказал Гущин.

Менеджер вел их, отсчитывая номера. Четыреста пятнадцатого номера не было, как и четыреста шестнадцатого и четыреста семнадцатого. Вместо них — одно большое пустое, лишенное мебели помещение за стеклянными дверями.

— Тут что было? — спросил Гущин.

— Спа-салон, они у нас для удобства клиентов на всех этажах, — ответил менеджер.

Катя отметила — здесь убраны были лишь внутренние перегородки, сделана перепланировка, чтобы объединить помещения, а внешние признаки остались неизменными — три окна. Правда, дверь на лоджию лишь одна. Они вышли через нее на лоджию. Тоже вся захламленная, пыльная и грязная.

Гущин подошел к перилам.

И Катя увидела — ни дождь, ни снег, ни град не уничтожили на этих перилах того, что даже в неверном свете гаснущих сумерек бросалось в глаза.

Глубокие параллельные борозды, охватывавшие окружность перил. Старые, но все еще хорошо заметные сколы краски.

— Тут осмотр Вавилов не проводил, — констатировал Гущин, — и вот этого он не видел. А штуки-то любопытные. Так, я просил захватить рулетку.

Сыщик Рождественского ОВД тут же извлек рулетку из кармана.

Гущин прижал свободный конец к сколам и отпустил рулетку вниз.

— Лови, — крикнул он оперативнику, стоявшему на лоджии триста пятнадцатого.

Рулетка размоталась на нужную длину, и оперативник поймал ее и прижал к своим перилам в области сколов.

Гущин перегнулся, глядя вниз.

— Точно так, — сказал он, — никакого отклонения. Две точки, соединенные одной прямой.

— Вы думаете, тут кто-то спустился отсюда — туда, в триста пятнадцатый? — прямо спросил Артем Ладейников.

— Нет, — Гущин покачал головой, — вряд ли это был спуск.

Он снова наклонился, словно прикидывая расстояние.

— Вавилов сюда не поднимался, — сказал он. — Эти царапины наверху нигде не фигурировали — ни на следствии, ни на суде.

Он глянул на Катю, словно приглашая — ну, что же ты как воды в рот набрала. Давай объясняй, фантазируй.

Но Катя помалкивала. Борозды на перилах на лоджиях, расположенных одна под другой.

И это не спуск сверху вниз, как считает Гущин. Пока этим и стоит ограничиться.

Глава 35
ЛАДЕЙНИКОВ В ГОСТЯХ

Из Рождественска Артем Ладейников попросил шофера отвезти его на улицу Марины Расковой с заездом в супермаркет.

Катя поняла, что он опять намеревается навестить бывшую секретаршу Вавилова Юлю — ту самую на костылях — и отвезти ей продукты. И Катя решила не мешать молодым людям на этот раз. Она попрощалась с Ладейниковым и села в машину к полковнику Гущину.

Тот словно не заметил ее, всю дорогу молчал, лишь угрюмо сопел, обдумывая...

Что?

Катя пока терялась в догадках.

Артем Ладейников накупил в супермаркете фруктов, первой апрельской клубники в коробочках и разных соков. В половине девятого он уже звонил в домофон подъезда дома на улице Марины Расковой.

Юля на костылях открыла ему сама. Дома — шум, гам. На кухне ужинало семейство — мать Юли, ее младшая сестренка-школьница и две подруги матери, приехавшие из Краснодара «посмотреть Москву».

Все это шумное женское общество тотчас же вовлекло Артема в свою орбиту, хотя он и отбивался. Нет, его оставили ужинать.

Лишь спустя какое-то время он и Юля уединились в ее комнате. Юля закрыла дверь, они сели на диван.

— Ну как там у вас дела? — спросила она.

— Все совсем запуталось, — признался Артем. И начал рассказывать ей.

Затем он достал мобильный и позвонил Вавилову. Рассказал ему о событиях последних дней довольно подробно, доложил, что пользовался служебной машиной. Вавилов на это никак не реагировал. Лишь сказал: «Продолжай оказывать помощь».

— Игорь Петрович очень изменился, да? — спросила Юля, когда Артем Ладейников дал отбой.

— Перемены есть.

— Изводит себя. — Юля вздохнула. — Было бы лучше, если бы он сам участвовал в расследовании.

— Ты же понимаешь, это против правил. И я не думаю, что было бы лучше. — Артем вздохнул: — Мы там совсем в потемках бродим. Я на Гущина надежды возлагал, а теперь вижу — нет, не сможет он это дело раскрыть.

— Ты старика Гущина не знаешь. — Юля, работавшая в Главке дольше Артема, потрепала его по плечу. — Он как бульдог, как вцепится!.. Он и не такие дела раскрывал.

— Он все за какую-то ерунду цепляется. — Артем всплеснул руками. — Вот сегодня целый вечер угробил на этот заброшенный отель. Зачем? Какая-то там дрянь на перилах, какие-то следы. Какое это может иметь отношение к раскрытию убийства жены Вавилова? Почему они не смотрят в самый корень? В причину?

— Так надо же сначала разузнать, где этот самый корень, где эта причина, — рассудительно возразила Юля. — Следствие всегда идет ни шатко ни валко. Ты вот не полицейский, ты до сих пор на все это со стороны смотришь. Ничего, потом привыкнешь.

— Не хочу я привыкать.

Юля смотрела на него пристально. Ее глаза мягко светились.

— Поздно уже, — сказала она.

— Да, мне пора. — Артем поднялся.

— Останься, — она взяла его за руку. — Завтра утром поспишь подольше, отсюда до Никитского переулка двадцать минут, даже если троллейбус в пробке на Тверской.

— Я... Юля, я не могу. — Артем залился краской.

— Брось, все нормально.

— А твоя мама, сестра, они все тут...

— Брось. — Юля призывно лукаво улыбалась. — Мои ножки не русалочьи в гипсе пугают, да?

— Я боюсь причинить тебе вред, я... Юля, я... нет, я сейчас не могу.

Она рассмеялась звонко и немножко горько.

— Какой же ты смешной, Тема. Я сейчас ничем таким заниматься не в состоянии, никакого секса. — Она постучала по гипсу. — Просто тебе ехать домой далеко, а от меня до Главка намного ближе. Я хочу, чтобы ты остался. Я попрошу маму раскладушку тебе поставить. Будем дрыхнуть, как братец с сестричкой. Невинно.

— А если я не хочу как братец с сестричкой? — спросил Артем хрипло.

Она смотрела на него мягко.

— Тогда жди, когда кости мои срастутся. Когда смогу быть с тобой по-настоящему. Ох, удавила бы того урода, который сбил меня! Целый год жизни у меня отнял. Хотя... В чем-то я должна быть ему благодарна, мы же с тобой из-за этого моего увечья познакомились. Точнее, сблизились.

— Я буду тебе помогать, Юля, во всем, всегда, — сказал Артем. Наклонился к самым ее губам и... не сделал ничего, — но я должен подождать...

— Когда гипс снимут? — Она засмеялась опять. — Ах ты, Тема... Так я попрошу раскладушку у мамы, а?

— Хорошо, если ты хочешь, я останусь.

Она взяла его руки в свои. Так они и сидели, молча, в неярком свете настольной лампы. Потом в дверь заглянула младшая сестренка Юли, сдавленно хихикнула.

— А я думала, вы тут целуетесь! — выпалила она.

Глава 36

ГУЩИН ПЫТАЕТСЯ
ТОЖЕ ПОЙТИ В ГОСТИ

— В гости сейчас наведаемся в одно место, — объявил полковник Гущин Кате утром, едва та переступила порог его кабинета. — В такое место, где я давно хотел побывать.

Катя оглядела кабинет — пусто, никого из сотрудников, видно, после оперативки всех разогнал старик заниматься «личным сыском на земле», а не корпеть над томами уголовных дел.

Груды их по-прежнему на совещательном столе. Но никто не шуршит страницами в это утро. И Артема Ладейникова с его вечным ноутбуком тоже нет. А это означает одно — у Гущина на сегодняшний день какой-то свой план действий. И он не желает, чтобы в кабинете торчали лишние уши и глаза.

Еще Катя заметила то, что полковник Гущин надел свой лучший костюм — черный, из дорогого материала. И галстук подобрал к нему стильный — не яркий, но приятный. Неужели сам подобрал или жена присоветовала? Но обычно галстуки его — даже дорогие, хорошей фирмы — болтаются на его толстой шее как мочало — вечно узел приспущен, чтобы не врезаться, не мешать дышать. А тут — строгость и элегантность, если такой бегемот, конечно, может быть элегантным.

— В Москву-Сити поедем. В небоскребы. — Гущин извлек мобильный. — С самого начала я туда намыливался. Да только там тип такой занятой весь из себя.

— Кто, Федор Матвеевич?

— Витошкин Аркадий, свидетель по делу об изнасиловании и бывший приятель Павла Мазурова.

Катя вспомнила, как она смотрела сайт консалтинговой фирмы, где служил Мазуров. Точно, адрес их офиса Москва-Сити, и небоскребы на фотографии украшают сайт.

Ладно, пусть будет Москва-Сити, башня Федерация, или как ее там, место памятное по одному прошлому делу. Катя села на дальний край совещательного стола, сдвинула кипу дел, достала из сумочки зеркальце и помаду.

— Алло, это опять полковник Гущин, начальник криминального управления ГУВД области, я звонил вам вчера вечером насчет... Да? Как это? Да что вы такое говорите? Как это «он улетел»? А куда? А когда он вернется? То есть как это вы не в курсе?

Катя смотрела, как на лицо Гущина надвинулась туча. Он выглядел одновременно злым и растерянным.

— Что случилось, Федор Матвеевич?

— Он улетел... Карлсон чертов... Он улетел, но обещал вернуться, не знаю когда.

— Витошкин?

— Вчера вечером звонил его секретарше в офис. Ни о чем таком речь не шла. Я через секретаршу передал, что мы приедем к одиннадцати для беседы по делу Павла Мазурова. Я хотел в зависимости от результатов выдернуть его потом сюда, в Главк. И повторить нашу беседу уже тут. А он...

— Что сделал Витошкин?

— Улетел на Сейшелы. Так эта девка, секретарша, мне сейчас отчеканила. Вроде как в отпуск. Утренний рейс ранний из Домодедово. Пока вроде на две недели. А потом якобы у него дела в Сингапуре и Гонконге по поручению совета директоров фирмы.

Катя молча ждала — связано ли это решение Гущина допросить Витошкина с тем, что они увидели в отеле «Сказка»? Хотя что они там увидели — ну, следы какие-то непонятные на перилах, краску, содранную пять лет назад. За такой срок там вся краска на перилах могла облезть без ремонта.

ПАДШИЙ АНГЕЛ ЗА ЛЕВЫМ ПЛЕЧОМ

— Улетел как пуля от нас, — полковник Гущин сел в свое кресло и рывком ослабил щеголеватый галстук, — избежал дачи показаний.

— Федор Матвеевич, его много раз Вавилов допрашивал, и на суде его допрашивали все — и прокурор, и адвокаты Мазурова.

— Да, и, кстати, там интересные сведения в этих допросах. — Гущин кивнул на груду томов. — Тот их корпоратив в отеле на ноябрьские праздники предшествовал собранию совета директоров и собранию акционеров.

— Я это помню, читала в справке, которую Артем для вас составил по прениям в суде.

— Намечались кадровые перестановки в руководстве компании, — заметил Гущин, — Мазуров на что-то там претендовал, на какое-то повышение, причем серьезное повышение. На это адвокат его особо напирал в суде, зачитывал положительные характеристики — мол, в фирме консалтинговой на отличном счету, входил в руководящий состав, ждал повышения. В общем, никак тот его облик не вяжется с обликом насильника, наркомана и дебошира, избившего женщину. На суде это роли не сыграло, а вот в его освобождении по амнистии, думаю, сыграло роль, адвокаты — они как дрель, как зуда камень ходатайствами проточили. Однако карьера Мазурова рухнула безвозвратно — вон он сейчас черт-те чем занимается. Как подсобный рабочий продукты по ресторанам развозит. А вот у Витошкина Аркадия карьера в бизнесе в гору пошла. Возможно, он сейчас то самое место в фирме занимает, в больших кабинетах Москва-Сити, на которое прежде Мазуров рассчитывал.

— Вы это хотели выяснить у Витошкина?

— И да и нет. Тут надо осторожным быть. Труп у нас на руках этой Виктории Одинцовой. — Гущин потер подбородок. — Только я перестраховался и опоздал. Улимонил наш Витошкин-свидетель за границу. Интересно, так вдруг, так внезапно — и главное, после того как в Рождественске Одинцову прикончили.

Катя смотрела на Гущина — что ты хочешь всем этим сказать?

— Там и еще одна деталь любопытная, — сказал Гущин. — Марина Приходько — Мимоза владеет салоном красоты на Садовом всего три года. А до этого она никаким бизнесом не занималась — мои ребята это проверили через налоговую. После нападения на нее в номере отеля она сделала себе несколько очень дорогих пластических операций за рубежом. И это ей тоже кто-то оплатил.

— Мазуров по суду, он же обязан возместить причиненный вред. — Катя пожала плечами.

— Мимоза начала делать эти операции еще до вступления приговора в силу, деньги от Мазурова пришли потом уже по решению суда. А она откуда-то получила их раньше. И потом никаких денег от возмещения ущерба не хватило бы на то, чтобы приобрести этот бизнес в центре Москвы. У Мимозы какой-то иной источник.

Катя ждала продолжения. Но полковник Гущин надолго умолк. Потом он словно что-то решил про себя, хлопнул пухлой ладонью по столу и еще ослабил галстук.

— Ладно, что проку сидеть горевать, что мы этого типа из Сити упустили, раз в гости наведаться запланировали, надо идти.

— К Мимозе, узнавать про ее источники дохода? — осторожно спросила Катя.

— Нет, тут кое-что поинтереснее и поближе. — Полковник Гущин поднялся из-за стола. — Хотя как хочешь, может, у тебя иные планы.

— Нет, я с вами. — Катю уже снедало любопытство.

Они спустились на лифте вниз, в вестибюль, направились к центральному входу, а не вышли во внутренний двор. И Катя поняла, что машина Гущина им в этот раз не понадобится.

Они вышли из Главка, завернули за угол на Никитскую улицу. Полковник Гущин шел медленно, вразвалку, засунув руки в карманы короткого серого плаща. Он терпеть не мог носить куртки, потому что в них казался еще толще.

— Ну и что там, в торговом центре, было вчера? — спросил он вдруг. — Видели вы с Артемом учительницу?

Катя на секунду остановилась — вот, вот опять этот внезапный переход от одного дела к другому.

Она начала сбивчиво повествовать о том, как видела Грачковскую в роли уборщицы, о бутике белья «Мир в кровати», о том, как Грачковская собирала там мусор — коробки в свой мешок. О том, что сказал Артем — мол, в почте Полины Вавиловой были рекламные мейлы от фирмы «Мир в кровати». Она развила свою идею дальше — Наталья Грачковская имеет доступ к мусору из магазина, она могла набрать там коробок и явиться к Полине под видом курьера или рекламного агента магазина, про который Полина знала, а может быть, и делала там покупки. Это стоит проверить, потому что Полина Вавилова в день убийства (не забывайте этого, Федор Матвеевич!) открыла дверь дома сама и тому, кого она не боялась! Женщине, скромному курьеру из магазина белья...

В этот момент у Гущина громко и нудно зазвонил мобильный.

— Да, я... Ну? Как это до сих пор нет данных? Вы столько дней... Нам нужно его найти... Я настаиваю, нам надо его отыскать во что бы то ни стало!

Он с раздражением уставился на мобильный. Казалось, Катину тираду он и не услышал.

— Что опять не так? — спросила Катя.

— Они понятия не имеют, где прокурорский сынок, где Алексей Грибов. — Гущин покачал головой. — Говорят — все проверили, со всеми беседовали — как в воду канул. Не нравится мне это. Очень мне не нравится, что о нем у нас до сих пор никаких конкретных сведений. Я вот таких невидимок в процессе расследования терпеть не могу. Эти все на виду. А сына прокурора нет. Между тем из колонии, где отец его наказание отбывает, ответ на мой запрос пришел — Алексей Грибов три месяца назад побывал там, имел разрешение на свидание с отцом. О чем они там говорили? Чему прокурор учил сына? Парень вернулся от отца, а через какое-то время у Вавилова убили жену из мести.

Катя молча шагала рядом.

Это дело очень необычное... Надо его принимать таким, как есть, — во всем единстве и противоречии, во всей разрозненности фактов и действующих лиц. Нужно приложить усилия и постоянно повторять — это дело сложено из трех дел сразу, и никуда от этого не деться. И заниматься надо всем одновременно. Или никак.

Они завернули в переулок у театра имени Маяковского, Гущин смотрел на номера домов.

И вот — перед ними витрина маленького магазина со стеклянной дверью рядом с таким же крохотным кафе. Магазинчик «Восток».

Гущин уверенно направился прямо к двери. На тротуаре остановился.

— Оля Беляева девятнадцати лет — тебе имя это что-то говорит?

— Абсолютно ничего.

— Ты ж по делу об убийстве допросы школьниц Вавиловым от корки до корки прочла.

— Я, Федор Матвеевич... их там столько, целый том... Беляева из этого списка? Она училась с Аглаей Чистяковой в одной школе?

— В одном классе. И показания ее весьма любопытные, не схожие с показаниями других. — Гущин покачал головой. — Я вот Артема нашего вчера отчитал, мол, он чокнется со своими компьютерами. А в голове-то, оказывается, все не удержишь, даже читая внимательно. Так что я правильно поступил, обоих вас привлек — что-то ты прочтешь, запомнишь, что-то он выудит, в компьютер свой вобьет. Это он на эту девочку обратил внимание.

И правда, интересные у нее показания были. Хотя Вавилов тогда ими особо не впечатлился. Оля Беляева выросла, теперь работает вот тут, в этом магазине, в двух шагах от нас. Сотрудники там, в Рождественске, нашли ее по моему поручению, но оказалось, что встретиться с девочкой проще в Москве. Жаль, что ты не в курсе ее показаний. Я думал, вы с ней проще общий язык найдете из-за возраста. Ох, самому все приходится.

Он толкнул стеклянную дверь. Звякнул колокольчик. У Кати возникло странное ощущение — все как тогда в кафе, где кофе с собой. Только тут витал аромат не ванили и кофе, тут тяжело и терпко пахло пряностями.

За стойкой из струганого дерева, где касса и стеклянные вазы с китайскими конфетами подозрительно яркого вида, — крохотная, как дюймовочка, брюнетка с пирсингом над бровями и волосами, стянутыми сзади в тугой мышиный хвостик, в облегающих джинсах и толстовке с надписью «Трепанг дальневосточный». Возле стеллажей с кукурузной мукой, тибетским чаем, мюслями, консервированными фруктами, банками с пастой для тайского супа и бразильским шоколадом копошится еще одна дюймовочка — ростом даже мельче. Гущину и высокой Кате чуть ли не по пояс. Она тоже жгучая брюнетка, стриженная под мальчика, и в толстовке с надписью «Снатка».

— Здравствуйте, девушки, — прогудел полковник Гущин, — а Олю Беляеву можно увидеть?

И тут до Кати дошло, что перед ними близняшки, но в разных толстовках и с разными прическами.

— А вы кто? — одновременно спросили дюймовочки.

Полковник Гущин представился и представил Катю.

— Так вы... сестры Беляевы? — Он слегка растерялся, потому что к этому готов не был.

А Катя подумала: *вот что значит только дело уголовное читать, всего в протоколах не вычитаешь, а реальность богата на сюрпризы.*

— У нас к вам вопросы возникли в связи с трагическим происшествием в школе, где вы учились. С убийством вашей одноклассницы Аглаи Чистяковой, — быстро ввернула она в помощь Гущину. — Так кто же из вас Оля?

— Она Оля, а я Неля. — Дюймовочка в толстовке «Снатка» кивнула в сторону сестры. — Это когда было-то... Так давно. Я все забыла. Мы ничего не помним.

— Вас допрашивал начальник уголовного розыска Вавилов, — напомнила Катя. — Вы тогда ведь обе учились вместе с Аглаей, да?

— Ну учились когда-то. Со школой покончено, в жопу эту школу. — Неля-«снатка» подбоченилась. — Мы все забыли. Мы ничего не помним о том, что было.

— Это ты не помнишь, а я все помню, — сварливо парировала Оля в толстовке «Трепанг». — И вообще не выступай тут. Смотайся лучше за сигаретами. Видишь, ко мне люди пришли. Так что исчезни.

Катя подумала — девочки выросли, грубость эта, конечно, напускная. Тогда был девятый класс, а сейчас, спустя пять лет, взрослая жизнь. Трудятся в Москве в магазине обе.

— Мы не могли бы с вами обеими поговорить? — примирительно попросила она. — Неля, вы тоже, пожалуйста, останьтесь. Дело это крайне важное, уверяю вас.

Неля подошла к сестре, встала за стойку.

— Ну? — Она сверлила Гущина и Катю недоверчивым взглядом.

И... Кате показалось, что могучий Гущин под взглядом этой малявки малость оробел.

— Оля, я внимательно прочел те ваши давние показания, — он кашлянул, — а вот сестренку вашу Вавилов не допрашивал...

— Неля ветрянкой тогда болела. Она потому и говорит, что не помнит ничего. Это мимо нее пролетело. А я все помню, как сейчас. Только что в этом проку? Кому это интересно?

— Нам, нам очень интересно и очень нужно, — снова встряла Катя.

Она понятия не имела, что именно отметил Артем Ладейников в показаниях этой девушки и на что обратил внимание Гущина и что того так зацепило, что он надумал поговорить через пять лет с Олей Беляевой. Но Катя решила помочь Гущину построить беседу с юным поколением.

— В убийстве Аглаи все подозревали вашего завуча, Наталью Грачковскую, — сказал Гущин.

— В школе все только об этом и трепались тогда, я помню. И все на географичку валили, да... Только не я. — Оля прищурилась. — То есть вполне возможно, что Наталья Глобус Пропил — это мы ее так после фильма звали — шарахнула чем-то Аглашу по башке там, за школой. Это вполне вероятно. Только вот винить я ее в этом... нет, не стану.

— А что, Аглая была такой скверной девчонкой? — быстро спросила Катя. — Мы вот узнали, что она отличницей была и по математике почти гений.

— Конечно, гений, она от этого пыжилась вся, больше-то нечем было гордиться, — фыркнула Неля.

— Умолкни, — приказала ей строго сестра, — ты ничего не знаешь. И вообще это я с Аглашей общалась, а не ты.

— Ты с ней рвалась за одной партой сидеть, бросила меня! — запальчиво выкрикнула Неля старую обиду. — Ты за ней хвостом таскалась, а она тебя послала на три буквы со всей твоей дружбой.

— Пойди купи сигарет, засмоли косяк. — Оля указала на дверь.

— Ой, пожалуйста, девочки не ссорьтесь, — умоляла их Катя. — Оля, почему вы не станете винить Грачковскую в убийстве вашей подруги?

— Да потому что я от Натальи Глобус Пропил ничего кроме добра не видела. Она мне помогала в учебе, я не очень-то в географиях была сильна. Она тянула меня, в общем, я о ней только хорошие воспоминания сохранила. И Нелька, кстати, тоже. Но она в этом вам не признается.

— А у Грачковской с Аглаей был конфликт на почве учебы? — спросил Гущин. — Я в деле читал, что ты... что вы, Оля, в этом как раз свою подругу винили, а не учительницу, в отличие от всех других ваших одноклассников.

— Аглаша много о себе мнила, чересчур. Конечно, это ужасно, что ее убили. И в классе все были в шоке. Но чтобы вот так прямо убиваться по ней — нет, такого не было. Она ведь чужая, пришла к нам в класс, она не училась с нами с самого начала. Я ей говорила — ты бы поменьше нос задирала, а она... она смотрела на меня как на пустое место.

— Но все же вы с ней дружили? — уточнил Гущин.

— Ага, я хотела. Я очень хотела сначала. Аглаша, она... тоже, наверное, потом она променяла меня на кого-то или что-то.

— На кого-то? — спросил Гущин.

— Я не знаю. Она вся была в этих своих уравнениях. Алгебру секла. Я ее столько раз просила мне помочь с контрольными по алгебре. Она сначала — да, помогала, даже списывать давала. А потом сказала: ты мне надоела. Я себя такой дурой глупой с ней чувствовала.

— Это она нарочно так себя с тобой вела, — фыркнула Неля. — Я же все видела. Она тебя отшила. А талант к математике она свой потому выпячивала, что больше нечем гордиться было. Вы знаете, как она жутко одевалась? Мать ей ничего купить не могла, какие-то тряпки, а врала, что это дизайнерские вещи, мол, мать у художников их в салонах покупает. А все такое дерьмо, дешевка.

— Аглаша от этого комплексовала, да, только она говорила — надо надеяться на себя. Никто нам ничего не даст и не подаст. Мы тогда такие глупые были, я ее слова только сейчас поняла. Она уже тогда знала — никто ничего не даст, даром ничего не будет, нужно уметь деньги зарабатывать. Она хотела много денег. Всегда.

— Аглая хотела денег? — спросил Гущин. — Она вроде как учиться мечтала в университете.

— Ну да, это тоже. Только она мне говорила: окончу школу на отлично, сдам ЕГЭ, поступлю на математический факультет. И дальше надо что-то делать. Одной алгеброй сыт не будешь. А вообще она хотела замуж.

— В девятом классе? — спросила Катя. — Не рано ли?

— Она просто строила планы. Она как в математике просчитывала наперед. И хотела замуж, и хотела денег.

— У нее был парень на примете, за кого замуж-то? — поинтересовался Гущин.

— У такой зубрилы? — фыркнула Неля. — Наши мальчишки ее в упор не видели. И она их в общем-то тоже.

— Она с вами на роликах каталась? — спросил Гущин.

— Нет, мы ее видели несколько раз по вечерам, она откуда-то ехала. Так, махнет рукой — и все. — Оля вздохнула. — А я хотела сначала, чтобы она меня на роликах научила кататься.

— Там, в протоколе допроса вы, Оля, упоминали, что незадолго до убийства у вас с завучем Грачковской состоялся весьма интересный разговор, — сказал Гущин. — Не могли бы припомнить, что именно говорила вам тогда Грачковская?

Катя насторожилась — а вот это интересно. Вот что зацепило и Артема, и Гущина. Но как-то прошло мимо Вавилова. Или не прошло?

— Аглаша умерла, я не хочу сейчас об этом. — Оля покачала головой.

— Пожалуйста, это важно.

— Ну, она меня попросила как-то задержаться в классе после урока географии.

— Грачковская?

— Да, она и сказала, что видит, как я стремлюсь к Аглае. Я ей сказала — ничего такого, просто я хотела сидеть с ней за одной партой, потому что ближе к доске. Но Наталья Глобус Пропил сказала, что прекрасно все понимает. И что дружбу близнецов нельзя разбивать кем-то третьим. — Оля оглянулась на сестру Нелю. — И еще она сказала, что от Аглаи лучше держаться подальше. Потому что она испорченная.

— Испорченная? — переспросил Гущин.

— Ну да, и Наталья Глобус Пропил напомнила мне о том случае в нашей школьной компьютерной.

— О каком еще случае?

— Это было еще в восьмом классе в начале года — мы делали лабораторку в компьютерном классе. Я-то корпела, и Нелька тоже, и все мы, Аглаша — гений наш — с заданием в минуты разделалась, а потом начала шуровать в Интернете. Благо он бесплатный. И Грачковская ее застукала, когда она про букаке читала и скачивала.

— Про что? — спросил Гущин недоуменно.

— Про *бу-ка-ке*, — повторила за сестру Неля по слогам так, словно Гущин был умственно отсталый. — Грачковская Аглашу за этим застукала и выгнала ее из класса. Она орала, что не допустит, чтобы Аглаша на уроке развращала нас, детей. С этого между ними все и началось, весь тот кипеж — а вовсе не с той гребаной олимпиады в МГУ, которую она якобы Аглаше запорола.

Катя видела по лицу Гущина, что он вот-вот спросит — а что это за *букаке* такое? И этим навечно все испортит и сам уронит себя в глазах юного многоумного и хорошо осведомленного в изнанке жизни поколения. Поэтому она лишь незаметно дернула полковника Гущина за рукав — не надо уточнять про букаке тут, мы уточним это вместе, в свое время.

Глава 37
ВАВИЛОВ ТОЖЕ ПРИГЛАШАЕТ

Насчет этого самого *букаке* Катя прояснила ситуацию через пять минут. Она буквально затащила Гущина в кафе напротив театра имени Маяковского, заказала два кофе и достала свой планшет.

— Вот, Федор Матвеевич, *букаке, вечеринки*... интимные публичные развлечения без сексуального контакта, популярны в Японии и в Юго-Восточной Азии, а также в Сети в виртуале. Тут написано, — Катя прочла, — в общем, когда собирается много мужчин, хорошо одетых, и одна юная обнаженная девушка, которая удовлетворяет себя у них на глазах, а они от этого возбуждаются и... кончают.

Полковник Гущин поперхнулся кофе и побагровел.

— И про это школьница читала в компьютере на уроке географии? — спросил он.

— Федор Матвеевич, современные подростки — они... их надо принимать такими, какие они есть. Когда начинают взрослеть, интересуются всеми делами, связанными с сексом. С годами же интерес затухает.

— Не иронизируй надо мной. — Гущин отпихнул от себя кофе. — Конечно, за такое Грачковская ее выставила из класса...

— Если Грачковская считала Аглаю испорченной, то... вот и мотив для убийства. Знаете что, Федор Матвеевич, позвоните сейчас Вавилову.

— Зачем?

— Он изымал компьютер Аглаи тогда, потом компьютер вернули уже ее тетке после самоубийства матери. Спросите Вавилова — что проверка показала и насчет этих оргий, насчет букаке. Остались ли в компьютере Аглаи какие-то следы ее интереса к таким вещам?

Полковник Гущин достал мобильный. Позвонил. Катя придвинулась — она могла слышать, что отвечает Вавилов.

Гущин весьма кратко, все гуще заливаясь краской, начал втолковывать ему про «букаке».

— Не было там ничего такого в ее компьютере, — сказал Вавилов, подумав. — Я сам просмотрел ее компьютер, но я не бог весть какой специалист, поэтому пригласил еще сотрудников отдела «К». Мы экспертизу не стали проводить, просто проверку — обычный домашний компьютер — ноутбук. Девочка пользовалась им вместе с матерью.

— С матерью?

— Да, та ведь дизайном на жизнь зарабатывала. Там разные проекты были, насколько я помню, переписка с художниками и заказчиками. Аглая же пользовалась какой-то математической программой, довольно сложной, уже для студентов. Сотрудники просмотрели ее профайл «ВКонтакте» — обычная ребячья болтовня. Ничего для нас в оперативном плане полезного и интересного.

— Ладно, я понял, спасибо, Игорь, — сказал Гущин. — Сам-то ты как?

— Держусь. Я собирался вам звонить, Федор Матвеевич. Хочу пригласить вас и коллег на девять дней по жене. Ресторан «Кисель» — это в Доме на набережной, мы там заказали с тестем зал. Будут друзья семьи, друзья тестя и тещи, ну и мои тоже — друзья и коллеги. Завтра в половине седьмого.

— Конечно, Игорь, мы приедем. И от управления тоже, — заверил Гущин и обратился к Кате, дав отбой: — Слышала?

— Все понятно, домашний ноутбук — если Аглая делила его с матерью, ясно, отчего про секс она пыталась узнать из Интернета на стороне, используя другой компьютер.

— Про извращения и непотребства. — Гущин снова придвинул к себе чашку с остывшим кофе. — Завтра все эти поминальные мероприятия... Я, наверное, к половине седьмого не успею в этот «Кисель», дел полно вечером, подъеду позже, а ты представишь меня там вместе с кем-нибудь из нашей опергруппы.

Глава 38
ДОМАШНИЕ ХЛОПОТЫ

В этот день Павел Мазуров вернулся домой с работы рано. И, даже не поев, начал в доме генеральную уборку.

Он вытащил старый пылесос из кладовой, достал ведро и швабру. Он трудился до самого вечера — большой дом, что когда-то он строил для себя и для своей несбывшейся семьи, зарос грязью.

Павел закрыл неотделанные комнаты наверху и сосредоточился лишь на тех, где они с матерью жили. Пылесос гудел, в доме пахло пылью и мокрыми тряпками.

Мать Мазурова Алла Викторовна молча наблюдала за сыном. Она встала с кресла, оторвавшись от своего вечного пасьянса, и приковыляла на кухню, когда Павел начал убираться и там.

— Отдохни, — попросила она сына.

— Я должен доделать. Ты тут будешь в чистоте, пока...

Он не договорил, сгружая посуду в мойку. Посудомоечная машина давно сломалась, и они ею не пользовались. Павел включил титан для горячей воды.

Мать села за кухонный стол. В этот раз она не говорила ничего — не брюзжала, не предупреждала его об опасности, не отговаривала. Она просто терпеливо ждала, когда он закончит и они откроют холодильник и разогреют что-то на ужин.

Павел мыл посуду и вспоминал прошлое. Те самые вещи, что пытался забыть, потому что они причиняли почти физическую боль.

Вот они с Мимозой... с Мариной... нет, он все же звал ее Мимоза, как и Аркаша Витошкин... вот они идут через лобби отеля «Сказка». И он, Павел Мазуров, думает, что у этой женщины, наверное, светится кожа в темноте...

Вот Мимоза поворачивается к нему, и в ее серых глазах такое выражение — ай-яй-яй, большой мальчик, а я знаю, о чем ты мечтаешь...

Вот они с Витошкиным вдвоем в баре — и это не в отеле «Сказка», это примерно за неделю до корпоратива. Бар на крыше небоскреба Сити, откуда видно всю Москву. Они обсуждают грядущее собрание акционеров и шансы Павла Мазурова занять должность... какую же должность... ох, об этом лучше не думать, потому что челюсти сводит судорогой... И Аркаша Витошкин вкрадчиво втолковывает, что именно у него, у Павла, все шансы... Да, все шансы тогда...

Теперь ни одного.

А вот они с Мимозой уже в «Сказке», в аквапарке, в теплой воде бассейна, бурлящей от множества распаренных в сауне возбужденных тел. Павел обнимает в воде Мимозу, и она целует его. Ее рука под водой нежно ласкает его член, и он готов на все ради этой обольстительной женщины... Он так хочет ее... И ведь она сдается ему, да... Это он помнит четко — Мимоза отдается ему и вскрикивает, когда он входит глубоко.

И это не в бассейне происходит, нет, и не в ту ночь, закончившуюся кошмаром и кровью, а раньше...

А потом Павел Мазуров вспоминает комнату, похожую на тюремную, и голые крашеные стены, и свет лампы, потому что допрос — а это допрос — затянулся. И лицо этого опера Вавилова — такое приземленное, деловое, скучное выражение на нем, когда он говорит: *я устал от вашей лжи. Вас с поличным свидетели поймали. А вы все бубните свое — я невиновен. В гробу я видел вашу невиновность. Если бы вы признались, нам бы было проще обоим. Мы сэкономили бы уйму времени. Слышите меня — в гробу я видел вашу невиновность. Это дело фактически кончено. Мне в общем-то все равно, что с вами станет — вы можете и дальше продолжать так глупо и упрямо лгать.*

Мне в общем-то все равно, что с вами станет...

Этот Вавилов тогда и за человека его не считал.

— Сядь, отдохни, — снова как-то жалобно, совсем непривычным тоном попросила его мать Алла Викторовна.

Павел поставил последнюю вымытую тарелку на сушилку и обернулся, оглядел преобразившуюся после уборки кухню.

— Ну вот, — сказал он, — так уже лучше. Так для тебя здесь будет комфортнее, мама.

Алла Викторовна пристально глядела на сына.

— Завтра я работаю допоздна, — сказал он, — и может даже... В общем, ты не волнуйся, если я задержусь на всю ночь и дольше.

Глава 39
ПОМИНАЛЬНЫЙ ОБЕД

Полковник Гущин, хоть и обещал задержаться, однако прибыл в ресторан «Кисель» в Доме на набережной почти вместе с Катей, но разными путями. За этот долгий день он успел побывать во многих местах — и в прокуратуре, и в следственном комитете, и даже в Москва-Сити, в консалтинговой компании, которую столь спешно ради отпуска и зарубежной командировки покинул Аркадий Витошкин.

Катя провела этот день тихо, у себя в кабинете Пресс-центра, по-прежнему изучая дела. На этот раз она сконцентрировалась на судебных протоколах дела о взятке прокурора Грибова. Сын его Алексей на суде не фигурировал, его из судейских никто не допрашивал. Вообще этот человек действительно настоящий невидимка. Никаких материально-процессуальных следов, одни лишь домыслы и предположения о взлелеянной им ненависти и мести.

Катя приехала к Дому на набережной вместе с сотрудниками уголовного розыска и управления, которое возглавлял Игорь Вавилов. Возле «Киселя», смотревшего окнами на Москва-реку, — большое количество дорогих машин. Катя вместе с сотрудниками вошла в ресторан, и тут же они оказались в руках хостес, который распоряжался приемом гостей поминального обеда. Катя сразу поняла, что не только зал, но и весь ресторан зарезервирован, Вавилову это должно было влететь в копеечку.

Вавилов стоял в небольшом холле, отделанном безвкусным фальшивым мрамором, он был в штатском, выглядел сосредоточенным, погруженным в свои мысли. Его окружали гости и отвлекали своей вежливой осторожной болтовней, как это и случается на поминках. Тихие разговоры вполголоса, сочувственные взгляды. Но за всем этим Катя не заметила искренности. Все было как-то натянуто, искусственно. Наверное, потому, что компания собралась в «Киселе» слишком разная и слишком большая — с одной стороны «партия» тестя Вавилова, где преобладали «большие шишки» разного толка, с другой — скромные коллеги Вавилова — в меньшинстве.

Духа Полины, этой девушки, юной жены, погубленной так страшно и ни за что, тут нет...

Тут все торжественно и казенно...

Катя оглядела ресторан «Кисель». Он давил своим нелепым дизайном. Казалось, тут собрали какие-то осколки прошлого и попытались слепить воедино, но все это резало глаз — бархатные стулья и диваны, грубый хрусталь, тусклый искусственный мрамор стен.

Катя отошла в сторонку, и тут ее разыскал Артем Ладейников. Она была рада — хоть одно живое лицо во всем этом паноптикуме.

— Игорь Петрович старается держаться молодцом, — шепотом поделился Артем. — Он мне сказал, что и не предполагал, что будет столько народа. Это его тесть наприглашал. Даже здесь этим пытается напомнить, какая он значимая фигура. Игорь Петрович Юлю хотел позвать. И я ее довезти пообещал в целости и сохранности даже на ее костылях. Но она отказалась. Ей еще это не по силам с ее травмой.

— Юля славная, — Катя улыбнулась Артему.

Тут они увидели полковника Гущина — он прибыл и здоровался с Вавиловым и с коллегами из министерства.

В большом банкетном зале накрыт длинный стол. Хрустальные люстры сияли. Все было готово, по залу как челноки сновали официанты в форменных белых куртках. На них никто не обращал внимания.

И вот всех пригласили «трапезничать». Катя и Артем сели на дальний конец стола, почти у самой двери. Поэтому именно они стали первыми свидетелями и участниками того, что произошло в банкетном зале в самый разгар поминок.

Пока гости собирались, беседовали, рассаживались, поднимали тосты, на кухне ресторана «Кисель» царил сущий ад.

Там стояла невыносимая жара от работающих электрических плит и духовых шкафов. В центре кухни гремел сковородками, орудовал ножами, махал руками на нерадивых, орал матом шеф-повар Валера. Он был в одной тельняшке без рукавов, потому что с него пот катил градом, и он то и дело вытирал крахмальным полотенцем свою лысую голову. Подручных поваров и официантов он подстегивал ругательствами. Одновременно готовил сам сразу несколько блюд на «горячее» и на «десерт» — орудовал как бешеный, как сторукий Шива в кулинарном танце — шинковал, резал, смешивал соусы, украшал блюда, выкладывал муссы. И тут же все обязательно пробовал, с ложки, а порой просто тыча пальцем в миску с соусом или ванильной глазурью.

Необычный вкус...

У соуса и у глазури — пикантный какой-то...

Пару раз он застывал и вперялся взглядом в кого-то из официантов или помогающих — их тоже было немереное количество. Но словно не узнавал или делал вид, что не может припомнить имен в этой кутерьме и лишь орал матом, чтобы персонал «шевелил задницей».

Официанты сновали как угорелые. Но это лишь на кухне и в подсобных помещениях. В банкетном зале они превращались в бестелесные тени, пытаясь «служить хорошо» и в надежде на щедрые чаевые. В этой суете мало кто обращал внимание на то, что происходит вокруг. Поминки на девяносто персон — это не шутка, это большой куш для ресторана в кризисные времена. Это масштабное мероприятие. А ведь говорили сначала, что это будет просто скромный семейный поминальный обед на «девять дней». Но, видно, у заказчиков свое собственное понимание скромности и приватности.

Повар Валера в страшной запарке готовил и сервировал «блюда от шефа». Вот он завершил «последний штрих», переложил свои кулинарные шедевры на сервировочную тележку на колесах, полил коньячным соусом. И, стерев пот со лба, напялил на себя крахмальную шеф-поварскую куртку и колпак. Он собирался лично представить свою стряпню гостям. В животе неожиданно громко заурчало. Шеф-повар Валера погладил впалый живот свой и захлопал по карманам поварской куртки в поисках зажигалки. Коньячный соус а-ля фламбе он собирался поджечь уже в дверях банкетного зала.

Катя чувствовала себя неуютно. Ее подавляло обилие совершенно незнакомых людей. Некоторые с надутыми физиономиями явно считали себя весьма важными персонами и лишь снисходили до Игоря Вавилова и его горя.

Вообще все это пиршество мало походило на обычные поминки. О соболезнованиях семье и мужу Полины приглашенные говорили лишь первые пять минут. А затем разговоры за столом перешли в совершенно иную плоскость. Наблюдалась поразительная разобщенность и кулуарность в интересах и разговорах.

Гости разглагольствовали, сначала из приличия вполголоса, но затем все громче и громче. Мало кто слушал друг друга, иногда даже вспыхивали короткие перепалки.

На уголке стола иссохший как мощи старичок с пастозным лицом, порой мелькавший на телеэкране, истерично и пламенно толковал как глухарь на одну и ту же тему — о том, как он с единомышленниками заказал художнику, проспиртованному водкой еще с брежневских времен, картину... нет, что там картину — «лик иконописный» вождя всех времен и народов «великого Сталина». И когда сидящий напротив банкир-промышленник ядовито поинтересовался у него, в каком же это храме православном они намереваются освящать икону «Виссарионыча усатого», старичок вспыхнул как девственница алой зарей и застучал ножом по тарелке, требуя внимания собравшихся к своим нескончаемым филиппикам.

Его громко послали, но подскочивший официант щедро налил ему водки.

Гости, сидевшие в центре стола — «центристы», делились последними кремлевскими слухами и сплетнями — в основном кто кого «поимел и еще поимеет». В выражениях мало кто стеснялся, но, нашептавшись всласть, все как по команде прекратили злословить и громко наперебой, наперегонки начали заявлять о своей «полной лояльности».

Компания тяжеловесов, окружавших тестя Вавилова, солидно и степенно делилась воспоминаниями о том «как в молодости сидели резидентами от Уганды до Кубы». Тяжеловесы таким образом прозрачно, но многозначительно намекали, что когда-то работали в разведке. Угнездившийся напротив креативный субъект с золотым «Ролексом» на запястье и печатками на каждом пальце прокомментировал — мол, вот и досиделись до ручки. «Резиденты» сразу насупились и тихонько затянули хором песню «Любэ».

Им вежливо напомнили, что это все-таки поминки — мол, жена полковника полиции убита была зверски. «Резиденты» оскорбленно затихли. Весь вид их говорил — куда мы вообще пришли? Какой еще полковник полиции? Кто вообще это такие — полиция? Это не «наш круг».

Тесть Вавилова попытался смягчить их недовольство, говорил он с ними подобострастно.

Игорь Вавилов выглядел хмурым, он почти все время молчал.

Катя испытывала к нему острую жалость.

Обильный стол не радовал. В такой обстановке Кате кусок в горло не лез. Она ничего не ела. Видела, что и Артем Ладейников тоже почти ничего не ест.

А вот гости за всеми разговорами вкушали с аппетитом. Поминки все больше и больше походили на обычное застолье, где каждое новое блюдо встречали с радостным, хотя и тщательно скрытым нетерпением. Удивительно — собравшиеся были люди в основном весьма состоятельные и пресыщенные. Но вот насчет того, чтобы «пожрать», — тут почти никто не строил из себя «язвенников и трезвенников».

О «роли и работе полиции» вспомнил раскрасневшийся, явно находившийся в ударе от всеобщего внимания киношник — сморщенный, как кора старого дуба. Никаких слов сочувствия Игорю Вавилову он не произнес, он вообще, оказывается, не знал «про убитую жену полковника полиции». Он начал вещать об «экстремистских тенденциях в современном искусстве» и привел в пример Российскую империю, где «главными мишенями для критики и сатиры были поп и урядник». И стал предостерегать от повторения прошлых либеральных ошибок. Однако какие-то недоброжелатели тут же осадили его — причем очень изящно и тонко, — начав громко хвалить последний фильм Михалкова. И сморщенный, как кора дуба, киношник сразу поперхнулся заливным, затем побагровел словно от удушья, а потом тихо завял. Его терзала жгучая зависть, но он и вида не подавал, крепился.

В середине всей этой многоголосой какофонии у Игоря Вавилова, видно, не выдержали нервы. Он поднялся с бокалом и...

Он хотел говорить о своей погибшей жене, а не о попах и урядниках, кремлевских интригах, фильмах Михалкова и угандийской резидентуре времен застоя.

Катя читала это по его лицу — он хотел сказать им, всем собравшимся, о Полине, о том, какой она была, но...

В банкетном зале стоял гул голосов как в пчелином улье.

И в этот момент широко распахнулись двери, и шеф-повар Валера эффектно вкатил сияющую тележку, похожую на жертвенник богам, где курился на блюде коньячный фимиам а-ля фламбе.

Тележка звякнула. Голоса смолкли, все воззрились на шеф-повара Валеру — на одно лишь мгновение, но этого оказалось достаточно.

Повар Валера картинно протянул руку, указывая на свой кулинарный шедевр, но вдруг...

Лицо его исказила жуткая гримаса.

Дикий, почти первобытный коктейль эмоций — удивление, испуг, растерянность, благоговейный ужас, стыд, боль.

Он согнулся пополам, держась за живот обеими руками, и с хриплым воплем «мать твою!» рухнул на колени.

Тележка, дребезжа, покатилась вперед и, задев за край стола, опрокинулась на бок.

И тут...

Раздался придушенный вопль. Это вскрикнул как девственница пастозный старичок, подскочил на своем стуле чуть ли не до потолка и вдруг опрометью кинулся прочь из банкетного зала так, словно за ним, как за его обожаемым «Виссарионычем усатым», гнался весь двадцатый хрущевский съезд с разоблачениями культа личности.

И тут началось невообразимое. Некоторые гости тоже очень резво стали вскакивать и побежали, толкаясь в дверях. Другие, наоборот, сидели, будто пыльным мешком ударенные, с выражением тупого удивления на лице.

Кто-то кричал: «Вызовите «Скорую»!» — кто-то орал официанту: «Где у вас тут нужник, в смысле туалет?!»

И вот кто-то совсем уж заполошно воззвал к небесам: Господи, нас отравили!

В банкетном зале возник тяжелый тошнотворный запах экскрементов. Гости вскочили и со стонами и проклятиями начали штурмовать двери, пытаясь добраться до туалетов ресторана «Кисель».

Повезло лишь первым, тем, кто занял кабинки, угнездившись на толчках и успев спустить штаны.

Остальным же...

Увы, остальным повезло меньше.

Да, такого Москва еще не видела.

Дом на набережной, повидавший многое, в том числе и сталинские «чистки», от такой тотальной чистки многих и многих взбунтовавшихся разом организмов, извергавших из себя все съеденное и выпитое, мгновенно протух.

Вонь наполнила ресторан «Кисель» и как волна выплеснулась на набережную.

Водители служебных машин зажимали носы, немногочисленные прохожие шарахались.

Катя зажала рот рукой, боясь, что ее вот-вот вырвет от отвращения. Но внезапно...

Она увидела Игоря Вавилова — он застыл с бокалом посреди всего этого кромешного хаоса и смотрел...

Кате показалось, что он смотрит прямо на нее.

А потом он издал горлом рычание, как тигр, попавший в капкан. И сиганул прямо на стол, разбрасывая ногами фарфор и хрусталь, перепрыгивая через стулья, чтобы добраться...

И тут Катя ощутила, что сзади кто-то крепко схватил ее за шею, так, что чуть не сломал и...

У нее все поплыло перед глазами от боли, от вони...

— Ни шагу ко мне, не приближайся! А не то ее прикончу!

Кто-то закричал над самым ухом — истерично и торжествующе одновременно.

И Катя поняла, что кричит кто-то незнакомый.

Тот, кто схватил ее сзади.

Тот, кого она даже не успела разглядеть.

— *Не подходи ко мне!! Ты, Вавилов, стой, где стоишь, а не то я ее убью!*

Рука, сомкнувшаяся как капкан вокруг шеи...

Белый рукав крахмальной куртки официанта...

Это все, что видела Катя.

А еще лицо Вавилова, перекошенное не злостью, не гневом, нет, дикой яростью.

Он остановился на полпути.

И тут вдруг что-то произошло.

Катя услышала глухой удар, звон разбитой посуды.

И неожиданно мертвая хватка на ее шее ослабла. Державший ее хрипло закричал от боли и начал оседать, наваливаясь сзади на Катю и увлекая ее за собой на пол.

Мгновение — и все померкло...

Но это продолжалось не больше минуты — эта отключка...

Вот уже кто-то хлопает ее по щекам: очнись, очнись...

Катя открыла глаза — она на полу, она может дышать. Артем на коленях возле нее и хлопает ее по щекам.

Как тогда в доме он и Вавилова вот так же приводил в чувство после шока...

— Катя, с вами все в порядке?

— Я... я не знаю... что это было... кто это был?!

Артем с неожиданной силой подхватил ее под мышки и поднял, поставил на ноги.

Катя увидела рядом с собой распростершегося на полу официанта в белой форменной куртке. Тут же валялись осколки хрустального графина.

Возле официанта, держась за живот, стоял полковник Гущин. Непередаваемое выражение на его лице!

— Федор Матвеевич, я его не убил? — спросил Артем Ладейников.

— Нет, дышит. Не знаю, что произошло бы, если бы ты не подскочил и не огрел его этой хрустальной болванкой... Ойййй! Мммммммм... Глаз с него не спускать! — промычал полковник Гущин и сделал то, что обычно не делают полицейские при задержании опасного преступника, — бросился стремглав наутек к двери — тоже в поисках туалета в недрах провонявшего «Киселя».

— Пойдемте на воздух, тут невозможно оставаться. Катя, пойдемте на улицу! — Артем, косясь на человека на полу, тащил Катю к выходу.

Лежавшего официанта окружили коллеги полковника Гущина. Двое из них удерживали на расстоянии рвавшегося к нему Вавилова.

— Да кто же это такой? — спросила Катя.

— Кто? И вы еще спрашиваете меня, кто это? Да это же Пашка Мазуров! — выкрикнул Вавилов. — Это же он, подонок... он все тут устроил! Убийца, маньяк, отравитель!

Глава 40
МСТИТЕЛЬ

Происшествие в «Киселе» впоследствии в полиции так и называли — *это дело.* И вкладывали в два коротеньких слова совершенно особый смысл.

Все, все смешалось в этом деле — и трагедия, и фарс, и ярость, и тайна. Бедная Катя! Когда она вспоминала про *это кисельное дело,* она старалась избегать про себя крепких выражений.

А вот полковник Гущин в выражениях не стеснялся. В Главке перед допросом Павла Мазурова, которого привезли из «Киселя», он дважды стремглав устремлялся из своего солидного начальственного кабинета по коридору по красной ковровой дорожке — в мужской туалет.

И ничего не было героического в том, что ветеран розыска бежит так, держась за живот, страдая зверским поносом.

Но уехать домой и **бросить сейчас кисельное дело** полковник Гущин просто не мог.

— Да, да, да, я сделал это! Я смог! Я посмел! Я отомстил ему наконец!

Это ликующе кричал Павел Мазуров из комнаты для допросов — той самой, со стеклом, как в полицейских боевиках, где стекло одностороннее и сидящий в комнате не может видеть тех, кто за ним наблюдает через это окно.

А наблюдали многие — в том числе и полковник Вавилов, и Катя, и Артем Ладейников.

В комнате для допросов — оперативники и полковник Гущин, но Катя видела лишь человека, взявшего ее, так сказать, в заложницы — этого самого Павла Мазурова. На нем все еще была куртка официанта — та самая, что он украл из мешка с грязным бельем и припрятал в «Киселе»: и кое-что другое нашли у него при обыске и немедленно отправили на экспертизу...

— Там слабительное — лошадиные дозы в растворе в бутылках. И в образцах пищи, взятой со стола банкета. Эксперты только что подтвердили — никакого яда, никакой отравы. Разные по составу препараты, в том числе касторовое масло и все — слабительное и мочегонное, — докладывали Гущину оперативники. — Эти лекарственные препараты никакой опасности для организма не представляют, просто Мазуров такие дозы добавил во все, что... Кто ел в ресторане... в общем, Федор Матвеевич, мягко говоря, все гости жестоко обкакались.

Можно, конечно, было воспринимать эти сведения тоже как фарс.

Однако Катя, стоя рядом с Вавиловым у зеркального окна, слышала, как тот скрипит зубами. Она чувствовала, что Вавилов готов сокрушить это стекло и добраться до Мазурова, чтобы допросить его не только о слабительном.

— Игорь Петрович, — Артем Ладейников, судя по всему, тоже это понял и хотел как-то успокоить шефа.

— Иди к черту! — грубо оборвал его Вавилов.

— Интересно, ему предъявят обвинение в захвате заложника? — Артем отвернулся от него и обратился к Кате: — Когда он вас так неожиданно сзади схватил, у него ничего в руках не было, чем можно убить или ранить. Ни ножа, ничего. Я думаю, он просто таким образом блефовал и пытался оттуда скрыться.

— А ты ему помешал, спасибо тебе. Я до сих пор в себя не приду еще никак, — сказала Катя, дотрагиваясь до шеи. — Это даже не испуг, я испугаться-то не успела — все так быстро, ты его сразу вырубил.

— А, это было не трудно, он меня даже не видел, когда я его сзади ударил по голове графином. — Артем смотрел сквозь стекло на Павла Мазурова оценивающе.

— Это он убил Полину, — произнес Игорь Вавилов убежденно. — И эту женщину в Рождественске — Одинцову — свидетельницу. Это он. Все сходится. Я хочу с ним говорить сам.

— Вам не разрешат, Игорь Петрович, — возразил Артем.

— Иди к черту, — повторил Вавилов, но уже тише, — чего там Гущин с ним миндальничает?

А ведь Вавилов прав — действительно все сходится. Вот теперь после событий в ресторане все сходится, все нити, все подозрения именно на Мазурове...

Катя смотрела на человека в куртке официанта — все сходится...

Полковник Гущин хочет просто подтвердить, разложить по полкам, когда уже и так все ясно...

Все ли?

Она заставила себя сосредоточиться на допросе. А допрос протекал любопытным образом. На эмоциях с обеих сторон.

— Я сделал это! Я сделал Вавилова! — Мазуров в припадке истерического ликования и не думал, кажется, ничего отрицать. — Будет меня помнить, гад, всю жизнь!

— Хватит кричать.

— Будет знать, как сажать безвинных людей!

— Это вы-то безвинный?

Полковник Гущин, все еще страдая животом, повысил голос так, что в динамиках (комната для допросов была изолирована) треснуло и крякнуло.

— Я отомстил ему, палачу! Вы все тут — палачи! Ненавижу вас — охранка! Только людей невиновных умеете в тюрьмы бросать!

— Это вы-то невиновный? Да у вас руки по локоть в крови!

— Где, где она кровь? — возликовал Мазуров. — Нет крови, и не умер никто! Я сначала — не скрою — отравить хотел, как крыс... Но я человек гуманный... У меня рука яд купить не поднялась — люди ж все-таки. Даже он, этот гад Вавилов, который посадил меня безвинно! Даже его я не хотел убивать. Обгадился он, и вся его камарилья обосралась там, в ресторане, — будете меня помнить! За все годы, что я в тюрьме провел безвинно, я наконец отомстил!

— Занесите в протокол — он сам признает факт совершения мести, — потребовал Гущин неизвестно у кого — в запальчивости и нездоровье он позабыл, что в спецкомнате для допросов не заполняют протоколов.

— Да, я отомстил! Я поклялся — как только выйду на свободу, я Вавилову отомщу! Я три месяца на подготовку потратил. Но не ядом я его хотел извести, а позором, стыдом! Так и на суде будет фигурировать — я у адвокатов своих узнавал, много мне за обгадившихся не дадут. А месть... моя месть того стоит — это дело принципа, дело чести!

— Ты пожизненно сядешь! — заорал, теряя самообладание, Гущин. — Пожизненно, понял? За убийство двух человек!

В комнате для допросов наступила могильная тишина.

Затем Павел Мазуров спросил:

— За какие еще убийства?

— За какие убийства?! А ты не знаешь?

— Что вы такое несете? Какие еще убийства? Кого?

— Полины Вавиловой, его жены, и свидетельницы, что против тебя показания на суде дала, Виктории Одинцовой!

— Какие еще убийства? Да вы что? — Павел Мазуров вскочил.

— Сидеть! — рявкнул на него полковник Гущин.

Мазуров повалился как сноп на стул.

— Не посмеете... не посмеете на меня повесить, — шептал он, разом словно протрезвев. — Я никого не убивал!

— Брось отрицать очевидное.

— Я никого не убивал, слышите!

Катя заложила уши — так затрещало в динамиках. Она увидела, как Вавилов сжал свои пудовые кулаки.

— Это он, — сказал он зеркальному стеклу. — Я так и знал, что это он...

— У нас два трупа, — жестко сказал Гущин. — И после всего того, что вы натворили в ресторане, после того, как вы признались, что сделали это из мести, вы будете отрицать, что убили из мести жену Вавилова и свидетельницу Одинцову?

— Какую еще свидетельницу Одинцову?

— Ту самую, которая работала в отеле «Сказка» и видела вас в номере, где вы избили и изнасиловали Марину Приходько!

— Я и этого не делал. Я тысячу раз говорил Вавилову на наших допросах — я не насиловал никого и не бил. Я просил его разобраться во всем — сотрудника розыска, представителя власти, а он посылал меня куда подальше. И в суде... в суде тоже, но там все уже было подготовлено в моем деле Вавиловым, это он все сфабриковал против меня.

— О какой фабрикации могла идти речь, когда в деле были железные доказательства вашей вины. — Гущин смотрел на Павла Мазурова. — Ладно, я готов снова выслушать вашу версию о том вечере в отеле «Сказка».

— А мне нечего добавить к тому, что я говорил на суде. — Мазуров как-то весь сник. — Я ничего не помню... Но я Мимозу... то есть Марину не бил и не насиловал. Она мне нравилась, она мне сильно нравилась. Разве я мог причинить ей боль и зло?

— Так она год лечилась, пластические операции себе делала после ваших художеств. Кто же ее избил тогда, лицо ей все изуродовал, как не вы? Вы же наедине с ней в номере находились. Вас наедине и свидетельница Одинцова застала.

Павел Мазуров молчал.

— Нечего сказать? — спросил Гущин. — Нечего возразить.

— Я бы возразил, если бы что-то вспомнил.

— А что насчет «Киселя»? — уже тише спросил Гущин. — Зачем вы это все устроили, да еще после того, как вас по амнистии выпустили. Опять же сядете.

— Это дело принципа. Я поклялся Вавилову отомстить.

— Как вы узнали про поминки?

— Про девять дней случайно. Я когда вышел, решил... ну в общем это дело принципа, я деньги свои последние на частных детективов потратил, чтобы они следили за Вавиловым. И речь сначала шла о банкете — торжественном по поводу какой-то годовщины его свадьбы.

— А кайтеринговая компания, в которую вы устроились?

— Я искал работу свободную. Считайте, мне снова повезло — они продукты поставляют почти во все рестораны столицы, ну и в «Кисель». Я когда про банкет от детективов узнал, постарался сам в «Кисель» отвозить все заказы, познакомился с их шеф-поваром. Только торжественный банкет неожиданно отменили.

— Потому что вы убили жену Вавилова.

— Я не убивал, — Мазуров смотрел на Гущина. — Я никого не убивал, я и на банкете хотел не смерти им, а позора.

— Ладно, рассказывайте.

— Шеф-повар мне сказал, что на днях будет поминальный обед. Я заранее запасся лекарствами, слабительным, и... в общем, это было не так трудно прикинуться официантом. — Мазуров усмехнулся и глянул прямо в непроницаемое стекло, словно знал, что за ним оттуда наблюдают.

И кто наблюдает.

Катя смотрела на Вавилова. Он был не похож сам на себя.

— А зачем вы приезжали в салон красоты на Садовом, которым владеет Марина Приходько? — спросил Гущин.

— Я знаю... я всегда знал, чувствовал, что она меня подставила, оболгала. — Голос Мазурова внезапно охрип. — Воспользовалась моим к ней отношением. Тем, что нравилась мне сильно... Не знаю, как она это сделала, но это так. И я всегда это знал. Но вы все — ни полиция, ни Вавилов, ни суд — даже слушать меня не захотели. Вы подумайте, откуда у нее такой салон, такое богатство вдруг? За что она все это получила, ведь была голодранка. Красивая девка по вызову... Я хотел ей отомстить за то, что она меня подставила.

— Вы приходили в салон, чтобы убить ее?

— Я пришел как клиент. Хотел посмотреть — нельзя ли и там...

— Что и там?

— Как в «Киселе» — не убить, нет, навредить. Бизнесу, имиджу. Я кремом запасся для эпиляции. Так вот, хотел глянуть — как можно этот крем во все их причиндалы добавить парикмахерские — в шампуни, бальзамы. Чтобы клиенты ее враз облысели. Чтобы она потеряла все, все, как и я. И опозорилась навеки.

Гущин хмыкнул.

— И как, добавили вы свой крем?

— Нет. — Мазуров покачал головой. — Я пришел к выводу, что там, в салоне, это невозможно. Слишком уж на виду. В «Киселе» все было гораздо легче.

— Он ненормальный. Он спятил там, за решеткой, — сказал Вавилов Кате. — Вы что, не видите, что он сошел с ума?

Но Катя *видела*, что полковник Гущин так не думает. Более того, он о чем-то про себя размышляет, словно прикидывает в уме какие-то варианты.

— В ту ночь в отеле кто был инициатором того, чтобы вы пришли к Марине — Мимозе в номер? — спросил он.

— Я хотел быть с ней. Мы же стали любовниками в те выходные. И она... она была не прочь. Мы пришли в ее номер, я был пьян.

— В номере было холодно? — спросил Гущин неожиданно. — Там было окно открыто?

— Я не помню, больше я ничего не помню.

Полковник Гущин кивнул оперативникам и поднялся. Катя поняла — у него внезапно созрел какой-то план.

Глава 41
УДИВИ МЕНЯ

Этот план Гущина... Катя впоследствии размышляла: появился ли он спонтанно после допроса Мазурова или Гущин обдумывал его детали сразу после посещения номера в заброшенном отеле «Сказка»? Этот план можно было описать в двух коротких словах, некогда брошенных знаменитым балетным антрепренером через плечо, — удиви меня.

Так вот на этот раз Гущин именно удивил.

И на *удивление* план его сработал так, как не сработали до этого месяцы кропотливой оперативной работы и нудного судебного разбирательства, закончившиеся приговором, сроком, а потом амнистией.

Полковник Гущин приказал доставить в ГУВД Марину Приходько — Мимозу. Немедленно.

Несмотря на то что время уже перевалило за одиннадцать вечера.

Катя решила не упустить ни слова из их предстоящей беседы. Артем Ладейников и Вавилов тоже. И поэтому Гущин распорядился «водворить» Мимозу для беседы не в свой комфортабельный кабинет с совещательным столом и кожаными креслами. А вот сюда же, в комнату для допросов с зеркальным окном, чтобы все могли слышать, о чем пойдет речь.

Марину Приходько — Мимозу доставили. И Катя впервые увидела ее и поразилась — какая стильная, ухоженная женщина предстала перед ними. Она старалась держать себя в руках, но было видно, что она нервничает. Она села, изящно изогнувшись на стуле, положила ногу на ногу и спросила с тревогой:

— В чем дело? Я только домой вернулась, а тут ваши и без всяких объяснений...

По ее голосу Катя поняла, что Мимоза слегка пьяная.

— Некогда объяснять, — буднично произнес полковник Гущин, — случились непредвиденные обстоятельства.

— Какие?

— Вы в курсе, что ваш знакомый Аркадий Витошкин спешно отбыл за границу?

— За границу? Когда? То есть я хотела сказать — он мой знакомый из прошлого, и мы... давно не общались с ним.

От Кати не ускользнуло то, как она это сказала, как построила свою фразу.

— Но это еще не все, — Гущин сверлил ее взглядом, — Павел Мазуров...

— Что? Где он?

— Сегодня вечером он отравил девяносто человек в ресторане «Кисель» в Доме на набережной. Подсыпал яд и таким образом отомстил полковнику Игорю Вавилову, который вел ваше дело. Гости собрались на поминальный обед к Вавилову, и теперь половина из них в реанимации в тяжелом состоянии, а половина уже в морге. А до этого Мазуров убил зверским способом жену Вавилова. Он ей руки отрезал пилой и прибил гвоздями к стене. А после зарезал свидетельницу Викторию Одинцову — помните такую? Она свидетельствовала в вашу пользу на суде?

Мимоза издала горлом какой-то клекочущий звук и прижала ладонь к губам.

— Из «Киселя» Павел Мазуров скрылся, — продолжал Гущин, — и я за вашу жизнь теперь гроша ломаного не дам. Он так страшно отомстил Вавилову и свидетельнице, представляете, что он сделает с вами, когда доберется до вас? В тот раз в салоне ему помешали устроить бойню. Но теперь, после «Киселя», ему терять вообще нечего. Главная цель его мести — вы.

— Но я... о боже... почему я...

— А вы не понимаете? — Гущин через стол наклонился к Мимозе. — А вы подумайте хорошенько, милая моя. Мазуров и на следствии, и на суде твердил о своей невиновности. Он ссылался на потерю памяти. Я склонен думать, что в этой части он не врал.

— Он меня убьет. — Мимоза уронила сумку с колен, руки ее дрожали.

— Он одержим местью словно психозом, — Гущин кивнул, — но до тех пор, пока я не знаю правды по этому вашему «сказочному делу», у меня связаны руки. Я не могу помочь вам, я не могу подключить программу защиты свидетеля. Марина, вы ведь не хотите стать его следующей жертвой?

— Нет, но я...

— Тогда расскажите мне всю правду.

— Но я все уже рассказала на следствии Вавилову и на суде!

— Нет, тогда были совсем другие обстоятельства. А сейчас все изменилось. Витошкин... он уехал, он бросил вас. Он раньше всех понял, насколько опасен его бывший коллега по консалтинговой фирме, превратившийся в маньяка-убийцу. Марина — вы одна теперь. И я не в силах вам помочь, если вы не расскажете мне правду.

— Но я...

— Вы хотите жить?

— Я не могу больше, я боюсь... он убьет меня.

— Как только я узнаю правду, у меня будут все основания дать ход программе защиты свидетеля. Это работает, это надежно.

Катя глянула на Вавилова. На лице его было написано недоумение и... еще что-то — сложное, очень сложное чувство, смесь чувств.

— Марина, ваша жизнь в ваших руках, — сказал полковник Гущин проникновенно.

— Хорошо, я все расскажу... какая разница — это было пять лет назад, может, и срок давности прошел, и потом я... я ведь только инструментом была, вспомогательный материал, и я... у меня вон с лица вся кожа клочьями слезла, а он... он в результате получил гораздо больше, чем я.

— Кто он?

— Аркаша... Витошкин — это была его идея, я только согласилась ему помочь, сыграть роль.

Игорь Вавилов подошел близко к стеклу, но она не видела его. Она начала плакать и говорить, говорить, говорить. Словно плотину прорвало.

— Это все потому, что он хотел войти в совет директоров, а у него не было шансов против Мазурова. Это я только потом поняла, когда он предложил мне помочь ему и пообещал денег, много денег. Я бы никогда столько не заработала, никогда. — Мимоза всхлипывала. — Витошкин все организовал и спланировал. Эта поездка на выходные в «Сказку» — он посчитал ее удачей. Он сказал, что нам надо Мазурова скомпрометировать, посадить, и он уже никогда больше не будет стоять у него на пути. Он до этого пытался свалить его там, в фирме, через какой-то скрытый аудит отдела, но у него не вышло, не нашли у Мазурова никаких нарушений. Наоборот даже, он считался очень перспективным менеджером. Акционеры бы его предпочли видеть управляющим, а не Витошкина. Поэтому он решил его уничтожить и попросил меня помочь. Он обещал мне за это бизнес под ключ и денег. И я согласилась на все.

— Что произошло в ту ночь в вашем номере? — сухо спросил Гущин.

— Витошкин все подготовил. Я знала, чувствовала — я нравлюсь Павлу, и он... в общем, он там, в «Сказке», повел себя как обычный самец. Мне ничего не надо было делать для обольщения, он... Он хотел меня очень. — Мимоза вытерла слезы. — У нас был интим в тот день, когда мы приехали. И я заставила его пользоваться презервативом. А потом сохранила использованный презерватив в холодильнике в номере — меня Витошкин научил, нам нужна была сперма... А в ту ночь я специально поила его везде, где только можно, — и в барах, и в ресторане. Я в баре разыграла перед барменом сцену ссоры — ну, якобы мы поссорились. Но на танцполе я Пашку поцеловала, и он снова стал послушный, как теленок. Потом в баре я дала ему наркотик.

— Какой?

— Я не знаю, мне его Витошкин сунул — сказал с алкоголем это убойная смесь. И пока мы шли ко мне в номер, Пашка уже был никакой, его вело, шатало. И там, в номере, когда мы вошли, я не включила свет, а Витошкин ударил его по голове бутылкой.

— Аркадий Витошкин находился в вашем номере? Как он попал туда?

Катя замерла. *Вот вам и ясное дело на железных доказательствах... Вот вам и суд, и приговор...*

— Нам надо было сделать так, чтобы Витошкина в моем номере никто не видел — ни горничные, ни менеджер по этажу, которая потом давала показания на суде. Это все опять же Аркаша придумал — у него голова-компьютер.

— Что он придумал?

— Он ведь всем занимался — ну, логистикой, устройством этого корпоратива. Он ездил в отель предварительно, все там осмотрел. Он устроил так, что я поселилась в номере под салоном красоты, он наверху был надо мной. И ночью там все закрыто, никого. Но дверь вскрыть при помощи отмычки — плевое дело. Витошкин так мне сказал. Он сначала хотел для этого дела привлечь... ну, профи, кого-то со стороны, типа киллера, но чтобы тот не убивал. Но он так никого и не нашел подходящего и сказал: чем меньше людей знает — тем лучше. Так, мол, вернее. Я, мол, сам все сделаю. Он такой упорный. Он так хотел должность в совете директоров. Я знала, что он на все готов. И он... он купил альпинистское снаряжение. Там такая штука крепится на перила лоджии — два троса и лебедка-подъемник. И это все можно сделать снизу — ну, из моего номера — забросить наверх и укрепить, так альпинисты делают. Мы накануне всю эту амуницию с Витошкиным спрятали у меня в номере, в шкафу. Я когда с Пашкой по барам таскалась, оставила дверь номера открытой. И Витошкин улучил момент, когда на этаже никого не было. Он зашел ко мне, заперся изнутри и все подготовил на лоджии — ну, в смысле отходного пути. Он не мог просто взобраться вверх по веревке, у него руки слабые, но лебедка эта альпинистская все здорово облегчала, там крутишь ручку и едешь вверх в веревочной петле, словно в кресле. И вот мы с Пашкой пришли ко мне. Витошкин его в темноте огрел бутылкой, завернутой в полотенце, вырубил полностью. А потом я Пашку раздела, ну, чтобы это было похоже на то, что он меня насиловал. Мне Витошкин показывал, что делать, как смазать у него все на бедрах, если экспертизу начнут проводить. Затем я в ванной из презерватива законопатила в себя сперму.

Мимоза на секунду умолкла, закрыла руками лицо.

Гущин молчал. Катя смотрела на Вавилова — как он воспринимает все это? Свое оперативно-следственно-судебное фиаско?

— То, что произошло потом, было для меня испытанием. Но Витошкин предупредил: должно получиться все натурально — в смысле побоев, чтобы никто не придрался. И я... я и на это согласилась. Он мне пообещал столько денег и... и перед тем, как мы в отель поехали, он половину мне привез в кейсе. Я знала, на что иду. Там, в номере, когда Пашка в отключке на полу полураздетый валялся, я зажала полотенце в зубах и... В общем Витошкин начал меня бить. По лицу, по телу... Я не ожидала, что будет так больно, ооооо! Он мне нос сломал. И я кричать в тот момент не могла, я только кусала полотенце. А потом, когда я была уже вся в крови он... он открыл дверь на лоджию. И сказал мне — дай мне пять минут, а потом ори так, чтобы все сюда сбежались. Он там корячился на лоджии в этой своей петле, поднимался наверх на лебедке. А я стала кричать: «Помогите!» Мне так было больно, что тут я уже не играла, я орала благим матом. В дверь начали колотить — эта менеджер там за дверью кричала — что случилось? Я стала мебель швырять и разбила бутылку. Когда Витошкин поднялся и забрал все свои альпинистские причиндалы с лоджии, я тут же захлопнула дверь. Он побежал по этажу к лестнице, спрятал веревки у себя в чемодане и через пять минут уже появился на нашем этаже в коридоре, а я все кричала, звала на помощь. И тут они вместе с охраной вышибли дверь. И увидели меня и Пашку... И я сказала, что он меня изнасиловал и избил.

Мимоза снова умолкла.

Потом спросила:

— Теперь что со мной будет?

— Теперь мы вас станем охранять как особо ценного свидетеля, — сказал Гущин тихо. Казалось, он и сам не ожидал произведенного признанием эффекта. — Как Витошкин с вами расплатился?

— Честно. — Мимоза смотрела в пол. — Бизнес под ключ — этот салон красоты, деньги на развитие и на жизнь... на безбедную жизнь. Он дал денег также на все мои пластические операции, я давно хотела сделать пластику. Мне хватило не только на лицо, на все. Я думала — буду жить как царица. Как по настоящему обеспеченная женщина — зиму в Баден-Бадене или в Монако, а летом в Каннах. Кто же знал, что этот кризис все сожрет? У меня салон сейчас почти банкрот. Я вся в долгах. Скоро вообще на счете в банке ничего не останется.

— Вы оговорили и засадили в тюрьму безвинного человека, — сказал Гущин. — Считайте, что с вами за это тоже расплатились по полной.

— Кто? — спросила Мимоза сквозь слезы.

— Судьба.

Глава 42
СХОДСТВО И НЕСХОДСТВО

— Я боюсь за Вавилова, — сказал Артем Ладейников тревожно, — руки на себя еще наложит.

Было уже очень поздно, однако все они собрались в кабинете Гущина — члены оперативной группы, Катя, Ладейников. Все, кроме Игоря Вавилова.

— На него столько сегодня свалилось — это предел человеческий, — не унимался Артем. — Эта фантасмагория в «Киселе» на поминках жены, и в довершение он узнал, что так облажался с делом, которое вел, которое считал доказанным на двести процентов. Федор Матвеевич, надо как-то с Вавиловым сейчас... ну я не знаю, я тревожусь за него.

— Я позвонил начальнику Главка, доложил ситуацию. Тот приехал, он встретил Вавилова у проходной и увез к себе домой. Так пока будет лучше, — ответил Гущин. — Ну вот, друзья мои, сами того не желая, мы раскрыли заново давно раскрытое дело об изнасиловании в отеле «Сказка».

— Это изощренная инсценировка и сговор, — сказала Катя, — а в результате Павел Мазуров пять лет отсидел в тюрьме ни за что. Но тем не менее мы не можем...

— Снять с него подозрений в убийстве Полины Вавиловой из мести и Виктории Одинцовой из мести? Ты это хочешь сказать, учитывая его художества в «Киселе»? Там месть — как четкий мотив.

— Но он отрицает свою вину в убийствах, — напомнила Катя. — Он и в «Киселе» никого убивать не стал, а лишь отомстил с помощью слабительного. Если он такой мститель и убийца, что мешало ему купить и подсыпать яд? Ничего не мешало.

— О гибели жены Вавилова я сейчас помолчу. Но кому, кроме Павла Мазурова, могла быть нужна смерть Виктории Одинцовой? — спросил Гущин. — Только у него есть внятный мотив.

— Почему же только у него, — быстро возразила Катя. — Теперь мы знаем, как на самом деле развивались события в отеле в ту ночь. Виктория Одинцова могла что-то знать, заметить. Она могла не все озвучить на суде. Аркадий Витошкин вполне мог ее убить. А чего он за рубеж слинял сразу? Только ли от страха? И Мимоза могла ее прикончить. Они могли заподозрить, что Виктория в ту ночь что-то видела или слышала — например, скрип той лебедки, на которой Витошкин наверх поднимался с лоджии.

— Такая техника бесшумно работает. И потом там музыка гремела внизу — вечеринка же была в разгаре у бассейна в аквапарке, — напомнил Артем. — Нет, тут что-то другое.

— Знаете, — задумчиво произнесла Катя, — мне тут мысль пришла сейчас. Мы вот эти дела — все три объединяли лишь по одной причине; все их расследовал пять лет назад Вавилов. А теперь оказывается, что между двумя делами из трех есть и другое сходство.

— Какое же? — спросил Гущин.

— Дело отеля «Сказка» оказалось тщательно спланированной и подготовленной инсценировкой изнасилования. А вы вспомните, что нам эксперт Сиваков говорил про убийство Аглаи Чистяковой — мол, классический случай криминалистики. Инсценировка изнасилования — все признаки.

— Вы хотите сказать, что Аркадий Витошкин и Мимоза могли и девочку убить? — воскликнул Артем. — Но это же полный абсурд.

— Это абсурд. Они тут, конечно же, ни при чем. Я хотела обратить ваше внимание на совсем другую вещь.

— На какую? — полковник Гущин, глядя на Катю, задал ей свой любимый вопрос.

— Ну, Вавилов же ошибся в деле отеля «Сказка».

— Там бы и я ошибся на таких сфабрикованных уликах. И ты, и мы все.

— Да, конечно, но я опять не о том. Возможно, он ошибся и в своей оценке, своей версии убийства девочки. А мы тоже ошибаемся, глядя на это дело через призму его расследования. Надо посмотреть на это дело под каким-то другим углом.

— А меня сейчас больше всего беспокоит пропавший сынок прокурора Алексей Грибов, — сказал Гущин. — Я считаю, задача номер один теперь — его разыскать и допросить.

Глава 43
КЛОЧКИ

Взглянуть на дело под каким-то другим углом...

Полковник Гущин в тот вечер в третий раз так и не задал свой излюбленный вопрос — какой? Какой-такой еще другой угол?

Катя и сама не знала. Она поняла это на следующий день — дома. Наступила суббота, и Катя взяла для себя тайм-аут на все выходные.

Кошмар в «Киселе» словно отнял у нее последние остатки сил. И дело было даже не в нападении Павла Мазурова — это как раз произошло и закончилось так быстро, что Катя даже не успела толком испугаться.

Просто сама атмосфера провонявшего «Киселя»... Эти багровые от натуги лица гостей, штурмовавших туалеты... Этот запах...

Катя с трудом подавляла тошноту, вспоминая все это. Дом на набережной, мимо которого она порой проезжала, и прежде представлялся ей похожим на тюрьму — серое, неприветливое здание и одновременно памятник архитектуры. А теперь к этой нелюбви примешалось еще и чувство острой брезгливости.

И вместе с тем щемящей жалости. Ко всем — и к пострадавшим гостям. И к бедной Полине Вавиловой, чья посмертная память была жестоко оскорблена.

И к Игорю Вавилову, который вынес все это. Он дважды столкнулся с проявлениями мести в отношении себя — в первый раз месть обернулась кровавым кошмаром, резней, убийством. Во второй — неприличным, дурно пахнувшим фарсом, где всех действующих лиц понесло по кочкам в жестоком поносе.

Совершил ли это все один человек — Павел Мазуров?

Катя в это утро в субботу остервенело занималась домашними делами. И совершенно не хотела есть. Даже не помышляла ни о завтраке, ни об обеде.

Но к вечеру природа взяла свое. И она заставила себя поесть — отварила рис в мультиварке, достала овощи. Заварила себе крепкий чай. Села на диван, поджав ноги, отложив в сторону ноутбук и планшет. Взяла чашку горячего чая, подула.

Вот вчера вечером она говорила Гущину о сходстве... Но нет, тут и несходства полно. Это дело при всем своем единстве распадается на какие-то фрагменты...

Она предложила взглянуть на убийство Аглаи Чистяковой под каким-то другим углом... Но действительно, под каким? Игорь Вавилов сконцентрировал все свое внимание на единственном подозреваемом — учительнице Грачковской. Так же он поступил и в деле отеля «Сказка» — там все улики сходились на Павле Мазурове. Но Мазурова он посадил, а Грачковскую ему пришлось отпустить. В этом деле иная точка зрения банальная — а что, если не учительница убила девочку? Но факт инсценировки изнасилования указывал именно на женщину-убийцу, как в классическом примере из учебников криминалистики. И при всем при этом Игорю Вавилову отомстили убийством жены...

За что? За то, что он делал процессуально-следственные ошибки?

Может, он и в деле прокурора тоже совершил ошибку? Но нет, там он просто участвовал в задержании с поличным. Всю операцию проводили и разрабатывали совсем другие сотрудники. И процесс дачи взятки был зафиксирован на видео — деньги у прокурора помеченные из стола достали. А вдруг это тоже подстава?

Катя подумала о Гущине: вот он заявил, что для него задача номер один — найти сына прокурора Алексея Грибова, неуловимого до сих пор. Что, если и Гущин склоняется к мысли, что в отношении прокурора была допущена не ошибка, а подстава и... что же, в этой подставе Вавилов принимал участие? Против своего друга и наставника, и именно за это ему сейчас так жестоко мстит Алексей Грибов-младший?

Где он? Почему скрывается? Что это вообще за человек такой?

А в это самое время Алексей Грибов-младший находился на своем обычном месте — при певице Леокадии Пыжовой. Правда, на Пыжову в это субботнее утро было тяжко глядеть.

После запоя, сразившего ее на юбилее, трезвый просвет обернулся депрессией. Растрепанная, старая, вся какая-то разом опустившаяся и ослабевшая, она сидела на роскошном ковре в своей роскошной гостиной с ножницами в руках. На полу перед ней распластана дорогая шуба из палевой норки. И Леокадия кромсала мех ножницами в клочки, всхлипывая и причитая:

— Никому, никому, никому не нужна стала... Концерты екнулись, хотела на майские поучаствовать, так отказали — мол, все забито, вся программа укомплектована. Я ж не претендую на главную сцену, хоть бы в парке дали... Думают, я старая корова, думают, вышла в тираж.

Ножницы так и мелькали, драгоценная шуба из палевой норки превращалась в клочки. Алексей Грибов сидел в кресле у окна, наблюдал за этой картиной. Пил томатный сок из стакана. Жалости он не испытывал. Ждал, когда Леокадия наиграется с шубой и весь этот меховой мусор можно будет выбросить вон.

— Что смотришь на меня? — спросила она его вдруг. — Противно тебе на меня глядеть, да? И тебе тоже, мой сладкий?

— Да брось ты, все путем, — усмехнулся Алексей Грибов, — хочешь в постель отнесу?

Леокадия щелкнула ножницами. Она, пригорюнившись, глядела на раскромсанную шубу. Потом перевела взгляд на бутылку рома на столике.

— Налить, что ли? — Алексей Грибов улыбался во весь рот. Он не жалел ее. Он провоцировал старуху.

Леокадия после недолгой борьбы с собой потерянно кивнула. В стакан плеснулся ром. А она, все так же пригорюнившись по-бабьи, тихонько затянула надтреснутым голоском: «По диким степям Забайкалья».

Глава 44
ПОПЫТКА

В понедельник на работе Катя вернулась к тому, что делала раньше, — просмотру уголовных дел. Попросила у Артема Ладейникова дайджест по делу о взятке прокурора и долго и внимательно изучала.

Искала ту самую подставу и подвох и... ничего не находила. Прокурора Грибова взяли с поличным на деньгах. Тут не было никаких сомнений.

Затем она взяла на изучение дело Аглаи Чистяковой и углубилось в подробное чтение всех четырех томов. Читала долго, почти до конца рабочего дня, но так и не нашла тот «другой угол», под которым это дело можно было рассмотреть заново.

Она слушала, что говорили оперативники. Гущин весь день отсутствовал. Он занимался сейчас одновременно делом Мазурова в «Киселе» и розысками Алексея Грибова-младшего.

Под конец мысли Кати обратились к Виктории Одинцовой. Катя размышляла, прикидывая так и этак. Если не Павел Мазуров убил прекрасную кондитершу, то кто? Аркадий Витошкин, сбежавший за рубеж, или Мимоза? Но Мимоза рассказала им все, во всем призналась...

Катя отыскала в деле отеля «Сказка» допрос Виктории, который проводил Вавилов. Снова перечла его, вспомнила ее слова о холоде в номере. С этим все теперь ясно. Но нет ясности с самым главным — за что через пять лет убили свидетельницу?

Катя подумала — а что они вообще знают о Виктории Одинцовой? Кроме того, что она сменила работу — из гостиничных менеджеров перешла в малый бизнес, в это крохотное кафе в Рождественске. А ведь она открыла его вместе с какими-то компаньонами — приятелями. Эти люди знали Викторию, дружили с ней. Почему бы не расспросить их о ее жизни, и... может, им еще какие-то подробности дела об отеле «Сказка» известны?

И Катя твердо для себя решила на следующее утро отправиться снова в Рождественск, зайти в кафе, отыскать компаньонов и совладельцев, потолковать с ними.

Приняв такое решение, она слегка подбодрилась. Сложила многотомные дела и отправилась к себе в кабинет Пресс-центра. На лестнице она столкнулась с полковником Гущиным. Она хотела было поделиться с ним своими планами, но он лишь махнул рукой — некогда мне.

Его ждал у себя начальник Главка. И Катя решила, что доложит ему о результатах своей поездки уже потом, после всего.

Она коротала конец рабочего дня у себя в Пресс-центре за написанием статеек для интернет-версии «Криминального вестника Подмосковья».

А полковник Гущин в это время сидел напротив начальника Главка и подробно излагал ему то, что предпринял в свете событий последних дней. В руках его была папка с документами. Начальник Главка начал их просматривать.

— Игорь Вавилов сейчас у меня на даче, — сказал он Гущину, — завтра он приедет сюда, на работу. С этим рестораном «Киселем» нам придется разбираться, не Москве.

— Я не знаю даже, как сейчас к Вавилову подступиться после всего, — заметил Гущин. — Столько на его плечи свалилось, другой бы не выдержал. Вон у нас разговоры идут, как бы руки на себя не наложил.

В кабинете повисла тишина. Потом начальник Главка взял в руки папку с материалами по розыску Алексея Грибова-младшего. Он листал документы. Остановил свой взгляд на фотографии сына прокурора. Это было единственное фото Грибова-младшего, сделанное камерами наблюдения в комнате для свиданий в колонии, где отбывал заключение его отец. Фотоснимки прислали из колонии вместе с ответом на запросы Гущина.

— Не похож на отца, — заметил начальник Главка, — совсем не похож.

Гущин знал, что начальник Главка некогда был знаком с прокурором Грибовым — много раз встречался с ним на совещаниях в прокуратуре.

— Этого парня вы никак не можете найти? — спросил он.

— Как в воду канул, оборвал все связи, — Гущин развел руками, — а в федеральный розыск у меня нет оснований пока его объявлять. Он ведь даже подозреваемым официально у нас не проходит, только по материалам оперативно-розыскного дела. Это для объявления в федерал не основание.

— Ты на концерте ко дню МВД присутствовал в прошлом году? — неожиданно по-свойски спросил начальник Главка.

— Нет, мы работали, да и вообще я не люблю всю эту эстраду-попсу.

— И я не поклонник, — начальник Главка поднес к глазам в очках фото Алексея Грибова. — Правила вежливости диктуют нам хороший тон. В прошлый раз эстрадники тут у нас в Главке на концерте выступали. Среди них Леокадия Пыжова.

— Она поет еще? — усмехнулся Гущин.

— После концерта — банкет, то есть чай, — начальник Главка усмехнулся. — Так вот этот парень, сын Грибова... он у Леокадии Пыжовой что-то вроде антрепренера или менеджера-секретаря. Она ни на шаг его от себя тогда не отпускала, красавца. Я его отлично запомнил на нашем банкете, только не знал, что это сын Грибова. Я думаю, вам следует поискать его в окружении Пыжовой или порасспросить эстрадников, если он уже эту даму покинул. Хотя вряд ли, я думаю, для Пыжовой — это последний шанс вспомнить молодость.

Полковник Гущин смотрел на начальника. Его словно ткнули носом в лужу.

Глава 45
КОМПАНЬОНЫ И ПРИЯТЕЛИ

Катя приехала в Рождественск в десять утра на своей машине. Она готовила себя к тому, что кафе может оказаться закрытым и тогда ей придется добывать информацию о совладельцах в местном отделе полиции.

Но кафе было открыто. Катя толкнула дверь, звякнул колокольчик. В маленьком помещении по-прежнему пахло корицей и ванилью, кофе и сдобой. И вроде бы — ни намека на разыгравшуюся тут совсем недавно кровавую трагедию.

За стойкой — бородач в таком же, как и у Виктории Одинцовой (Катя четко это помнила), комбинезоне и клетчатой рубашке.

— Доброе утро, — поздоровался он приветливо, — чем вас угощать?

— Я из полиции. По делу об убийстве Виктории. — Катя сразу предъявила удостоверение.

— Понятно, — бородач оперся ладонями на стойку, — чем могу помочь?

Этот вопрос Кате понравился, он настраивал сразу на нужный лад.

— Вы совладелец кафе или просто тут работаете по найму? — спросила она. — И как вас зовут?

— Василий Маго. — Бородач засыпал в кофемашину свежую порцию кофе. — Вам эспрессо?

— Капучино, если можно.

— Да, совладелец, у нас тут сразу несколько хозяев, одна компания. Вы сейчас спросите, хорошо ли я Вику знал? Всю жизнь. Моя жена с ней училась в школе, они подруги детства. Вы нашли того подонка, кто убил ее?

— Ищем. — Катя слушала, как работает кофемашина, а сама смотрела в сторону подсобки — там, тогда... и она не сумела ее спасти. — Вы Викторию в дни перед убийством видели?

— Она меня сменила в тот день, мы сейчас стали рано открываться, аж в шесть утра, в начале седьмого нам уже свежую выпечку привозят.

— Виктория не казалась вам чем-то напуганной? Не говорила, что ей кто-то угрожает?

— Нет, она веселая была, все шло как обычно, и вдруг... это как гром с ясного неба. А вы хоть кого-то подозреваете?

— У нас есть подозреваемый, — ответила Катя, — и это связано с тем старым делом, по которому Виктория выступала свидетелем в суде. Дело об изнасиловании в отеле «Сказка», где она работала.

— А... понятно, но это было так давно, — бородач закивал.

— Об этом деле она с вами или с вашей женой не говорила?

— Сейчас — нет, а тогда только и разговоров было. Но я уже начал подзабывать, как и что там. Насильника ведь осудили — и все.

— Не все, как видите. — Катя вздохнула. — Мы подозреваем, что этот человек — Мазуров его фамилия — совершил до этого еще одно убийство и тоже из мести.

— Ничего мне эта фамилия не говорит, возможно, Вика ее и упоминала тогда, но я забыл. — Бородач горестно сморщился. — Кто же знал, что так все будет? Вот полезла тогда в отеле не в свое дело, потом сколько ее на следствии мурыжили, на суде, а в конце концов и смерть свою нашла... И чего она полезла — не понимаю.

— Виктория говорила правду, все, что видела и слышала. — Катя запнулась: да, только вот истине по делу эта ее свидетельская правда не помогла, наоборот, лишь усугубила «вину» невиновного.

— Она и работать там, в этом отеле, не очень-то рвалась, насколько я помню, — продолжал бородач. — Жене моей все жаловалась — ездить неудобно: всего одна маршрутка туда ходит, а автобусы через сорок минут и еще пешком надо топать по дороге. В «Сказку» удобно на машине приезжать, а своим ходом — нет, одно мучение. Она бы ни под каким видом тогда туда работать не пошла — в такую-то даль. Раньше ведь работала почти рядом с домом — на соседней улице — чего лучше. Если бы то кафе тогда не закрылось, она бы...

— Кафе? — машинально спросила Катя, принимая из его рук стаканчик с капучино.

— Ну да, интернет-кафе «Железо и софт».

— Железо... и софт?

— Да, а что вы на меня так смотрите?

Катя поставила стаканчик на стойку — взгляд ее метнулся в сторону двери подсобки — *«Железо... он из железа...»*.

Эти слова — последние в своей жизни, произнесла Виктория Одинцова. Катя решила, что она имеет в виду орудие, которым убийца нанес удар. Но что на самом деле Виктория имела в виду?

— Вы работали с Одинцовой в этом интернет-кафе?

— Нет. Моя жена работала там менеджером, как и Вика. Один их школьный приятель вложился в это заведение и взял всех своих друзей. И какое-то время бизнес шел хорошо, а потом сами знаете — прогресс, компьютеры в каждый дом. Интернет-кафе стали закрываться.

— Пожалуйста, я могу переговорить с вашей женой немедленно?

— Я... ну конечно... а что, это так важно?

— Возможно. Мне необходимо побеседовать с вашей женой, где она сейчас?

— Дома. — Бородач достал из кармана комбинезона мобильный, набрал номер. — Я сейчас ее предупрежу.

— Адрес какой у вас?

— Тут рукой подать — направо, потом налево и опять направо — улица Фестивальная, сразу увидите блочную девятиэтажку. Второй этаж... Детка, ты что, еще спишь? Вставай. К тебе сейчас из полиции приедут для беседы по делу Вики. Да, это срочно, надо помочь.

Катя расплатилась за кофе и, горячо поблагодарив бородача, ринулась к машине. Через пять минут она уже увидела блочную девятиэтажку на углу узкой улицы и звонила в домофон.

Дверь квартиры ей открыла очень полная, добродушного вида блондинка — вся в веснушках, одетая в растянутую серую футболку.

— Я из полиции, капитан Петровская, ваш муж звонил вам. — Катя сразу пошла напролом.

— Да, звонил... вы насчет Вики? Нашли, кто ее убил? Нет? — В глазах толстушки блеснули слезы. — Она... мы с ней дружили и работали... вся жизнь вместе, и вот кончилось все так страшно, нелепо... Да вы проходите. — Она указала на тесную гостиную с диваном и корпусной мебелью. — Чем могу помочь вам ради Вики?

И она тоже, как ее муж, спрашивает — чем помочь?

У Кати, пребывавшей в растерянности, от этого потеплело на душе.

— Вас как зовут?

— Дарья. — Толстушка села рядом с Катей на диван.

— Ваш муж сказал, что вы несколько лет тому назад работали вместе с Викторией в интернет-кафе «Железо и софт». А что это за фирма была, где? Кем Виктория там работала, кем вы?

— Наше городское интернет-кафе. Помните, как они популярны когда-то были? Всегда полно народа, в основном молодежь. — Толстушка пожала плечами. — Я работала менеджером зала, а Вика — она в основном с бумагами и документами, с отчетностью. Но у нас потом пошли сокращения персонала, и она начала совмещать должность менеджера по технике.

— А чем занимался менеджер по технике?

— Она следила за тем, чтобы все работало в зале — принтеры, компьютеры. Если что-то ломалось, вызывала мастеров чинить. В общем, я тоже этим занималась. Но я еще и время продавала. — Толстушка улыбнулась. — Тогда ведь по времени на компьютерах работали. Бывали вечера — битком зал набит. Кто во что горазд — пацаны играют, в стрелялки режутся, «деловые» в Интернете шуруют.

— А кому принадлежало интернет-кафе?

— Наш одноклассник Безбедов Марк вложился. Но потом прогресс компьютерный нас дожал, «Железо» наше закрылось.

— А когда точно закрылось? И где можно разыскать этого вашего одноклассника Марка?

— Он за границу с семьей перебрался пару лет назад, кажется, в Прагу. А кафе закрылось... В сентябре нас об увольнении предупредили — пять лет назад, и я начала искать новую работу, да, почти сразу после того, как к нам полиция пришла по тому делу, о котором тогда весь город говорил. Кафе вскоре после этого закрылось, а мы все стали работать в других местах.

— По какому делу? — спросила Катя. — Это когда здешний прокурор взял взятку и его прямо в кабинете арестовали, да?

Дарья-толстушка с недоумением воззрилась на Катю.

— Нет, я про прокурора и не знаю ничего. А то было дело об убийстве девочки в школе. Аглаи.

— Аглаи Чистяковой?

— Я фамилию не помню, помню имя, потому что эта девочка была у нас в «Железе» завсегдатай, очень часто приходила работать на компьютере.

Катя откинулась на спинку дивана. Ощутила внезапно, как у нее вспотели ладони.

— Вы знали Аглаю? — спросила она.

— Ну, не то чтобы знала — я ей время продавала на компьютер целый год, так что успела она у нас примелькаться. А потом весь город только и говорил о ее убийстве. Говорили — это учительница ее из злости... И есть же такие твари...

— Аглая с кем-то общалась в интернет-кафе?

— Да, там тогда столько молодежи крутилось — и пацаны, и девочки, конечно, общалась. Но это все же Интернет — они там все к мониторам как приклеенные сидели. Хотя у нас и буфет был, собственно — кафе: столики, кофе, никакого алкоголя, естественно. Так что молодежь общалась между собой. Эта девочка Аглая приезжала всегда на роликах к нам, потом переобувалась — аккуратная такая.

— А полиция?

— Что полиция?

— Они вас допрашивали?

— К нам один полицейский приходил. Игорь Петрович — как сейчас его помню, видный такой, крупный, кажется, из уголовного розыска. Он со мной беседовал.

— В отделе?

— Нет, он пришел к нам в интернет-кафе, мы уже закрывались вечером. И он попросил нас задержаться для разговора.

— Вас и Викторию Одинцову?

— Нет, меня и Марину Рябову — это тоже наша одноклассница, она работала у нас в кафе за стойкой — продавала кофе, сладости.

— А с Викторией Одинцовой Вавилов не разговаривал?

— Кто?

— Этот опер Игорь Петрович.

— Нет, только со мной и Мариной Рябовой и всего один раз. Спрашивал, как и вы, про девочку. Как часто приходила. Его интересовали компьютеры.

— Компьютеры?

— Ну да, он спрашивал — не было ли у нее в кафе любимого компьютера, он хотел его изъять. Я сказала — это невозможно, потому что всем клиентам время и компьютеры предоставлялись в свободном порядке. Нельзя было сказать, кто за какой компьютер сядет.

— А еще о чем этот опер вас расспрашивал?

— Как и вы — кто с Аглаей общался из молодежи, каков круг интересов самой девочки.

— Круг интересов?

— Ну да, на какие сайты она заходила, чем интересовалась... Я тогда сказала — кто же это знает, мы за клиентами не следим. У нас в кафе было тогда двадцать пять компьютеров, это если не считать тех, что ломались, и у нас их техники чинили.

— А еще что он спрашивал?

— Ну я не помню уже точно — столько времени прошло... Спрашивал, когда девочка приходила к нам в кафе последний раз, где сидела. Я не знала, а вот Марина, кажется, что-то вспомнила, или я путаю.

— Дарья, это очень важно, где я могу найти вашу подругу Марину Рябову? Мне и с ней надо немедленно поговорить.

— Немедленно не получится, — ответила толстушка с сожалением, — Мариша живет в этом же доме на восьмом этаже. Только вот она работает в Москве в сервисном центре и приезжает домой уже после восьми.

— А вы можете ей позвонить сейчас? — настойчиво спросила Катя.

— Вы что, в Москву к ней поехать хотите, на работу?

— Я... нет, у меня в вашем городе еще дела, неотложные... важные. — Катя раздумывала, прикидывала на ходу. — Позвоните ей сейчас на мобильный. Я сама с ней переговорю и попрошу ее приехать сюда как можно раньше, отпроситься. Мы, полиция, ей все потом компенсируем. Звоните вашей подруге!

Дарья-толстушка потянулась за мобильным. Катя глянула на часы: время — полдень.

Глава 46
ЛИШНИЕ ЛЮДИ

Катя позвонила Артему Ладейникову в тот момент, когда полковник Гущин попросил его зайти: хочу, мол, чтобы ты поприсутствовал, помог мне в одном деле.

Исполняя просьбу Кати, Артем замешкался, и когда он вошел в кабинет, то увидел там Гущина, двоих оперативников и высокого симпатичного блондина в джинсах и модном бомбере из тонкой лайки.

Оперативники вышли. Блондин остался и сел напротив Гущина, озираясь по сторонам.

— Это Алексей Грибов, — сказал Гущин Артему, — а Вавилов Игорь Петрович тебе не звонил?

Артем заметил, как при имени Вавилова сын прокурора Грибова слегка напрягся.

— Нет, не звонил. Я беспокоюсь о нем.

— Он скоро будет здесь, — пообещал Гущин и повернулся к Алексею Грибову. — Мы вас долго разыскивали, вы дома совсем не появляетесь.

Артем понял, что сына прокурора наконец-то нашли. Он не знал о разговоре Гущина с начальником Главка, после которого оперативники сразу же связались с деятелями эстрады и навели справки о певице Леокадии Пыжовой. Утром на ее квартиру на Арбате выехала опергруппа и застала Алексея Грибова дома у певицы — в ее постели.

Пыжова ничего не понимала, она была с сильного похмелья и орала на сотрудников полиции матом. Но Алексея Грибова у нее «изъяли» и привезли на допрос.

Ничего этого Артем Ладейников не знал. Он видел лишь, что полковник Гущин словно снова колеблется, словно не знает, с чего начать. С какого края подойти к этому фигуранту.

— Я, как видите, в другом месте сейчас проживаю, — ответил Алексей Грибов.

— Вы с Пыжовой состоите в гражданском браке?

— Нет, не думаю, что это можно браком назвать. — Грибов-младший усмехнулся невесело. — Я у нее что-то вроде антрепренера и сиделки. Сейчас с антрепренерством сложности, концертов почти нет, так что остается только моя вторая роль.

— Сиделки? — уточнил Гущин. — Она что, сильно пьет?

— А кто из творческих людей сейчас не пьет? — снова усмехнулся Грибов. — Время такое настало.

— Вы поддерживаете связь со своим отцом?

— Ездил к нему в колонию, нам разрешили свидание.

— О чем шла речь на том свидании? — спросил Гущин, не надеясь на правдивый ответ.

— О чем говорят все зэки? — усмехнулся Грибов-младший. — О воле, о ходатайствах об «удо», о том, что разрешено в посылках.

— Вы считаете, что с вашим отцом поступили несправедливо?

— Какая разница, что я считаю? — Грибов-младший покосился на притихшего Артема Ладейникова: мол, а ты кто? Чего сидишь, слушаешь нас, глазами моргаешь?

— Вы бываете в Рождественске?

— Очень редко.

— И вы не в курсе тамошних новостей?

— Нет, а какие могут быть новости в этой нашей подмосковной дыре?

— Вы так резко оборвали все связи — с друзьями отца, с вашими бывшими коллегами по адвокатуре.

— Какие у зэков в прокуратуре могут быть друзья? От отца все отвернулись. А я тоже не навязываюсь. Что касается моей юридической карьеры, с ней тоже кончено.

— Вы в этом вините кого-то?

— Кого я должен винить?

— Например, Игоря Вавилова — бывшего начальника розыска и друга вашего отца.

— Тоже б/у. А в чем его вина? Он так, мелкая сошка. Нет ничего нового под солнцем, в том числе и то, что друг оказался подлецом.

— Вы считаете, что Вавилов — подлец, потому что он участвовал в задержании вашего отца с поличным?

— Мне наплевать на Вавилова.

— Несколько дней назад у Вавилова зверски убили жену. Из мести, — сказал полковник Гущин.

Алексей Грибов-младший откинулся на стуле, вытянул ноги. Он молчал.

Молчал и Гущин. Пауза затягивалась.

Тишина повисла в кабинете.

Артем Ладейников беспокойно заерзал на своем стуле. Он ощущал себя не в своей тарелке. Словно гроза собиралась где-то далеко, а он чувствовал уже ее разряды своей кожей...

— Ну так что же? — тихо спросил полковник Гущин.

— Что?

— Это новость для вас или нет, Алексей?

— Вы что, подозреваете меня в убийстве? — Грибов-младший поднял голову.

— Подозреваю, да. Вы как раз тот человек, который мог...

— Что мог?

— Отомстить, — сказал Гущин. — Я вот вижу... в вас это самое.

— Скрытое зверство? — усмехнулся Алексей Грибов. — Вы мне льстите.

— Харизму. — Гущин разглядывал парня. — И вы даже не оправдываетесь, не отрицаете.

— Я адвокат. Хоть и бывший, но адвокат, — ответил Алексей Грибов. — От слов и оправданий в этих стенах нет толка. Мы все циники ужасные — и вы, полковник, и я, и Вавилов, и мой папаша. Мы — уж вы не обижайтесь — мы одна компания, одна бражка. Вот этот мальчик, ваш секретарь, что сидит тут и глазеет на меня как на пугало, еще, видно, не просек это, не привык к этому по молодости.

— Я всего чуть моложе вас, — подал голос Артем Ладейников.

— Оправдываться я не собираюсь. — Грибов-младший пожал плечами. — У вас против меня доказательств нет, иначе беседа наша была бы совсем другой. Раз нет доказательств — то нет ничего. В скобках я все же поясню — мне плевать на жену Вавилова, так же как и на него самого.

— Ладно, я спрошу прямо, вы вынуждаете меня. — Полковник Гущин всем своим видом показал, как он не желает при таком раскладе (доказательств ведь и правда нет) спрашивать что-то прямо. — Это вы убили жену Вавилова?

— Мне плевать и на нее, и на ее убийство. Какой у меня, по-вашему, должен был быть мотив?

— Я уже сказал — месть.

— Да мне плевать на месть, — засмеялся Алексей Грибов-младший. — Вы такие странные. Знаете, я когда сбросил с себя всю эту юридическую мишуру, порвал с нашим кругом законников, понял — юристы все — прокуроры, адвокаты, полицейские, они ведь ненормальные люди с вывихнутыми мозгами. Выдумывают себе какую-то мотивацию. Да нет ничего, все это химера. Людям по большей части на все плевать, понимаете? По фигу все. Таким, как я сейчас, особенно. Мы вообще лишние сейчас — мы, наше поколение.

— Как это лишние? — спросил Артем Ладейников.

— Лишние, как в старой доброй классической литературе. Нас ни о чем не спрашивают, от нас ничего не зависит. Мы словно чужие здесь, в этой стране: живете — и ладно, ешьте, пейте, ни во что больше не суйтесь. Как по Оруэллу. Коллега, вы читали Оруэлла? — Он обернулся к Артему. — Прочтите. Сейчас он опять в моде. Мы — ничто, наше поколение.

— Мы — не ничто, — возразил Артем.

— Значит, вы идеалист. — Алексей Грибов-младший одарил его белозубой улыбкой. — Ваши иллюзии и ваши химеры еще при вас. Я свои давно утратил. Я вот живу с богатой старухой. Извините за подробности — я ее долблю по ночам, чтоб визжала от удовольствия. За это она мне платит, костюмы мне покупает от «Ральф Лорен», я пользуюсь ее «Ягуаром», я живу с ней на Арбате в квартире, набитой антиквариатом, она меня по тусовкам таскает, а я за это убираю лужицы рвоты, когда она блюет, накачавшись джином. Как только она сдохнет, я найду себе другую богатую старуху. И буду жить дальше — в свое удовольствие.

— Это удовольствие? — спросил Артем.

— Да, дорогой, да. Во много раз лучше, чем сидеть здесь, в этой вонючей охранке, которая скоро превратится в жандармерию, в Третье отделение генерала Бенкендорфа. Вот он — старый служака, такой же, как и мой папаша. — Грибов-младший ткнул пальцем в полковника Гущина. — Старая школа. А что этой старой школе, да и вам, новичкам, светит впереди? Грошовая пенсия, в лучшем случае устроитесь потом в какой-нибудь тухлый ЧОП, если мозгов не хватит жениться на состоятельной бабе или натырить бабла на черный день, покровительствуя тем же самым криминальным кругам, с которыми якобы надо бороться. И потом все равно — *все равно ощутить себя абсолютно лишним в этом мире*. Потому что вам тоже ничего не светит. Вас тоже, как и нас, никто ни о чем не спрашивает. Вы мне говорите о мести? О том, что я мог бы Вавилову отомстить за отца? Да я ему благодарен, так же как и отцу, и суду. Да, да, за то, что в двадцать лет они все вместе, поучаствовав во всем этом уголовном деле, вправили мне мозги. Лишили меня всяких иллюзий. Но уж если до конца быть откровенным — мне на благодарность тоже плевать. Мне на все на-пле-вать.

— Я не считаю себя лишним, — сказал Артем Ладейников.

Полковник Гущин во время всего монолога сына прокурора не проронил ни слова. А потом сказал:

— Сейчас у вас возьмут отпечатки пальцев. Это стандартная процедура.

Глава 47
МАЛЕНЬКИЙ ГОРОДОК

Маленький городок...

Вот что это такое...

Маленький, маленький, маленький городок...

Тесный мирок...

Как же мы сразу не догадались?

Катя сидела в своей крохотной **машине «Смарт»** с опущенным стеклом — она задыхалась, никак не могла восстановить нужный ритм — вдох, выдох...

Маленький городок... Рождественск — пусть и не такой уж маленький на карте Подмосковья со всеми его микрорайонами, бывшими старыми фабриками, новой промышленностью, холмами, экопоселками, полями, пригородами — но по сути своей чистой воды провинция. Тесный мир, где люди не такие, как в больших городах. И связи тут другие между событиями. И память крепче.

Виктория Одинцова — прекрасная булочница-кондитерша соприкасалась не только с делом отеля «Сказка». Она работала в интернет-кафе «Железо и софт» в то время, когда это место посещала Аглая Чистякова.

Он из железа...

Не нож, не кинжал — ОН...

Мы думали, что лишь дело прокурора Грибова пересекается с двумя остальными делами в том плане, что прокурор перед тем, как загреметь в каталажку за взятку, вместе с Игорем Вавиловым участвовал в расследовании и убийства Аглаи, произошедшего в октябре, и изнасилования (которого не было), произошедшего в ноябре. Прокурора Грибова посадили в следующем августе...

Но связь — вот она — между убийством и инсценировкой в отеле «Сказка» — через Викторию Одинцову...

Катя наконец-то отдышалась. Опять глянула на часы. Подругу Дарьи Марину Рябову удалось совместными усилиями уговорить отпроситься с работы. Она пообещала, что сделает это как можно быстрее и где-то после обеда — в три или в половине четвертого уже будет дома.

Катя приготовила для нее много вопросов.

Да, столько новых вопросов возникло сразу...

И первый — зачем Аглая Чистякова, имея дома ноутбук, так часто посещала интернет-кафе? Причем делала это вроде как скрытно и от одноклассников, и от тетки, прикрываясь своей любовью к катанию на роликах?

Ответ напрашивался лишь один — в интернет-кафе «Железо и софт» девочка отправлялась реализовывать по Интернету какие-то свои секреты. Домашний ноутбук она ведь делила вместе с матерью. И пусть той почти постоянно не бывало дома, все равно следы «секретов» могли остаться в компьютере, и мать могла на них наткнуться, узнать...

В памяти Кати всплыли фрагменты из прежних бесед со свидетелями. Тетка Аглаи Марина Белоносова (ох, сколько же Марин в этом деле! Имя, что ли, такое популярное!), которую они посещали вместе с Артемом Ладейниковым... Что она говорила про «волонтерство» Аглаи? Про то, что девочка стремилась сама зарабатывать деньги каким-то там «волонтерством»? И заработала себе на ролики и... да, она, кажется, и ноутбук купила сама, и пользовалась им вместе с матерью, чтобы не вызывать подозрений...

Что за волонтерство такое?

В памяти всплыл допрос девчушек-близняшек из «восточного» магазина, который они посетили вместе с Гущиным.

Букаке-вечеринки...

Сайты о непристойных «букаке-вечеринках»... На просмотре этих сайтов Аглаю однажды застукала учительница Грачковская...

Вечеринки, на которых юные девушки, порой и несовершеннолетние, раздеваются в окружении возбужденных самцов, и те исступленно мастурбируют, наблюдая за тем, как девушка ласкает себя между ног... Бесконтактный секс... Мечта педофила... Такие сеансы можно проводить и онлайн, в Интернете, например в чатах, посылая видео, на специализированных форумах, по скайпу...

Но Катя тут же себе возразила — нет, нереально представить, что такими делами Аглая могла заниматься в интернет-кафе. Там все на виду. Там жестко следили за тем, чтобы порносайты вообще не всплывали в сети перед глазами подростков. И там столы с компьютерами стояли всегда так тесно...

Нет, невозможно представить, что Аглая участвовала в «Железе» в онлайн-букаке-вечеринках.

Тогда чем же она там занималась? Почему не желала делать это на домашнем компьютере? Ехала через весь город на своих роликах...

Бесконтактный секс букаке-вечеринок... Бесконтактным сексом можно заниматься не только на видео, но и разговаривать о нем...

Форумы, чаты, полные извращенцев, для которых несовершеннолетка свободных нравов — лакомый кусок...

Пять лет назад ведь еще не так широко были распространены смартфоны и планшеты... Интернет-кафе находились на пике популярности...

И тут Катя подумала о самом главном.

Вавилов... он же приходил в «Железо и софт». Он допрашивал Дарью и Марину Рябову. С Викторией Одинцовой он, правда, контактов не имел... И что же он сделал дальше? Ничего.

Совсем ничего.

Катя помнила дело Аглаи уже чуть ли не наизусть. Огромное количество протоколов допросов школьников и педагогов. Но там и следа не было допросов сотрудников интернет-кафе. Ни допроса Дарьи, ни допроса этой Марины Рябовой, с которой еще предстоит встретиться.

Почему?

Вавилов посчитал этот след ложным? Он не придал значения этой информации? Он целиком сосредоточился на версии убийцы-учительницы и собирал, а точнее, подгонял материалы дела под эту версию?

Он допустил ошибку — невольную, как и в деле об изнасиловании в отеле «Сказка», где все было так ловко инсценировано?

Он все время ошибался?

Или что-то еще тут...

Что-то другое.

Кате внезапно снова стало жарко. Надо успокоиться и хорошенько подумать, что делать дальше, пока она будет ждать возвращения Марины Рябовой.

Позвонить Вавилову и спросить его про «Железо и софт» напрямую?

Нет, пока она этого делать не хотела...

Как и Гущин, она колебалась. Позвонить Гущину? А что она ему скажет? Да вот эту почти сенсационную новость, что Виктория Одинцова соприкасалась, сама того не зная, и с делом убитой девочки.

Но Вавилов ведь ее даже не допрашивал...

Что же такое кроется под всем этим?

И Катя решила вернуться на несколько шагов назад — ничего не остается. К Аглае Чистяковой и ее прошлому, к ее семье ведет в Рождественске лишь одна ниточка — ее тетка Марина Белоносова. Больше никаких зацепок, никаких связей...

Надо снова с ней встретиться и поговорить, точнее, попросить...

Квартира Аглаи, она ведь сдает ее кому-то? А где их вещи? Ноутбук девочки Вавилов изымал, проверял, потом вернул. И тетка его продала. Телефон девочки нашли на месте убийства в луже, испорченным — случайно или намеренно?

Но какие-то вещи, возможно, сохранились — фотографии, альбомы, дневник... Девочки ее возраста порой ведут дневник... Шанс один из тысячи... Может, Аглая и не вела никакого дневника, может, она пользовалась для этого компьютером и...

Катя сжала виски ладонями. Все равно сейчас надо ехать к ее тетке. К учительнице музыки, что часто занимается с учениками дома.

Она достала мобильный и набрала номер Артема Ладейникова и попросила разыскать в деле тот самый адрес, по которому они ездили вместе. Артем сказал, что его ждет полковник Гущин, но Катину просьбу выполнил моментально.

И вот через четверть часа Катя уже въезжала в знакомый двор. Кружевной тюль на окнах квартиры. И снова — звуки фортепиано. Приглушенная гамма — до-ре-ми-фа-соль...

У Марины Белоносовой как раз сидела ученица — девочка лет десяти. Она громко и старательно играла упражнения, пока Белоносова растерянно взирала на Катю.

— Что, какие-то новости, да? — спросила она.

— В определенном смысле. Скажите, пожалуйста, Аглая при вас никогда не упоминала, что посещает интернет-кафе?

— Нет.

— А про «Железо и софт» она не говорила?

— Нет, а что это?

— Это название бывшего городского интернет-кафе, Аглая ходила туда часто.

— А зачем? — Тетка девочки Марина Белоносова совсем растерялась.

— Я это выясняю. У меня к вам просьба большая. — Катя пыталась говорить очень убедительно и настойчиво, хотя сама задыхалась от волнения. — Вы ведь сдаете их квартиру?

— Сдавала, — Белоносова махнула рукой, — позавчера уехали мои жильцы. Кризис — работу в Москве потеряли. Теперь фиг кого найдешь.

— Мне необходимо осмотреть квартиру. Точнее, вещи вашей племянницы. Что-то из вещей ее ведь осталось? И надо сделать это как можно скорее. Мы не могли бы проехать в квартиру прямо сейчас? Поверьте, время не терпит.

— Да там же осматривали все. Тот из полиции, Вавилов, про которого вы говорили. Он тогда приходил.

— Он ничего не нашел. Может, я что-то найду.

— Через пять лет? — Белоносова недоверчиво смотрела на Катю.

— Пожалуйста, это очень важно. Это ради вашей племянницы!

Белоносова колебалась, потом пошла в комнату и что-то сказала девочке-ученице. Та стала собирать ноты с пианино, а Белоносова в прихожей натянула куртку и обулась в кроссовки.

— Ладно, идемте. — Она позвенела ключами в кармане.

— У меня машина.

— Да это через две улицы. Ладно, можно и на машине прокатиться.

И они прокатились.

Катя через пять минут смотрела на дом Аглаи Чистяковой — обшарпанная старая блочная многоэтажка. Домофона нет, подъезд весь исписан граффити. Лифт вознес их на седьмой этаж.

Квартирка оказалась крохотной — две смежные комнатушки, микроскопическая прихожая и кухня, смахивающая на узкую щель.

Катя сразу почувствовала, что квартира эта теперь — общага. Вся мебель, некогда принадлежавшая матери Аглаи, была сдвинута, чтобы освободить место для двух диванов и двух раскладушек. Один диван — старый, продавленный, второй поновее, чувствуется, что куплен не так давно, но все равно выглядел уже подержанным. Раскладушки так и остались разложенными, на них — скатанные матрасы.

— Съехали мои квартиросъемщики, — вздохнула Марина Белоносова, — что вы хотите тут найти?

Катя огляделась. За пять лет квартира утратила свой прежний вид.

— Где комната Аглаи?

Белоносова кивнула на смежную крохотную комнатушку. Катя вошла и увидела там еще один продавленный диван, раскладушку, сложенную и прислоненную к стене и обшарпанный письменный стол. Ничего, что напоминало бы о девочке, — ни фотографий, ни плакатов на стенах, что так любят подростки, ни старых игрушек.

— А вещи? Какие-то вещи Аглаи остались?

Белоносова молча пошла к кухне. И открыла дверцу узкой кладовки, похожей на шкаф.

— Помогите мне, — попросила она.

Вместе они стащили с полок три большие тяжелые картонные коробки, заклеенные скотчем.

— Вот, тут все. Выбросить у меня рука не поднялась. Здесь ничего ценного.

— Откройте, пожалуйста, — попросила Катя.

Белоносова принесла с кухни ножницы и взрезала скотч.

В двух коробках была одежда — старые детские вещи, зимние и летние вперемешку. В третьей коробке сверху лежали ролики, а внизу книги — учебники и тетради.

— Ко мне еще одна ученица должна прийти, — сказала Белоносова. — Я вас тут оставлю, вот берите ключи. Потом принесете. Не знаю, что вы здесь хотите найти.

— Я ищу дневник Аглаи.

— Дневник? — Тетка усмехнулась. — Я вспомнила, этот ваш Вавилов тоже меня про дневник спрашивал. Я сомневаюсь, что Аглая вообще когда-то вела дневник. Это совсем другое поколение, понимаете?

Она положила ключи от квартиры на сервант. Когда дверь за ней захлопнулась, Катя опустилась на колени и начала осматривать коробки.

Пять лет... что можно отыскать через пять лет?

Но ведь она нашла «Железо и софт».

Ну и что? Вавилов тогда тоже приходил в это интернет-кафе... И даже не счел нужным оставить в уголовном деле об этом какие-то документы, протоколы...

Все-таки почему он так поступил? Ведь он был так аккуратен?

Она тщательно перетряхнула для начала обе коробки с одеждой. Она искала дневник, записную книжку, может, электронную записную книжку — шарила по карманам детских курток, кофточек, джинсов. Она представляла себе этот самый «дневник» в виде маленького блокнота с розовой корочкой. Но потом подумала — это стереотип.

Она так ничего и не нашла. И стала разбирать коробку с книгами. Это были учебники — старые учебники за седьмой, восьмой и, что удивительно, за девятый и десятый классы — в основном по алгебре, геометрии, физике и химии. Точнее, за девятый и десятый классы были лишь учебники по алгебре. Аглая Чистякова — высокоодаренная девочка в сфере математики — занималась дома по программе старших классов, изучала то, что ее сверстникам лишь предстояло узнать.

Среди книг ей попались два сборника ЕГЭ по математике, а также сборник математических олимпиад МГУ. Еще какая-то книга, вся в графиках уравнений.

На дне лежали тетради — толстые ученические тетради. Их было так много, что Катя растерялась.

Никакого блокнота с розовой корочкой. Никакого дневника. Только школьные тетради маленького математического гения.

Катя села на пол, выгребла их из коробки. И начала пролистывать.

Уравнения икс-игрек...

Целые столбцы уравнений...

Числа, числа, числа...

Смешные рожицы на полях, нарисованные рукой Аглаи...

И снова числа, числа...

Примеры, задачи, уравнения...

Графики...

Катя пролистывала тетради.

У нее начало двоиться в глазах от всех этих чисел, в которых она ничего не понимала.

Аглая писала бегло, неряшливо, шариковой ручкой. Исправляла, зачеркивала — все это походило на творчество, на полет мысли. Девочка действительно жила математикой. Она дышала воздухом цифр и чисел.

От долгого сидения на полу у Кати затекли ноги. На дне коробки оставалось еще много тетрадей. И она решила, что просмотрит их все.

Она уже начала просто пролистывать — числа, задачи, примеры...

«Я не знаю, как все получится...»

Катя резко развернула лист, который уже проскочил у нее между пальцев при пролистывании.

Среди столбца уравнения она увидела эту надпись.

Я не знаю, как все получится...

Но это легкие деньги. И они нам не помешают.

Катя осмотрела тетрадь — засаленная, вся исписанная, исчерканная, самая обычная, с задачками по алгебре и уравнениями. А между цифр и графиков — россыпь записей, девочка делала их машинально. А может, ей было просто так удобно выражать саму себя?

Катя забрала тетрадь и села на диван.

Сердце ее учащенно билось.

Глава 48

ТЕТРАДЬ В КЛЕТОЧКУ

Мужики противные. Хорошо, что это по Интернету, а не живьем. Живьем я бы не согласилась... Мы бы на это не пошли.

Катя вчитывалась в записи среди цифр и уравнений. Аглая делала их походя, делилась своими сокровенными мыслями и переживаниями с тетрадкой по алгебре. Нет, это был не дневник девочки в традиционном его понимании. Это были мысли Аглаи. Рано повзрослевшей, отмеченной печатью гениальности в математике и рассуждавшей в то же время цинично и наивно.

Они сначала думают, что это все на халяву. Нашли идиотку. А когда до них доходит, что все не бесплатно, то... Конечно, одна бы я ничего не сделала, никогда бы их не нашла... Мы это обсуждали вдвоем — шансов пятьдесят на пятьдесят. Так и получилось. Двое сорвались с крючка, сразу отрубили все концы. А двое других заплатили. Мы решили, что если требовать не так много — всего по двадцать тысяч, то эти засранцы заплатят. Если требовать больше — по сорок—пятьдесят, то жадность перевесит страх. Собственно, мы ведь просто их шантажируем, угрожаем все рассказать. А сделать-то мы ничегошеньки не можем. Так вот если просить по пятьдесят тысяч, они от жадности начнут думать и... В общем, это обречено. А двадцать тысяч небольшая сумма, они нам заплатят, лишь бы отвязаться. От меня отвязаться, лишь бы я оставила их в покое и молчала.

Кто это «мы»? — подумала Катя. Но дальше на пяти страницах снова шли одни лишь уравнения. И вот новые мысли «на полях».

Двое нам заплатили. За несколько часов мы заработали сорок тысяч. Мама бы в обморок упала. Но я ей не скажу. Мы решили, что моим компьютером пользоваться нельзя, несмотря на то что я часто подолгу дома одна. Мама всюду

сует свой любопытный нос. Поэтому когда надо, он прино-
сит свой ноутбук, и работаем на нем. А я, чтобы чатиться
и поддерживать «папиков» в нужном градусе возбуждения,
хожу в интернет-забегаловку. Мы решили, что если общать-
ся с разных компьютеров, так безопаснее. В общем-то это
легкие деньги, и нам надо их только накопить. Пожениться
мы можем все равно лишь через четыре года, и я еще долж-
на поступить в универ. Мы решили, что все неважно, мы
все равно принадлежим друг другу и для нас это навсегда,
мы — одно целое. Странно, когда я пишу это, я абсолютно
спокойна, а когда он уходит за дверь или когда не звонит мне
больше двух часов, у меня сердце в груди обрывается... Не-
ужели это и есть любовь? Мне порой хочется плакать... Это
потому что счастье пришло. Но нам нужны деньги. Я это
понимаю даже больше, чем он. Без денег мы вообще ничто и
никто, без денег нет будущего. Надо зарабатывать — сейчас
вот так и потом, возможно, тоже, пока я еще выгляжу как
тупая нимфетка... Мужики на это клюют. Они все — раз-
вратники. Они все трусы. А значит, мы этим воспользуемся.
И будем копить наши деньги — на свадьбу, на жизнь, на нас.

Катя вспомнила фотографию Аглаи — пухлый симпом-
пончик. А под этой внешностью маленькой «пышки» —
ум, талант, воля, недетский цинизм и... В кого она так
влюбилась? В четырнадцать лет? Пишет, что до свадьбы
еще четыре года — это до совершеннолетия. В своего ро-
весника, в одноклассника?

Снова — страницы цифр, графиков. Икс, игрек... Чистая алгебра... Катя вдруг поняла, что это хобби, увлечение
для девочки — как рисование или лепка, как танцы, а тут
решение уравнений. Она побеждала на математических
олимпиадах МГУ. А по Интернету...

Что ж, из написанного ясно — букаке-вечеринки не
плод фантазии. Аглая завлекала взрослых мужчин по Интернету, она цепляла педофилов и потом вместе с кем-то
вымогала у них деньги. Не слишком большие суммы, в
надежде, что заплатят, испугавшись шантажа. Но как она

узнавала этих педофилов? Они ведь дьявольски осторожны, их полиция порой годами не может накрыть.

Катя подумала — если бы Вавилов тогда, пять лет назад, отыскал вот эту тетрадку по алгебре, следствие получило бы и другую версию. Но он... он думал стандартно — про дневник. Он тоже искал девчачий дневник...

Новая запись:

А он ничего — не такой противный, как остальные. Когда раздевается перед камерой — атлет. Такие плечи, качок. Просит меня раздеться и сначала повернуться к нему попой. Ему нравится не когда я ласкаю свою киску, а когда вставляю в попу палец. Он не пользуется маской, как тот, что был перед ним. Я вижу его лицо. Он симпатичный, но потом его лицо меняется... когда происходит это...ну это... Он задает мне вопросы, порой очень настойчиво. Я, конечно, вру, мы так решили — я должна всегда врать. Но... не то чтобы он понравился мне, просто... Он симпатичнее, чем все другие. Он такой большой. И он ласковый. Я чувствую, что я ему и правда нравлюсь. Я вижу это в его глазах. Если честно, мне не очень хочется требовать с него деньги. Но... нет, это просто чушь, конечно же, мы с него их потребуем в конце, не сейчас. И Ник говорит, что у него еще мало времени, чтобы нащупать концы, подходы к нему по Интернету, так что...

Кто такой этот «Ник»? Николай, Коля? Катя лихорадочно вспоминала дело Аглаи. Одноклассники, их допросы — был ли там среди них какой-то Николай? Нет, сейчас не вспомнить... А этот очередной «любитель нимфеток» — Аглая пишет про него как-то по-другому. Кажется, он девочке приглянулся. В этом и есть чудовищность ситуации — взрослый педофил порой нравится своим несовершеннолетним жертвам.

Он все спрашивает, сколько мне лет, в каком я классе. В этот раз я разделась, и он — перед своими камерами. Но мы просто начали болтать. Ник разозлился. Он вообще всегда уходит на кухню или в мамной комнате сидит, когда камера в его ноутбуке включена и я обрабатываю очередного «папика». А тут он вдруг разозлился. Он ревнует меня? Вот класс! Я счастлива. Пусть поревнует немножко. Я сказала ему, чтобы успокоить, что с этого качка мы потребуем больше — тысяч двадцать пять — тридцать. И он сразу остыл, поцеловал меня. А я вечером скатала на роллах в «железку» и вышла в чат... Ну к нему, он ждал меня с нетерпением, и мы опять болтали. И я рассказала ему про олимпиаду в МГУ и про училку географии, что достает меня каждый раз, потому что она убогая, упертая дура. Он спрашивал меня — где ты живешь? Почему-то он знает, что я не иногородняя, то есть не с периферии, а москвичка. Ну в общем-то если, конечно, наш город можно тоже считать Москвой, мы ведь так близко. Но я не сказала ему... Он снова спросил, сколько мне лет. И когда я ответила — возраст Джульетты, он сказал: моя девочка ненаглядная, мы могли бы пожениться, когда тебе исполнится восемнадцать. У меня сердце упало, но я не такая дура. Я спросила — ты что, любишь меня? А он так серьезно написал — кажется готов влюбиться... или уже... Уже влюбился, что ли? Он ответил, что очень по мне скучает, считает минуты и часы. И попросил у меня номер мобильного. Сказал, что не будет звонить, мы просто могли бы так чаще общаться в чате. И я... я дала ему номер мобилы.

Катя опустила тетрадь на колени. Педофил охмурял свою жертву. Но он тоже действовал против правил. Обычно номера телефонов — табу. Девочка начала поддаваться его напору. Она дала ему номер телефона и, кажется, не сообщила об этом своему возлюбленному. Конечно, кто скажет одному про другого, с кем начался флирт?

Снова уравнения, числа на нескольких листах, помарки, зачеркивания — Аглае, видно, попалась трудная задача.

Он говорит, что я само совершенство. Он так это говорит, что... Ну я не знаю... Ник так не умеет, он и слов таких не знает. Но все равно, все равно, все равно, я люблю только

*Ника. Мы поженимся, мы так решили, вся жизнь впереди.
Сегодня Ник сидел все время на кухне, у него теперь второй
ноутбук, он что-то там колдует с программой, говорит,
что в этот раз сложности, там какая-то защита стоит.
Я не врубаюсь особо. Я разделась перед камерой. И он тоже
разделся. И попросил меня опять повернуться попой. Я долго
так стояла. Я не видела, что он там делает у себя, смотря
на меня. Потом я повернулась и... у него такое лицо — полное
блаженства и счастья. Он сказал, что я дарю ему радость.
А ночью, когда я уже была в постели, мама пришла домой
пьяная совсем. А он прислал мне SMS — скучаю по тебе, моя
маленькая. И я... я ответила, что тоже скучаю по нему. Я и
правда скучаю. Я плачу — я люблю только Ника, я не хочу,
чтобы было вот так.*

Страница с единственным уравнением и графиком.
А дальше текст:

*Ник позвонил мне, попросил срочно встретиться после
школы. Мы пошли ко мне домой. Он нервничает. Он сказал,
что обошел защиту и вскрыл его почту. Там все сложнее,
чем с тем, кто был раньше, ну кто все в маске перед камерой выдрючивался. Тот работал в «Газпроме», он заплатил
нам сразу, не торгуясь. А этот... в общем Ник сказал, что
он мент.*

Катя ощутила, как у нее внезапно потемнело в глазах. Она сидела в полной тьме несколько секунд. Наверное, спазм... Потом свет вернулся, но строчки, напи-
санные детским почерком девочки, прыгали у нее перед
глазами.

*Ник сказал, что этот заплатит точно — потому что
он мент. Он велел мне попросить с него сорок пять. И я... я
сказала — да. Я думаю, нам надо это прекратить. Пусть он
нам заплатит и... в общем, я не хочу потерять Ника. Про
этого мента я не знаю ничего, может, он женат и у него
куча детей. Ник сказал, что вскрыл его почту. Это служеб-
ные письма. Он теперь много про него знает, а не только имя*

и фамилию. У него фамилия такая же, как у того академика, генетика, которого Сталин гнобил, приговорил к расстрелу за какие-то там семена, но потом расстрел заменили заключением, он умер в тюрьме, а в Москве в его честь назвали улицу. Мы по биологии это проходили. Ник послал ему письмо на тот мейл — ну как всегда, якобы от меня. Заплати, иначе мы все всем расскажем и у нас копии видео. Он дал ему время на ответ. Он уверен, что мент заплатит, потому что менты, как никто, боятся огласки.

Катя сгорбилась, стараясь, чтобы этот спазм... эта темнота...

Она растеряла все свои мысли, кроме одной.

Фамилия, как у генетика, который умер в тюрьме...
ВАВИЛОВ.

Мент, развлекавшейся онлайн с Аглаей, заставлявший девочку раздеваться догола и поворачиваться к нему... Мент, который почти влюбился...

Катя ударила кулаком по продавленному дивану. Она ударила кулаком по стене, она готова была сокрушить все вокруг, весь мир.

Там еще была запись, а дальше шли уже пустые страницы.

Он ночью прислал мне SMS. Пишет, что приготовил деньги. Пишет, что и так был готов подарить мне их, потому что я заслужила, у меня красивая попка. Он сказал, что будет ждать меня возле школы в парке после уроков, чтобы я прошла через заднюю калитку. Откуда он узнал про мою школу? В общем, это уже не важно, раз он деньги дает. Я сейчас позвонила Нику, но он, видно, в метро едет, мобильник недоступен. Он сегодня целый день на работе. Я попробую смотаться с уроков пораньше, надо встретиться с ним перед тем, как... в общем, если получится, пусть тоже смотается с работы, чтобы побыть возле школы. Все, надо бежать, иначе опоздаю на уроки и завуч снова на меня окрысится.

Сердце стучит, я даже рада, что увижу его. Нет, правда, как он узнал, в какой школе я учусь?

По номеру мобильного — вот как он узнал, где ты учишься, Аглая.

Вавилов... он узнал про тебя все, глупая маленькая шантажистка. Он пробил твой номер мобильного. Он узнал твое имя, фамилию, адрес, номер паспорта. Остальное дело техники. Он же классный сыщик.

Это он убил тебя там, в кустах у задней калитки возле трансформаторной будки. Он — начальник розыска твоего родного города Рождественска (вот ведь прихоть судьбы, что вы жили бок о бок, общаясь в чатах!). Он не мог допустить, чтобы его педофильские шашни — пусть даже и в сфере чистого виртуала, бесконтактного секса с несовершеннолеткой — выплыли наружу. Он не мог допустить и тени риска возможного шантажа. Он убил тебя там, возле школы. И там же на ум ему пришел твой наивный рассказ про злую училку. И он вспомнил классику криминалистики, что изучал еще курсантом в школе МВД про инсценировку изнасилования. Про венское дело. Он воплотил его в жизнь. А потом начал сам расследовать то, что натворил, тщательно заметая следы и пуская следствие по ложному пути.

Катя встала, сжимая в руке тетрадь, эту драгоценную улику.

Она ощущала дурноту, словно ее вот-вот вырвет.

Но она не могла позволить себе ни корчиться в спазмах возле унитаза, ни падать в обморок, ни реветь как корова, оплакивая навсегда разбитые иллюзии о полицейском братстве.

Тут в Рождественске — маленьком и гнилом, пропитанном предательством и кровью, ее ждало еще одно дело.

Марина Рябова, которую Вавилов когда-то допрашивал со всей настойчивостью опытного, безжалостного профи.

Глава 49
ВОЗРАСТ ЛЮБВИ

Игорь Вавилов шел по знакомому коридору Главка. Шел к себе в кабинет. Артем Ладейников встретил его в вестибюле после звонка по телефону, и они вместе бок о бок поднялись по лестнице на второй этаж.

Артем видел, как изменился Вавилов после «Киселя» — осунулся, постарел лет на десять. Хотя куда уж было стареть и никнуть, как трава на ветру, после смерти жены Полины.

В кабинете — большом, просторном и светлом, который он так недавно собирался покинуть ради еще более просторного и светлого кабинете в министерстве — Вавилов не сел к столу в кожаное кресло. Он обошел стол и встал у окна, глядя на улицу Никитскую, что жила в этот час своей беззаботной жизнью.

Из консерватории спешили студенты с папками нот и скрипками. Парковались украдкой машины. Парочки поднимались вверх по улице в направлении ресторана «Уголек» и «Кофемании». Хорошо одетая женщина вела мопса на длинном поводке.

Все это было там, за стеклом на улице Никитской.

Артем Ладейников аккуратно прикрыл за собой обитую кожей дверь вавиловского кабинета.

— Гущин обо мне спрашивал? — спросил Вавилов.

— Несколько раз.

— Новости какие-то есть?

— Никаких. Они на месте все еще топчутся. Вот привезли к Гущину сына прокурора на допрос.

— Алексея Грибова? — спросил Вавилов, не поворачиваясь.

— А он ведь совсем ни при чем, — сказал Артем. — Я так надеялся, что они смогут. Раскроют это дело.

— Не переживай. Хотя у меня тоже нет особой надежды. — Вавилов смотрел в окно.

Артем шагнул к столу. На столе — ни бумаг, ни документов, девственно чист начальственный стол. Солидный дорогой письменный прибор — больше для украшения, монитор компьютера темен. А между компьютером и письменным прибором статуэтка орла.

Такие статуэтки покупали и дарили начальникам — пустячок, а приятно. Из мрамора и металла такие орлы — на скале с распахнутыми крыльями — украшали сотни кабинетов в администрациях, министерствах и ведомствах. Деть их было абсолютно некуда. Выбросить — рука не поднималась, все же презент. Орлов ставили на полки застекленных шкафов с кодексами, которые никто из начальства не читал. Вавилов держал своего мраморного орла на столе.

— Я так надеялся на Гущина. Что он раскроет убийство вашей жены, — сказал Артем, — а они все время ходят по кругу. Они заблудились в этих делах, как в трех соснах. Они ничего не могут сделать. Они так до сих пор ничего и не поняли. Они запутались в своих версиях. Теперь вот взялись за сына прокурора, за сына вашего прежнего друга.

— Гущин — старый опер, но, кажется, ему это дело не по зубам, — сказал Вавилов, не оборачиваясь, и задал свой обычный вопрос — как всегда: — Почта была?

— Почта была, — ответил Артем.

Катя вернулась в блочную девятиэтажку после телефонного звонка Дарьи. Та уже волновалась: ну где же вы, капитан? Подруга моя Марина Рябова спешила изо всех сил, вот только что ко мне ввалилась, даже домой к себе на восьмой этаж подниматься не стала. Теперь дело за вами.

К счастью, тут все в этом Рождественске было рядом — Катя лишь заехала по пути к тетке Аглае и вернула ключи от квартиры. Тетрадь по алгебре она забрала с собой. Она свернула ее в трубку и втиснула в карман куртки. Она не хотела оставлять эту улику в машине.

Только с собой...

Как «кофе с собой».

Марина Рябова оказалась еще толще Дарьи — улыбчивая, темноглазая, добрая. Она напоминала матрешку, облаченную во все яркое, в цветочек. Любительница вкусно поесть и почитать женские романы. Но сейчас она тоже волновалась, просто кудахтала как курица.

— Да что же это такое? А вы найдете убийцу нашей Вики?

Катя постаралась взять себя в руки и провести этот допрос хорошо. Надо, чтобы свидетельница все вспомнила, если, конечно, есть что вспоминать ей.

— Вы работали вместе с Викторией Одинцовой в интернет-кафе «Железо и софт»? — задала она свой первый вопрос.

— Работала, и Даша со мной. И Вика тоже. Ох, Викуся бедная. — Марина приготовилась плакать. — Мы до сих пор в себя не придем.

— А вы знали девочку по имени Аглая Чистякова?

— Нет.

— Ну та, которую учительница убила в школе! — напомнила сразу Дарья.

— А, вот вы о ком. Конечно, — Марина растерянно закивала. — Я просто забыла, столько лет. Я фамилию ее не знала, а по имени — да, точно Аглая. Она приходила к нам в «Железо». Конечно, я помню ее. Бедный несчастный ребенок. Хотя...

— Что хотя?

— Да не такой уж и ребенок. Она уже в старшем классе училась. — Марина теперь явно вспомнила всю ту историю, ей не терпелось рассказать. — А что такое?

— А Виктория Одинцова знала девочку?

— Ну, видела, конечно, в «Железе». Как и мы все. Мы потом, когда в городе про ее убийство узнали, говорили об этом — такой ужас.

— Начальник уголовного розыска, Вавилов, в «Железо» приходил, беседовал с вами?

— Меня все расспрашивал. — Марина с готовностью закивала.

— А Викторию он допрашивал?

— Нет, — Марина покачала головой, — Вика тогда болела, бюллетенила. Он со мной говорил и вот с Дашей тоже, — она оглянулась на подругу.

— А о чем он вас расспрашивал?

— Я не помню уже. Про девочку, про компьютеры — был ли у нее любимый, на котором она чаще работала. Я сказала, что это категорически невозможно в интернет-кафе. У нас живой поток был, живая очередь. Он все примеривался — нельзя ли компьютер этот у нас изъять. Такой настойчивый и...

— И что? — спросила Катя.

— И неприятный. Он был неприятный. — Марина опустила глаза. — Вы уж простите, что я так про коллегу вашего из полиции.

— Ничего. А в чем дело?

— Ни в чем. Только он вел себя со мной грубо. Я стала говорить — ну про эти самые компьютеры, мол, не имеете права. А он сразу — я вам покажу права, ну-ка лицензию давайте сюда, бумаги-документы. Начал показывать из себя, какой он весь важный начальник, — это чтобы я испугалась.

— А еще о чем он спрашивал вас?

— Все про девочку, про эту Аглаю. Когда приходила? С кем общалась, были ли у нее друзья-подруги.

— И вы... вы ведь кое-что Вавилову тогда не сказали, да? — Катя продвигалась вперед — не ощупью, не наугад, тетрадь в клеточку вела ее как путеводная звезда.

— Этот ваш Вавилов так себя тогда повел грубо, что Марине просто не хотелось с ним общаться, откровенничать, создавать проблемы другим, так ведь? — Дарья пришла на помощь своей подруге.

— Я просто не хотела никаких проблем никому. Он был мне глубоко антипатичен. — Марина поджала губы. — Стал угрожать мне и нашему интернет-кафе проверкой отчетности, отзывом лицензии. Как будто я не человек, а его крепостная. И я подумала — пошел он, не буду ничего ему говорить.

— О том, что у Аглаи имелся...

— Ну да, приятель. Парень постарше ее. Он приезжал из Москвы сюда, кажется, чтобы с Аглаей побыть, увидеться с ней. А потом оказалось, что он такой в компьютерах дока, что мы к нему стали обращаться за помощью. Если комп зависнет или что-то с программой — жди, пока мастер придет, а тут этот парень. Это была идея Вики Одинцовой — взять его на работу по договору. Она у нас техникой всей заведовала, ну и сразу сообразила — выгодный вариант. Ромео влюбленный.

— Виктория Одинцова пригласила его поработать в «Железе»?

— Да, — Марина кивнула. — Он такой был IT-спец, настоящий хакер. Шучу, конечно. Он нечасто появлялся, но зато сразу все чинил — правда, это было не совсем законно, что скрывать. Программы левые ставил, нелицензионные, у него целый набор имелся. Но... я еще и поэтому Вавилову ничего про него не сказала.

— Я понимаю, — Катя чувствовала трепет, боль, тревогу, — так, значит, Виктория Одинцова пригласила его работать в «Железе». И она знала, что этот парень — приятель Аглаи?

— Бойфренд. — Марина заулыбалась, явно вспоминая с удовольствием. — Это сейчас так говорят, а мы с Викой звали его Ромео влюбленный. Это сразу в глаза бросалось. Хотя девчонка-то еще школьница, но — они как голубки были. Вика мне рассказывала — она дверь однажды в подсобку открыла, а они там целуются. Не подумайте ничего плохого. Никакой грязи. Просто первая любовь. У них лица у обоих светились и глаза. Первая любовь, да... Хорошо, хоть девчушка испытала, что это такое в своей коротенькой жизни, до того, как эта тварь-учительница ее убила.

— Его ведь Николай звали? Коля, да? Или Ник?

Марина удивленно воззрилась на Катю.

— Нет, его звали совсем не так.

В кабинете Главка на Никитском Артем Ладейников взял со стола мраморного орла с распростертыми крыльями и шагнул к стоявшему к нему спиной у окна Игорю Вавилову.

Он обрушил мрамор на затылок шефа. И Вавилов рухнул как подкошенный на паркетный пол. Из раны на голове потекла кровь.

Артем подошел к двери кабинета и запер ее на ключ. Затем опустил жалюзи на окне, нагнулся к Вавилову и обыскал карманы его пиджака.

Он достал ключи от сейфа и отпер его. Он знал, что там лежит пистолет «глок» — некогда изъятый по какому-то «висяку», еще в бытность работы Вавилова в уголовном розыске, да так и «прилипший к рукам». Вавилов особо не делал из этого тайны, как и многие полицейские.

— Аглая называла его Тема, а полное его имя Артем, — Марина Рябова, улыбаясь, вспоминая, глядела на Катю, — ей-богу, Ромео влюбленный. Как голубки. Как маленькие глупые птенцы... Ох, что это с вами? Вам плохо?!

Глава 50
КАКОФОНИЯ... КАТАВАСИЯ...

Катя вышла на улицу на ватных ногах. Села за руль своей машины и поехала. В Москву, в Москву... Прочь из Рождественска, открывшего свои тайны.

Она сразу было хотела позвонить полковнику Гущину. Все сказать. Брала в руки и откладывала телефон. Нет, не по телефону, только лично. Он сразу отдаст все необходимые распоряжения. Он... По телефону он может просто не понять, не поверить, а когда увидит тетрадь в клетку и выслушает все...

Катя ехала, ее била лихорадка.

Уже на Садовом кольце ее пронзила внезапная мысль — вот она не звонит Гущину, а он может запросто куда-то уехать под конец рабочего дня — на совещание в прокуратуру, в министерство и...

Катя на светофоре схватила мобильный.

— Федор Матвеевич!

Она не сразу узнала его голос — Гущин то ли осип, то ли охрип.

— Федор Матвеевич! Я узнала, кто убийца! — выпалила Катя с ходу. — Их двое, они...

— Ты где? — спросил Гущин.

— Я еду, уже подъезжаю.

— Тебя пропустят, я сейчас прикажу.

— То есть куда меня пропустят?

— Зайдешь со стороны бюро пропусков, — сказал Гущин хрипло. — Главный вход перекрыт. У нас ЧП.

— Что случилось?

— Какофония... нет, катавасия. — Гущин отвечал как-то странно, путано. — Они заперлись в кабинете. Что?!

Он крикнул это так громко кому-то, что у Кати сразу заложило уши.

— Заложник? Как заложник? Что он говорит?! Он взял его в заложники? Здесь, у нас в Главке?!

В мобильном послышались гудки. Катя едва не уронила его. Она крепко вцепилась в руль. Через четверть часа она уже въезжала на запруженную транспортом Никитскую улицу со стороны Садового.

Она еле пробилась сквозь обычную вечернюю пробку к Никитским воротам. Припарковала машину и бегом кинулась вниз по улице — пешком быстрее.

Что там случилось? Что произошло?

Со стороны Никитской и переулка вроде все как обычно, ничего не перекрыто. Катя влетела в бюро пропусков. Там стояли полицейские в бронежилетах.

Катя сунула им под нос удостоверение и сказала, что... Это было так странно — вне правил — мол, пропустите меня сейчас же, полковник Гущин звонил, сказал, чтобы вы меня пропустили внутрь здания. Вот так она никогда еще не попадала в Главк, к себе на работу. Парадный вход был полностью перекрыт, и она двинулась к служебной лестнице и лифту. Где Гущин?

И тут она увидела совсем уж невероятные вещи. Вся служебная лестница от первого этажа до второго заполнена оперативниками в бронежилетах. В сторону коридора второго этажа никого не пропускали спецназовцы, экипированные как для силовой операции.

Все руководство Главка — факт невероятный — собралось на тесном пространстве лестничной клетки третьего этажа. Там же был и Гущин.

— Дверь обычная, обитая дерматином и плевый замок...

— Он поклялся открыть стрельбу и убить Вавилова, если мы сунемся...

— Там же всего-навсего второй этаж, спецназ легко преодолеет...

— Окна кабинета выходят прямо на Никитскую! Надо будет перекрывать всю улицу. Это огласка, мы не можем допустить. Это происходит в Главке, в полицейском управлении — захват заложника. В этом замешаны сотрудники Главка! Мы должны разобраться с этим сами, тут внутри, тихо. Этот позор не должен выйти наружу! Никаких штурмов через окна со стороны Никитской!

Катя, отпихивая от себя оперативников и спецназовцев в бронежилетах, пробилась наконец наверх к Гущину.

Она размахивала тетрадкой в клетку и одновременно пыталась расспросить их, узнать — что же тут случилось в ее отсутствие?

— Федор Матвеевич!

Гущин увидел ее. Он был очень бледен и... Катя поклясться была готова — растерян. Он, кого Катя видела в деле в других операциях по освобождению захваченных заложников! Он, кто всегда действовал решительно и мудро, сейчас явно проявлял признаки слабости и...

— Федор Матвеевич, что? Что тут такое?

— Артем Ладейников заперся вместе с Вавиловым в его кабинете. Он взял его в заложники. Он вооружен. Несколько раз уже стрелял через дверь. И клянется, что убьет Вавилова. Он требует какого-то суда.

— Они оба убийцы, Федор Матвеевич! Это Вавилов пять лет назад убил Аглаю Чистякову! Вот у меня тут доказательства. Аглая была знакома с Артемом, они любили друг друга, и это он мстит Вавилову. Это он убил его жену там, в доме, и он же убил Викторию Одинцову, потому что она узнала его, когда мы приходили в ее кафе. Помните, мы туда приходили, и Ладейников был с нами. Она узнала его! Они оба убийцы. И один мстит другому.

— Замначальника Главка и его секретарь-помощник — убийцы?

Это спросил не Гущин, а кто-то из высокого начальства. Катя чувствовала, что все взгляды устремлены на нее. Она стала сбивчиво рассказывать, потрясая тетрадкой, чуть ли не тыча им в нос эту тетрадку в клеточку, исписанную детской рукой.

Полковник Гущин расстегнул пиджак и начал массировать себе сердце.

— Что хочет Ладейников? — спросила Катя, закончив.

— Никто толком еще не понял, — к Кате обращался хмурый начальник спецназа. — Он орет через дверь и стреляет. Требует какого-то справедливого открытого суда. Мы сначала не врубились даже. Думали, он с катушек слетел.

— Теперь врубились, — тихо сказал полковник Гущин, забирая у Кати тетрадь.

— Он не слетел с катушек. — Катя оглядывала их лица — коллег, начальства. — Он мстит Вавилову за смерть Аглаи.

Полковник Гущин спустился по лестнице до второго этажа, отодвинул перекрывавших дорогу в коридор сотрудников и медленно сделал по ковровой дорожке несколько шагов в сторону кабинета Игоря Вавилова.

— Артем! Артем, это полковник Гущин, слышишь меня?

Тишина.

— Артем! Нам все известно. Открой дверь, впусти нас.

Пистолетный выстрел. Пуля пробила дверь и рикошетом отскочила от стены коридора. Гущин замер на месте.

— Мы все знаем, слышишь? Не устраивай самосуд! Отпусти Вавилова, и я обещаю тебе — он предстанет перед судом!

Тишина.

Гущин ждал на месте. Катя пробилась к самому выходу с лестницы в коридор.

— Федор Матвеевич, он вам не поверит! Он ведь тоже убийца. Тут надо по-другому!

Гущин не отвечал ей, не поворачивался.

— Тут надо по-другому! — выкрикнула Катя. — Вы ничего не понимаете! Давайте я!

— Уберите ее, — жестко велел Гущин, не оборачиваясь.

Катю под локти схватили оперативники, попытались оттащить, она начала отбиваться, уперлась.

— Пошлите меня переговорщиком! — крикнула она. — Дайте мне поговорить с ним... нет, с ними обоими!

— Много на себя берете, — процедил сквозь зубы начальник спецназа.

Они все смотрели на нее почти враждебно. Какая-то крикунья из Пресс-центра, что-то там лепечет, когда тут такие дела — захват заложника в здании Главка! Позор на всю страну. Инцидент, в котором замешаны сотрудники — большой начальник и его подчиненный.

— Артем, слышишь меня? — крикнул Гущин. — Предлагаю еще раз — открой дверь, выйди. Нам все известно. Нам все известно про Вавилова. Про убийства. Ты суда добиваешься, так будет суд. Но сначала должно пройти следствие. Тем, что ты удерживаешь его там силой, ты ничего не добьешься! Слышишь меня, вот так ты все равно ничего не добьешься!

Выстрелы сквозь дверь — бах! Бах!

— Отвлеките его, — бросил начальник спецназа. — Мы с пуленепробиваемыми щитами взломаем дверь. Зайдем с обеих сторон коридора. Это займет пять минут.

— Ладейников убьет Вавилова и себя! — выкрикнула Катя. — Вы что, этого добиваетесь? Этого, да? Чтобы все концы в воду? Чтобы никто ничего не узнал? Не узнал правды? Чтобы было два трупа и Ладейникова объявили сумасшедшим?

— Ну-ка, пошли отсюда! — Начальник спецназа кивнул своим подчиненным, и они поволокли Катю прочь.

— Федор Матвеевич, мы и так уже наделали ошибок! — кричала Катя. — Мы все! Не делайте самой главной ошибки!

— Оставьте ее в покое. — Полковник Гущин обернулся, и они сразу отпустили ее.

Он вернулся на лестницу. Катя увидела — он был весь в поту и бледен как простыня.

— Дайте мне поговорить с ними обоими, — снова почти умоляюще попросила Катя. — Давайте попробуем. Вышло так, что сейчас я лучше всех представляю себе, в чем тут дело. Я прочла тетрадь Аглаи, я говорила со свидетелями. Я располагаю информацией. Я знаю факты. Я поговорю с Ладейниковым. И попытаюсь поговорить с Вавиловым. Мы же должны использовать любой шанс. Черт возьми, для этого ведь и существуют переговорщики!

— А если он вас пристрелит? — спросил начальник спецназа.

Катя не ответила на этот вопрос.

— Не время геройствовать, девушка. — Начальник спецназа презрительно щурился.

— Федор Матвеевич!

— Ладно, пусть она попробует, — сказал Гущин. — Я беру всю ответственность за операцию на себя.

— Вы хоть знаете, с чего надо начинать? — спросил начальник спецназа. — Импровизация тут не поможет.

Он был абсолютно прав. Катя не знала, с чего начать этот разговор.

Чисто по-человечески...

Чисто по-человечески говорить с двумя убийцами, один из которых уничтожал другого.

— Ну, иди, — просто сказал Гущин Кате. — Осторожно!

— Если начнет палить сквозь дверь, мигом падай на пол и ползи. — Начальник спецназа уже не церемонился.

Катя вошла в коридор второго этажа.

Красная ковровая дорожка под ногами.

Такая знакомая. Ноги тонут в толстом ворсе, глуша звук шагов.

Этот коридор... Она ходила им миллион раз. Главк был чем-то вроде второго дома. В этом старом здании она проводила так много времени, что ощущала себя неотъемлемой частью его и той жизни, что бурлила внутри. Жизнь полицейского управления сейчас словно замерла. Словно все набрали в легкие воздуха и задержали дыхание перед погружением в неизведанную глубину.

Тьма сгущалась...

Так обычно повествуют в сказках.

А наяву в длинном коридоре второго этажа ярко горел верхний свет.

Коридор был абсолютно пуст. Катя шла мимо дверей начальственных кабинетов. Остановилась в том самом месте, где и Гущин минутами ранее.

Она хотела говорить громко. Хотела, чтобы голос повиновался ей и не дрожал.

Она не могла определить, удалось ли ей это, потому что все мы слышим свой голос не так, как окружающие.

— Артем! Это я, Катя. Я хочу поговорить с тобой. Пожалуйста, не стреляй в меня.

Тишина.

Ни звука из кабинета с простреленной дверью.

— Артем, я ездила в Рождественск. Опять. Я говорила с теткой Аглаи. Я нашла ее дневник — Аглая писала в тетради по алгебре. Она многое рассказала там. Слышишь меня, Артем? Я знаю, что произошло на самом деле пять лет назад. Я знаю о ваших взаимных чувствах. И я знаю, что это Игорь Вавилов убил ее. Девочку, которая была твоей первой любовью. И я знаю, за что Вавилов ее убил. И знаю, что ему нет за это прощения.

Ни звука из кабинета.

— Артем, послушай меня. То, что вы там сейчас вдвоем, — это ничего не изменит. Ты можешь его казнить сам, застрелить. Но ты ведь не этого добивался, правда? Если бы только этого — его смерти, тогда зачем все остальное? Если ты не откроешь дверь и не отдашь все это в руки следствия и суда, они пойдут на штурм. Ты убьешь Вавилова, застрелишься сам, или они тебя застрелят. И потом замнут это дело. Ты слышишь меня? Никто не узнает правды. Они спрячут концы в воду, потому что Вавилов — заместитель начальника Главка и собирался идти в министерство на должность заместителя министра. И это позор для МВД, что педофил и убийца сделал такую карьеру. Это позор для всей системы, для руководства. А ты, хоть и вольнонаемный, но ты успел изучить нашу систему. Она сделает все, чтобы этого позора и огласки избежать. Поэтому, если ты умрешь и Вавилов умрет, для них будет только лучше. Это называется не выносить сор из избы. Артем, открой мне дверь. Я не хочу, чтобы этот сор, вся эта кровавая мразь была спрятана под грифом «совершенно секретно»!

Тишина.

И вдруг...

В замке повернулся ключ.

Дверь толкнули изнутри, и она медленно распахнулась.

Катя на дрожащих ногах приблизилась и встала точно напротив дверного проема. Она не спешила войти.

— Смотри, Артем, я одна. За мной нет никого. Никакой спецназ тут не прячется.

— Входите и встаньте в дверях.

Она услышала его голос. Очень спокойный, вежливый.

Она сделала так, как он сказал. И увидела их обоих.

В просторном кабинете на середину был выдвинут стул, и на нем, обмотанный липким скотчем, сидел Игорь Вавилов. Выглядел он хуже некуда. По лицу его текла кровь из раны на голове. Он весь как-то грузно обмяк, в могучем теле словно не осталось силы.

Артем Ладейников стоял рядом. В руке — пистолет. Из кармана белой рубашки, запачканной порохом и кровью, торчит зарядное устройство.

Катя ожидала увидеть нервного психопата — так обычно выглядят непрофессиональные захватчики заложников. Что-то орут, жестикулируют...

Но парень был абсолютно спокоен. Катя внезапно представила его там, в гараже у трупа Полины с электропилой в руках.

Она ощутила тошноту. Но не время сейчас поддаваться эмоциям.

— Так вы правда все знаете? — спросил Артем.

— Да.

— Вы раскрыли это дело? Наше дело?

— Наше дело, наше общее дело. — Катя не отрываясь смотрела на него.

И внезапно ощутила, как слезы..

Плачут обычно жертвы, захваченные в плен, но чтобы *плакал переговорщик... Это что-то новое...*

— Артем, зачем... эти женщины... Полина и Виктория Одинцова... они же... они же совсем ни при чем. Никакой вины на них. Что же ты натворил?!

Он не опускал пистолет, направленный в висок Вавилова.

— Ты же мог просто рассказать правду. Все эти годы... А ты молчал и решил сделать вот так. Большой кровью. Ты мог рассказать правду. Там же есть улики, они сохранились, я их нашла, и другие бы нашли, хорошенько поискав. И там есть свидетели.

— Не мог я рассказать, — ответил он. — Кто бы мне поверил? Я решил все сделать сам.

— Только не строй из себя героя, — прохрипел вдруг Вавилов. — Если я — мразь, тогда кто ты — бешеный полоумный ублюдок?

Ладейников со всего размаха с силой ударил его левой рукой по лицу. Как тогда — в доме, когда Вавилов бился в истерике, в пароксизме горя. Катя вдруг поняла — он не успокоить его тогда хотел, нет. Не прекратить истерику. Он еле сдерживал себя, чтобы не убить его прямо там, на виду у всех.

— Артем! — воскликнула она. — Не надо. Он связан. Он и так в твоей власти. Ты отомстил ему.

— Я мог убить его в любой момент. Я так сначала и хотел, а потом решил — нет, пусть мучается. И пусть все узнают. Пусть это дело раскроют. — Артем смотрел на Катю. — Только вы все петляли, блуждали. Вытащили на свет еще эти два никому не нужных старых дела. И запутались. Поэтому решил положить всему этому конец сам.

— Мы запутались и по твоей вине. Ты тоже скрывал правду, — возразила Катя. — Ты ведь любил Аглаю?

— Я любил ее. — На его лице появилось странное, почти мальчишеское выражение боли и восторга. — Мы любили друг друга. Мы друг друга понимали и берегли. Я пальцем ее не касался. Я ее берег и жалел, любил очень. Мы только целовались, потому что она была еще... Всего четырнадцать лет! Я хотел ждать, не желал ничего портить. Я пальцем ее не касался, я ее обожал! А он... он воткнул ей палку между ног и разорвал ей там все внутри!!

Он опять с размаху ударил Вавилова по лицу. А потом еще раз. И еще.

— Артем! Прекрати! — закричала Катя. Она вдруг испугалась, что на ее вопль спецназ ринется на штурм. — Пожалуйста... Я верю, что ты любил ее. Очень. Но ты же... черт возьми, ты же играл роль сутенера при ней!

Артем глянул на Катю.

— Ты же использовал ее как приманку для ловли богатых педофилов в Интернете. Как сутенер и шантажист. Это ведь тоже правда, Артем. Именно поэтому ты не мог рассказать все, как было.

Вавилов вскинул голову и, набрав в рот кровавой слюны, плюнул — метил в лицо, но попал на рубашку Ладейникова.

— Давай убей меня, пацан, — прохрипел он. — Давай, парень, жми на спуск. Так будет лучше для всех. Один выстрел, и меня нет.

Ладейников вытер руку о брюки.

— Убей меня. — Вавилов заворочался на стуле. — Я прошу тебя... Так будет лучше. Я больше не могу. Слышишь ты, полоумный ублюдок, я не в силах все это терпеть больше, убей меня!

Кате вспомнились женские руки, прибитые гвоздями к стене в форме буквы «М», вспомнился провонявший дерьмом ресторан «Кисель». Это ли не кара? Это ли не расплата за убийство Аглаи? Тогда что вообще такое — расплата и кара? В чем их смысл? Где их предел?

— Забирайте его, — сказал Артем и отступил от стула, сжимая в руке пистолет.

— Ты хочешь суда? — спросила Катя.

— Да, я всегда этого хотел. Чтобы мы... чтобы вы раскрыли это дело и поняли все. И чтобы был суд. Чтобы все узнали про него. Узнали правду. Я хотел справедливого суда. Забирайте его. Раз вы раскрыли это дело, мне он больше не нужен.

Он отступил еще дальше в глубь кабинета, к окну.

— Мы его заберем, — сказала Катя. — А ты?

— А я?

— Ты...

Он поднял пистолет. Он смотрел прямо в дуло.

Катя поняла — он не собирается покидать этот кабинет живым.

— Я сегодня услышал — мы, мол, лишние люди. Наше поколение. От нас, мол, ничего не зависит. Мы тут никто и ничто. Так вот я с этим не согласен. — Он говорил это Кате и открытой настежь двери кабинета, где пока так и не возник вооруженный до зубов спецназ. — Что-то мы можем сделать. Если правосудие все-таки есть, если это не липа, не болтовня, то... Забирайте Вавилова. Судите его.

— Без твоих показаний по делу Аглаи будет трудно, Артем. — Катя хотела быть с ним максимально честной. — Все, что у нас есть, это косвенные доказательства. Без твоих показаний на суде опытный адвокат... а он, — она кивнула на прикрученного к стулу Вавилова, — наймет себе такого, я знаю... Так вот если ты хочешь справедливого приговора и возмездия по суду, по закону, ты... Ты должен выбрать.

— Между показаниями на суде против него, собственным пожизненным за два убийства и выстрелом в висок сейчас?

— Убей меня, ублюдок, и сам застрелись, и вся недолга! — прохрипел Вавилов.

— Он путал следы в деле Аглаи, фабриковал обвинение против учительницы Грачковской. Неужели ты думаешь, что он не попытается выкрутиться на суде, когда ты — главный свидетель — покончишь с собой? — спросила Катя.

— Так это я должен еще и выбирать? — Артем Ладейников спрашивал словно бы с изумлением.

Но лицо его — Катя не видела на нем мук борьбы, битвы противоречий. Внешне он был удивительно спокоен.

Месть — блюдо, которое подают холодным... Всегда... Или в самых крайних случаях?

И тут Артем быстро подошел к Кате и сунул ей свой пистолет рукояткой вперед. От неожиданности она едва не уронила его на пол.

— Он отдал пистолет мне! — крикнула она. — Он... Она не успела сказать «безоружен». Кабинет в мгновение ока заполнили спецназовцы в бронежилетах.

Все смешалось... Хотя действовали спецы слаженно и быстро — все смешалось, все превратилось в хаос.

Прикрученного к стулу Вавилова поволокли по коридору прочь. Он что-то хрипло орал. Артема Ладейникова обыскали и тоже поволокли — в другую сторону.

— Помните Юлю, Катя? — выкрикнул он. — Скажите ей... я не хотел причинить ей вред. Мне нужно было, чтобы место его секретаря освободилось! Скажите ей, я прошу у нее прощения! Я старался, чтобы она не сильно пострадала в той аварии!

Последнее признание...

Катя запомнила его и знала, что передаст по адресу. Калейдоскоп лиц мелькал перед ней. Ее тошнило. Вот в этом калейдоскопе мелькнуло лицо полковника Гущина...

— Ловко вы его обработали.

Это произнес начальник спецназа, он забрал у Кати пистолет. В его словах не было благодарности, а лишь скрытая неприязнь. Словно она отобрала у него важный трофей.

— Пошел к черту от меня, — грубо огрызнулась Катя.

Она медленно двинулась прочь, едва волоча ноги.

Полковник Гущин догнал ее на лестнице. Но сейчас она не хотела говорить и с ним.

Глава 51
ДЛЯ КОГО-ТО ДАЖЕ ХЕППИ-ЭНД

Честно говоря, Катя вообще не хотела *об этом говорить*.

Но она ведь не принадлежала себе. Кому вообще принадлежат полицейские? Кому они нужны? Кому какое дело до них, когда они разочаровываются в окружающем их мире и замыкаются в себе?

В общем, кое-как Катя со всем этим справилась. Но шрамы остались.

В Главке бушевал грандиозный скандал. Приезжали разные комиссии. Трясли грязное белье, собирали пачки рапортов. Все это как мутная волна катилось по высоким кабинетам.

Катя больше не обращалась к полковнику Гущину с вопросами о том, как там движется это дело... наше дело... наше общее дело.

Гущин заговорил об этом сам. Однажды в обеденный перерыв он сам зашел к Кате в пустой кабинет Пресс-центра. И сказал:

— Я только что от следователя. Мы следственный эксперимент с Ладейниковым в доме и в гараже проводили. Как там и что было тогда.

Катя оторвалась от ноутбука, на котором печатала.

Полковник Гущин подошел к окну и налил себе из чайника холодного чая.

— Ясно, почему Полина Вавилова тогда дверь открыла, ничего не опасаясь. Вавилов ведь ее предупредил, что к ним домой заедет его помощник Артем Ладейников, чтобы компьютер починить. Ладейников явился утром в одиннадцать, когда Вавилов сидел на совещании. Полина подумала, что это муж его послал пораньше. Вот так он в дом и проник.

Катя и на это не отреагировала. Но она не печатала. Сидела, подперев голову рукой.

— Чай у тебя остыл. — Гущин кашлянул. — В общем, я зашел, чтобы сказать — ты молодец. Ты его уговорила сдаться. Ты раскрыла убийство девочки и установила вину Вавилова и... В общем, спасибо тебе. Ты мне очень помогла.

Катя молчала.

— Ладейников дает очень подробные показания, чего не скажешь о Вавилове. Ладейников, видно, на себя рукой махнул, он ничего не скрывает. Вавилова он утопит. Вавилову не выкрутиться.

Катя и на это не отреагировала.

— Слышишь, ему не выкрутиться. — Полковник Гущин сел напротив Кати. — Это для тебя самое главное? Так вот — его посадят навсегда.

— Артем этого и добивался. В чем-то он нам помог. — Катя глянула на Гущина. — Я к Юле ездила, сказала ей, что он просил. С нее на следующей неделе снимут гипс.

— Я ее в секретариат розыска пока заберу. — Гущин снял очки. — Что, ей Артем нравился, да?

Катя опять не ответила. Ну что она могла сказать?

— Справедливости и правосудия маниакально жаждать. И такую цену за это заплатить. — Гущин говорил тихо, словно рассуждал сам с собой. — Первая любовь... платоническая чистота чувств и при этом... они оба, и Аглая и он, таким грязным способом через Интернет деньги зарабатывали. Копили на свою свадьбу. Ей четырнадцать, ему восемнадцать — полудети и... совсем не дети. И романтики, и циники. Влюбленные... Я читал ее тетрадку. Следователь тоже читал. Артем на допросах говорит — он сразу догадался, кто ее убил. На нас, на полицию, он в этом деле по понятным причинам положил. Поклялся, что сам отомстит Вавилову за Аглаю. Он на допросах белый весь как смерть, когда рассказывает о том, как узнал, что у Аглаи между ног палкой орудовали, разорвали все там внутри. Об этом тогда весь Рождественск судачил, ужасался. Только все обвиняли учительницу. Артем же знал, кто настоящий убийца.

— Вавилов, когда ту надпись на стене гаража увидел и руки своей жены прибитые, сразу понял, за какое дело ему мстят. Только вот... помните, он вам все говорил — «там некому мстить». Мы-то думали, это ко всем трем делам относится, а он имел в виду убийство девочки. А там ни братьев, ни сестер, мать покончила с собой, одна лишь сводная тетка, озабоченная только тем, как унаследовать их квартиру. — Катя не ожидала от себя такой длинной фразы. — Артем вам сказал, где они познакомились с Аглаей?

— На университетской олимпиаде по математике. — Гущин вздохнул. — За год до убийства. Влюбились с первого взгляда друг в друга. У нее были гениальные способности к математике, а он тоже не отставал, да к тому же он в этих компьютерах, в этих IT такой знаток. Ничего лучше эти тинейджеры гениальные не придумали, как цеплять педофилов в Интернете и шантажировать, разводить на деньги. Уж лучше бы хакерствовали, что ли, ей-богу...

— Аглая выступала для педофилов в роли приманки. Бесконтактный секс... Артем находил пути, взламывал их компьютеры, посылал мейлы с шантажом и угрозами. Он взломал служебную почту Вавилова так же, как до этого взламывал почту других. Вавилов увлекся Аглаей и совершил ошибку — он порой разговаривал с ней в чате на работе, со своего рабочего компьютера. — Катя перечисляла все это как тезисы, бесстрастно. — Когда ему пришло письмо с требованием денег, он сразу понял — его вскрыли, как консервную банку, знают, кто он такой и что он — сотрудник полиции. У него были такие планы на карьеру, на министерство, а тут этот шантаж. Он не мог допустить, чтобы его шантажировали. Поэтому он убил Аглаю, не задумываясь, не жалея. Он спасал себя. Вспомнил венское дело — инсценировку изнасилования. Ему эта мысль пришла потому, что Аглая в чатах рассказала ему о конфликте с учительницей. А потом он сам как начальник городского розыска активно взялся за дело по раскрытию убийства. И все свел к версии: убийца — учительница. И одновременно пытался замести все следы — это он утопил в луже мобильник Аглаи, это он изъял ее ноутбук и проверил. Но там ничего не оказалось. Они ведь с Артемом тоже осторожничали и выходили в Интернет всегда дома с его ноутбука. Вавилов выяснил, что девочка посещала интернет-кафе «Железо и софт» и работала на разных компьютерах, которых там больше двух десятков. Что там нереально установить ее контакты. Понимаете, Федор Матвеевич, он постоянно искал сначала — нет ли кого за Аглаей, не стоит ли кто за ней в этом шантаже. Он ведь опытный опер, не дурак. Но он так и не нашел тогда никакого следа и уверил себя, что раз Аглая обладала феноменальными способностями в математике, значит, она была способна и к хакерству в Интернете. Он уверил себя, что она действовала в одиночку, что была приманкой и хакером-шантажистом одновременно. Лишь через пять лет, когда убили его жену, он понял, что ошибся. Но было уже поздно. Как и мы, он не знал, где искать своего мстителя.

— Странно, что Вавилов и Аглая оказались из одного города, из Рождественска. Это простое совпадение. Чего только не бывает на просторах Интернета. — Гущин вздохнул тяжело. — Я снимки Полины, его жены, смотрел. В общем, чего теперь удивляться, что он в свои годы женился на такой юной девушке. Его всю жизнь к таким юным влекло. Животный инстинкт.

— Ее смерть на совести Артема Ладейникова. И смерть Виктории Одинцовой тоже на его совести. И нет ему за это прощения. — Катя вспомнила его... этого парня в разные моменты, ощутив в сердце тупую боль. — Они безвинные жертвы. Полина всего лишь была женой своего мужа. А Виктория... она ведь узнала тогда Артема, когда мы зашли в кафе. Она не могла его не узнать, потому что она принимала его на работу в «Железо и софт». Она вспомнила его сразу, а он узнал ее. И понял, насколько она по собственному неведенью может оказаться для него опасной. Он вернулся в кафе на следующий день и зарезал ее в подсобке. Что он сам об этом говорит?

— То же самое, что и ты. Я же сказал — он ничего не скрывает. Сила в нем, в этом парне. Воля, целеустремленность. И ярость. И все это на месть было направлено все эти годы. На одну цель — добраться во что бы то ни стало до Вавилова, отомстить ему по полной. С одной этой целью он устроился к нам на работу в органы. В отдел «К» сначала — там ведь компьютерных гениев с руками рвут, потому что особо-то никто не идет. Так что это было нетрудно. Пока Вавилов сидел в академии, метя на очередное повышение, Ладейников работал в отделе «К», он хотел перейти в такой же отдел в министерстве, если бы узнал, что Вавилов после академии уйдет туда. Но Вавилов ушел на повышение снова к нам в Главк. Считай, что с этим Ладейникову повезло. И больше того, как заместитель начальника Главка, курирующий информационное обеспечение и аналитику, Вавилов постоянно контактировал с отделом «К», и Ладейников сделал все, чтобы он его заметил, — работал над созданием для Главка программы поиска, представлял свои наработки Вавилову. Он познакомился с секретаршей Юлей и понял, что если это место секретаря-помощника достанется ему, то Вавилов окажется на расстоянии удара и в полной его власти. И он — сам же в этом признался — угнал машину и сбил Юлю, когда та каталась на велосипеде. Юле он помогал, заботился о ней... А Вавилов моментально взял его к себе на ее место — умный парень, дока во всех этих IT. Документация-то вся сейчас в основном в электронке. Так вот они и пришли к тандему: шеф — подчиненный... Ладейников все время повторяет, что мог убить Вавилова в любой момент. Но он хотел, чтобы все всё про него узнали, чтобы убийство Аглаи было раскрыто, чтобы его судили. И чтобы он мучился до конца дней, потеряв то, что ценил больше всего, — свою юную жену Полину.

Знаешь, Катя... Эта история... Все это можно было остановить тогда, пять лет назад. Если бы мы, уголовный розыск, отработали убийство девочки как следует, если бы подключились. А не надеялись лишь на начальника Рождественского розыска, который...

Полковник Гущин умолк. Но потом продолжил:

— Когда свой оказывается подонком — это урок на будущее всем нам. Он ведь, Вавилов, метил в министерство, на самый верх. Тесть бы со временем его и в министры протащил. Такие сейчас востребованы. Такие, кто ни перед чем не остановится. А мы так долго плутали в потемках. Мы запутались в трех делах.

— Мы сняли обвинение с Павла Мазурова в деле об изнасиловании и окончательно сняли все подозрения с учительницы Грачковской, — тихо сказала Катя. — Я часто думаю о них. Как они там? А вы?

— И я, — ответил Гущин, — но эта история кончается не так, как мы думаем.

Та, которую они вспомнили, даже и не подозревала об их существовании. Наталья Грачковская завершила свой труд в полдень. Теперь она трудилась неполный рабочий день — в торговом центре из-за кризиса начали увольнять персонал и жестко экономить на оставшихся. Зарплату ей урезали на половину, но она все равно держалась за место уборщицы в туалете зубами и ногтями, потому что других альтернатив не было никаких.

За свой неполный рабочий день она была вынуждена выполнять всю прежнюю работу в полном объеме — драила унитазы, мыла полы, скребла кафель, моталась по магазинам торгового центра, собирая мусор на тележку, ворочая тяжелые контейнеры. У нее сильно болела спина. И почти каждый день поднималось давление. Но она терпела. Рабочие лошади вынуждены терпеть все. Она радовалась, что ее не уволили. Что хоть как-то дают возможность дышать и существовать.

Перед тем как сесть на автобус и поехать домой, она зашла в супермаркет в торговом центре.

Наталья Грачковская купила пакет молока, бутылку кефира, маргарин — она уже полностью перешла на него, потому что сливочное масло было ей уже не по карману. Еще она купила пачку твердых, как камни, пряников, чтобы было с чем вечером пить чай.

Подошла к прилавку. Посмотрела на сырокопченую колбасу. Сглотнула слюну.

В это же самое время далеко-далеко от торгового центра Мимоза — Марина Приходько рыдала и сморкалась в бумажный носовой платок на допросе у следователя Следственного комитета. Дело об изнасиловании в отеле «Сказка» — точнее, об инсценировке — по материалам розыска возобновили производством. И следователь СК допрашивал всех по новой. Гражданина Витошкина искали с собаками за границей. И пока это происходило, следователь бросил все свои профессиональные силы на обработку Мимозы. Он порой так орал в кабинете, что дрожали стекла. Он чрезвычайно гордился своим «умением работать с обвиняемыми», грозя тем, что «вы, сукины дети, у меня домашним арестом и электронным браслетом не отделаетесь, сядете на парашу!».

Но не все было так мрачно. Для кого-то в этом деле даже сверкал, как праздничный фейерверк, хеппи-энд. Как же — нельзя же по нынешним пафосным временам без хеппи-энда, без счастливого конца.

Например, в жизни Алексея Грибова — сына прокурора — наступил самый настоящий период удач. И каких!

Леокадию Пыжову хватил инсульт. Случилось это на концерте — сборной солянке в Сочи, где скакала по сцене, приплясывая и подвывая на разные голоса, старая, давно всем опостылевшая попса. Леокадии стало плохо в гримерке. Ее доставили в госпиталь, и там у нее отнялась вся левая сторона.

Алексей Грибов перевез ее в Москву в квартиру на Арбате и нанял постоянную сиделку. Леокадия лежала в кровати, гулко, раскатисто пукала под одеялом. Сиделка, добрая простая баба, умилялась — «вот опять нежданчик!» — и кормила Леокадию тертым яблочком с ложки, как малое дитя.

Алексей Грибов зажил полной насыщенной жизнью — он катался на «Ягуаре» Леокадии по доверенности, тратил деньги с ее кредитных карточек, не считая, вел консультации со знакомыми по прошлой жизни нотариусами с тем, чтобы организовать опеку над Пыжовой и гарантировать в будущем получение ее наследства. Он подумывал о приобретении маленькой яхты для отдыха в Сочи и мимоходом приглядывал себе среди старух на эстраде новую «чистую и бескорыстную любовь» возрастом глубоко за шестьдесят. Он носил дорогие костюмы, обедал в лучших ресторанах, у него были деньги. Чего же еще желать? Это ли не хеппи-энд?

Для Павла Мазурова все тоже складывалось в этом мире на удивление хорошо. Во-первых, его отпустили из-под стражи. Во-вторых, «дело обкакавшихся в «Киселе» самым настойчивым образом замяли по-тихому. Из гостей «Киселя», где было немало влиятельных персон, никто не желал фигурировать в таком деле. Огласки и позора боялись пуще огня, а посему происшествие со слабительным и местью представили лишь как «вспышку острой кишечной инфекции». Ресторан «Кисель» закрылся.

Павла Мазурова предупредили, чтобы он не смел болтать и распространяться на эту тему. По делу о фальшивом изнасиловании в отеле «Сказка» его признали потерпевшей стороной и даже пообещали возместить моральный ущерб за годы, проведенные за решеткой из-за ошибки расследования и суда. Потом возместить, когда-нибудь.

Павел Мазуров, отпущенный из-под стражи, приехал в свой загородный дом, где его встретила мать. Он был небрит, неухожен, от одежды его еще шел запах тюрьмы, но он выглядел абсолютно счастливым и спокойным. Он считал свою миссию выполненной. Он отомстил. И — надо же — это сошло ему с рук. Мать-старуха не терпела сантиментов. Она оставила на столе свой вечный пасьянс, потрепала великовозрастного сына-яппи по колючей щеке и проскрипела: «Вот ты и стал наконец мужчиной. Лучше поздно, чем никогда».

Оглавление

Литературно-художественное издание

СЛЕДСТВИЕ ВЕДЕТ ПРОФЕССИОНАЛ.
Детективы Т. Степановой

Степанова Татьяна Юрьевна

ПАДШИЙ АНГЕЛ ЗА ЛЕВЫМ ПЛЕЧОМ

Ответственный редактор *О. Рубис*
Редактор *Т. Другова*
Художественный редактор *С. Груздев*
Технический редактор *Г. Романова*
Компьютерная верстка *Е. Мельникова*
Корректор *В. Кочкина*

ООО «Издательство «Э»
123308, Москва, ул. Зорге, д. 1. Тел. 8 (495) 411-66-86; 8 (495) 956-39-21.
Өндіруші: «Э» АҚБ Баспасы, 123308, Мәскеу, Ресей, Зорге көшесі, 1 үй.
Тел. 8 (495) 411-68-86; 8 (495) 956-39-21.
Тауар белгісі: «Э»
Қазақстан Республикасында дистрибьютор және өнім бойынша арыз-талаптарды қабылдаушының
өкілі «РДЦ-Алматы» ЖШС, Алматы қ., Домбровский көш., 3«а», литер Б, офис 1.
Тел.: 8 (727) 251-59-89/90/91/92, факс: 8 (727) 251 58 12 вн. 107.
Өнімнің жарамдылық мерзімі шектелмеген.
Сертификация туралы ақпарат сайтта Өндіруші «Э»
Сведения о подтверждении соответствия издания согласно законодательству РФ
о техническом регулировании можно получить на сайте Издательства «Э»
Өндірген мемлекет: Ресей
Сертификация қарастырылмаған

Подписано в печать 25.09.2015. Формат 84x108 1/32.
Гарнитура «Ньютон». Печать офсетная. Усл. печ. л. 16,8.
Тираж 12500 экз. Заказ О-2741.
Отпечатано в типографии филиала АО «ТАТМЕДИА»
«ПИК «Идел-Пресс». 420066, г. Казань, ул. Декабристов, 2.

ISBN 978-5-699-84161-5

16+

Серия детективных романов
«*CRIME & PRIVATE*»

Это не только классически изящные криминальные романы, но и вечный поединок страсти и рассудка, реальности и мечты, импульсивных эмоций и голого расчета. Судьбы героев вершит мастер психологического детектива **Анна ДАНИЛОВА**!